W9-CFO-585

ДЖОН ГРИШЭМ

ДЖОН **ГРИШЭМ**

ОСТРОВ КАМИНО

Издательство АСТ
МОСКВА

УДК 821.111-31(73)
ББК 84(7Сое)-44
Г85

Серия «Гришэм: лучшие детективы»

John Grisham

CAMINO ISLAND

Перевод с английского *В. В. Антонова*

Компьютерный дизайн *А. А. Кудрявцева*
Студия «FOLD & SPINE»

Печатается с разрешения автора и литературных агентств
The Gernet Company и Andrew Nurnberg.

Гришэм, Джон.

Г85   Остров Камино : [роман] / Джон Гришэм ; [пер.
с англ. В. В. Антонова]. — Москва : Издательство АСТ,
2018. — 384 с. — (Гришэм: лучшие детективы).

ISBN 978-5-17-982582-1

Ограблена библиотека Принстонского университета! Похищены бесценные рукописи Фрэнсиса Скотта Фицджеральда... Полиция и ФБР — в тупике. И тогда нанятое страховой компанией частное детективное агентство, специализирующееся на розыске краденых предметов искусства, начинает собственную охоту на похитителей.

След исчезнувших рукописей тянется на курортный островок Камино у побережья Флориды, где живет знаменитый антиквар и библиофил Брюс Кэйбл и компания его друзей-писателей. Туда-то детективы и подсылают своего «крота» — начинающую писательницу Мерсер Манн.

Но удастся ли ей, никогда прежде не участвовавшей в расследованиях, вычислить таинственного преступника?

УДК 821.111-31(73)
ББК 84(7Сое)-44

Посвящается Рене
С благодарностью за сюжет

Глава 1
ОГРАБЛЕНИЕ

1

Злоумышленник выдал себя за Невилла Манчина, который действительно преподавал американскую литературу в Портлендском университете штата Орегон и собирался защитить диссертацию в Стэнфорде. В письме на искусно подделанном бланке колледжа «профессор Манчин» сообщал, что является преданным поклонником Скотта Фицджеральда и очень хотел бы увидеть «рукописи и бумаги» великого писателя во время своей предстоящей поездки на Восточное побережье. Письмо было адресовано д-ру Джеффри Брауну, руководителю отдела рукописей Департамента редких книг и специальных коллекций Библиотеки Файрстоуна Принстонского университета. После надлежащей сортировки всей поступающей корреспонденции оно в конечном итоге попало на стол младшего библиотекаря Эда Фолка, в обязанности которого среди прочих рутинных занятий входила проверка личности отправителей писем.

Подобные письма от самопровозглашенных знатоков и экспертов по Фицджеральду, а иногда и от серьезных ученых поступали к Эду каждую неделю. В предыдущем календарном году он удостоверился в полномочиях и разрешил доступ 190 таким просителям. Они приезжали с самых разных уголков мира, и все держались восторженно и почтительно, будто паломники перед святыней. За тридцать четыре года работы на этом месте Эд делал запросы по каждому из них. И их не становилось меньше. Скотт Фицджеральд по-прежнему продолжал вызывать живой интерес. Поток просителей оставался таким же интенсивным, что и три десятилетия назад. Правда, сейчас Эд все чаще задавался вопросом, что еще может оставаться в жизни великого писателя, что не было бы изучено самым тщательным образом и описано в мельчайших подробностях. Недавно один серьезный ученый сказал Эду, что в настоящее время не менее ста книг и более десяти тысяч научных статей рассказывают о Фицджеральде как человеке и писателе, а также его творчестве и сумасшедшей жене.

А в сорок четыре года Фицджеральд допился до смерти. А что, если бы он дожил до старости и продолжал писать? Тогда бы Эду потребовался помощник, может, даже два, а то и целый штат. С другой стороны, Эд отлично знал, что ранняя смерть нередко являлась ключом к последующему признанию (не говоря уже о повышенных гонорарах).

Через несколько дней Эд наконец добрался до профессора Манчина. Сверившись с регистрационным реестром библиотеки, Эд быстро выяснил, что этот человек раньше не обращался и направил запрос впервые. Кое-кто из ветеранов посещал Принстон так много раз, что мог уже просто позвонить ему по телефону и сказать: «Привет, Эд, я приеду во вторник на будущей неделе». Эд не имел ничего против. Но с Манчином дело обстояло иначе. Эд зашел на сайт Портлендского университета штата Орегон и нашел на нем просителя. Тот получил степень бакалавра по американской литературе в Университете штата Орегон, степень магистра в Калифорнийском университете в Лос-Анджелесе и уже три года занимал должность адъюнкт-профессора. На фотографии был изображен невзрачного вида мужчина лет тридцати пяти в узких без оправы очках и с недавно отпущенной бородкой.

В своем письме профессор Манчин просил ответить ему по электронной почте и сообщал личный электронный адрес. Объяснял он это тем, что редко проверял свой университетский адрес. Эд подумал: «Это потому, что ты просто скромный адъюнкт-профессор, у которого, наверное, даже нет своего кабинета». Подобные мысли посещали его нередко, но он, будучи профессионалом, ни с кем, конечно, ими не делился. Ответ на всякий случай он направил на следующий день через сервер Портлендского университета. Поблагодарив профессора Манчина за обращение, Эд пригласил его в университетский городок Принстона. Он попросил также сообщить примерное время приезда и изложил несколько основных правил работы с коллекцией Фицджеральда. Поскольку этих правил было много, он предложил профессору Манчину ознакомиться с ними полностью на сайте библиотеки.

Ответ Эду был направлен автоматом, и в нем сообщалось, что в данный момент Манчин находится в отъезде и будет отсутствовать несколько дней. Один из подельников Манчина взломал сайт Портлендского университета, а вмешаться в работу сервера электронной почты факультета английского языка для опытного хакера не представляло никакой сложности. О том, что Эд ответил, хакеру и самозванцу стало известно сразу.

«Все как всегда», — подумал Эд. На следующий день он отправил такое же сообщение на личный адрес электронной почты профессора Манчина. Через час Манчин отозвался. Рассыпавшись в благодарностях, он написал, с каким нетерпением ждет предоставленной возможности посетить библиотеку, и все такое. Он подробно рассказал, как изучил сайт библиотеки, как много часов провел с цифровыми архивами Фицджеральда, как много лет владеет многотомными сериями факсимильных изданий первых рукописных черновиков автора и что особый интерес для него представляют рецензии на первый роман «По эту сторону рая».

«Потрясающе», — подумал Эд. Со всем этим он уже не раз сталкивался. Парень пытался произвести на него впечатление еще до своего приезда, что было в порядке вещей.

2

Фрэнсис Скотт Фицджеральд поступил в Принстонский университет осенью 1913 года. В шестнадцать лет он мечтал написать великий американский роман и действительно начал работать над ранней версией «По эту сторону рая». Он оставил учебу четыре года спустя, чтобы поступить на военную службу и отправиться на войну, но она к тому времени закончилась, и попасть на фронт ему так и не довелось. Его классический роман «Великий Гэтсби» был опубликован в 1925 году, но стал знаменитым только после смерти автора. Фицджеральд всю жизнь испытывал финансовые трудности, и к 1940 году работал в Голливуде, штампуя плохие сценарии и страдая от проблем как со здоровьем, так и в творческом плане. 21 декабря он умер от сердечного приступа, вызванного многолетним пьянством.

В 1950 году Скотти, его дочь и единственный ребенок, передала оригиналы рукописей, заметки и письма — его «бумаги» — Библиотеке Файерстоуна Принстонского университета. Все пять его романов были написаны от руки на дешевой бумаге, которая плохо сохранялась. В Библиотеке быстро поняли, что позволять исследователям работать непосредственно с рукописями было неразумно. Тогда изготовили высококачественные копии, а оригиналы поместили в защищенное подвальное хранилище, где воздух, свет и температура тщательно контролировались. На протяжении многих лет рукописи извлекали всего лишь несколько раз.

3

Человек, выдававший себя за профессора Невилла Манчина, прибыл в Принстон в чудесный осенний день в начале октября. Его направили в Департамент редких книг и специальных коллекций, где он встретился с Эдом Фолком, а тот затем передал его своему коллеге, который изучил предъявленные водительские права штата Орегон и снял с них копию. Конечно, права были фальшивыми, но подделаны на редкость искусно. Их изготовитель, являвшийся еще и хакером, прошел подготовку в ЦРУ и долгое время работал в темном мире частного шпионажа. Преодолеть систему безопасности кампуса ему не составило особого труда.

После того как профессора Манчина сфотографировали, ему вручили пропуск, который должен был постоянно находиться на виду. Помощник библиотекаря проводил его на второй этаж, где в большой комнате с двумя длинными столами вдоль стен располагались запертые выдвижные стальные ящики. В углах под потолком Манчин заметил четыре камеры наблюдения. Он подозревал, что имелись и скрытые камеры, которые были хорошо замаскированы. Он попытался поговорить с помощником библиотекаря, но выяснить удалось немного. Манчин в шутку поинтересовался, может ли он увидеть оригинал рукописи «По эту сторону рая», на что служащий лишь самодовольно усмехнулся и заверил, что нет.

— А вам самому доводилось видеть оригиналы? — поинтересовался Манчин.

— Только однажды.

Убедившись, что помощник библиотекаря не намерен ничего добавлять, Манчин снова спросил:

— А по какому случаю?

— Один знаменитый ученый хотел на них посмотреть. Мы проводили его в хранилище и показали. Правда, притронуться к самой рукописи ему не позволили. Это разрешается только старшему библиотекарю, причем обязательно в специальных перчатках.

— Да, конечно. Что ж, пора приступить к работе.

Служащий отпер два больших ящика с надписями «По эту сторону рая» и вынул из них толстые, негабаритные папки, пояснив:

— Тут собраны рецензии на книгу, которые вышли после первой публикации. У нас имеется подборка и множество других, более поздних рецензий.

— Отлично! — улыбнулся Манчин.

Он открыл портфель, достал блокнот и изобразил готовность немедленно приступить к изучению содержимого папок. Спустя полчаса, видя, что Манчин с головой ушел в работу, помощник библиотекаря извинился и удалился. Помня о камерах, Манчин ни разу не поднял глаз. В конце концов, он решил, что пора наведаться в туалет, и вышел. Пару раз, повернув не в ту сторону, он потерялся и поплутал по коридорам специальных коллекций, стараясь никому не попадаться на глаза. Камеры наблюдения были повсюду. Он сомневался, что в данный момент кто-то следил за его передвижениями, но, если понадобится, записи всегда могли просмотреть. Он нашел лифт, но не стал им пользоваться и спустился по лестнице. Этаж ниже был похож на первый, а еще один лестничный пролет вел к П2 (подвал 2) и упирался в массивную дверь с выведенной жирными буквами надписью «Вход воспрещен!». Рядом с дверью располагалась цифровая панель, и еще одна надпись предупреждала, что если дверь будут пытаться открыть «без надлежащего разрешения», то раздастся сигнал тревоги. На дверь и пространство вокруг нее смотрели две камеры.

Манчин развернулся и направился по ступенькам назад. Войдя в рабочее помещение, он увидел ожидавшего его помощника.

— Все в порядке, профессор Манчин? — спросил тот.

— Да. Боюсь, что у меня слегка расстроился желудок. Надеюсь, это не заразно.

Служитель немедленно ретировался, и Манчин провел в библиотеке весь день, копаясь в материалах из стальных ящиков и читая старые рецензии, до которых ему совершенно не было дела. Несколько раз выходил, приглядывался, изучал расположение, прикидывал и запоминал.

4

Манчин вернулся через три недели и больше не выдавал себя за профессора. Он был чисто выбрит, перекрашен в блондина, носил очки в красной оправе со стеклами без диоптрий, а при себе имел фальшивый студенческий билет с фотографией. Если бы кто-то начал задавать вопросы, что было весьма маловероятно, то он бы выдал себя за аспиранта из Айовы. В реальной жизни его звали Марк, и его «специальностью», если можно так выразиться, было профессиональное воровство. Высокодоходные, тщательно спланированные, первоклассные ограбления, целью которых являлись предметы искусства и редкие артефакты для последующей перепродажи за выкуп безутешным владельцам. Он был членом группы из пяти человек, возглавляемой Дэнни — бывшим армейским рейнджером, переквалифицировавшимся в преступника, когда его выгнали из армии. До сих пор Дэнни — как и Марк — не попадался в руки полиции и не имел судимости. Однако про двух других такого сказать было нельзя. Трэй дважды получал срок и дважды совершал побег, последний — год назад из федеральной тюрьмы штата

Огайо. Именно там он встретил Джерри — мелкого похитителя произведений искусства, находившегося в настоящее время на УДО. А о рукописях Фицджеральда Джерри впервые услышал от своего сокамерника, который отбывал большой срок за кражу произведений искусства.

Объект был идеальным. Всего пять рукописей, все находились в одном месте и для Принстона являлись бесценными.

Пятый член команды предпочитал работать из дома. Ахмед был хакером, изготовителем фальшивок, творцом всех надувательств, но слишком труслив для личного участия в совершении преступления. Он работал из своего подвала в Буффало, его ни разу не ловили и не задерживали. Он не оставлял никаких следов. Доля Ахмеда составляла пять процентов от общей добычи, а остальное члены команды делили между собой поровну.

К девяти вечера во вторник Дэнни, Марк и Джерри находились в Библиотеке Файрстоуна, выдавая себя за аспирантов, и смотрели на часы. Их поддельные студенческие билеты сработали отлично и ни у кого не вызвали подозрения. Дэнни спрятался в женском туалете на третьем этаже. Заперев дверь в кабинку, он поднял панель в потолке над унитазом, засунул в отверстие свой студенческий рюкзак и провел в ней несколько часов душного и тесного ожидания. Марк взломал замок на двери в главный машинный зал на первом уровне подвала и подождал, не включится ли сигнал тревоги. Ничего подозрительного он не заметил, как и Ахмед, легко проникший в систему безопасности университета. Марк приступил к демонтажу топливных форсунок резервного электрогенератора библиотеки. Джерри укрылся в кабинке для занятий, заставленной стеллажами с книгами, к которым никто не прикасался десятилетиями.

Трэй, одетый как студент, слонялся по кампусу с рюкзаком, подбирая удобные места для своих бомб.

Библиотека закрылась в полночь. Все члены команды, включая Ахмеда в подвале в Буффало, поддерживали радиосвязь. В 00:15 руководитель группы Дэнни объявил, что все идет по плану. Через пять минут Трэй, одетый как студент, и с громоздким рюкзаком в руках, вошел в находившийся в центре кампуса колледж Маккаррена, где располагалось общежитие. Убедившись, что камеры наблюдения по-прежнему находятся на тех же местах, что и неделю назад, Трэй поднялся по лестнице, где камер не было, на второй этаж, проскользнул там в туалет и заперся в кабинке. В 00:40 он вытащил из рюкзака жестяную банку размером с пол-литровую бутылку содовой. Включив пусковое устройство замедленного действия, он спрятал дымовую мину за унитазом, после чего вышел из туалета, поднялся на третий этаж и установил еще одну мину в пустой душевой кабинке. В 00:45 Трэй добрался до полутемной прихожей на втором этаже общежития и небрежно бросил в коридоре связку из десяти мощных петард. Когда он спускался по лестнице, раздались взрывы. Через несколько секунд сработали оба взрывных устройства, и коридоры заполнились густыми клубами прогорклого дыма. Выходя из здания, Трэй услышал первые крики паники. Укрывшись в кустах возле общежития, он достал разовый телефон, набрал номер Службы спасения Принстона и сообщил жуткую новость:

— На втором этаже общаги Маккаррена какой-то парень открыл стрельбу!

Из окна второго этажа валил дым. Джерри, сидевший в темной кабинке в библиотеке, позвонил с таким сообщением со своего разового телефона. Кампус охватила паника, и звонки посыпались один за другим.

Во всех американских колледжах есть тщательно разработанные инструкции, как действовать в ситуации с «вооруженным преступником», но применить их на практике получается не сразу. Сотруднице службы безопасности, дежурившей в ту ночь, потребовалась пауза в несколько секунд, чтобы решиться нажать нужные кнопки, после чего взвыли сирены. Все студенты, преподаватели и сотрудники Принстона получили эсэмэски и оповещения по электронной почте. Все двери надлежало закрыть и запереть. Все здания должны были быть заперты тоже.

Джерри снова позвонил в Службу спасения и сообщил, что застрелены два студента. В вестибюле колледжа Маккаррена клубился дым. Трэй сбросил еще три дымовых шашки в мусорные баки. Несколько студентов метались в дыму между зданиями, не зная, где найти безопасное место. Место происшествия заполнилось сотрудниками службы безопасности кампуса и городскими полицейскими, а за ними приехали с полдюжины пожарных машин. Затем появились машины «скорой помощи». Прибыли первые патрульные машины полиции штата Нью-Джерси.

Оставив рюкзак у двери офисного здания, Трэй набрал 911 и сообщил о нем как о найденном подозрительном предмете. Таймер на последней дымовой мине внутри рюкзака должен был сработать через десять минут, как раз в тот момент, когда эксперты-подрывники начнут разглядывать его издалека.

В пять минут второго Трэй сообщил подельникам по рации:

— Паника в самом разгаре. Везде дым. Кругом полно полиции. Самое время!

— Вырубай свет! — скомандовал Дэнни.

Ахмед, потягивавший крепкий чай в Буффало, ждал этой команды. Он быстро взломал систему защиты, вошел в программу электропитания и отключил электричество не только в Библиотеке Файрстоуна, но и в полудюжине соседних зданий. Для верности Марк, уже надевший очки ночного видения, повернул рычаг, отключавший питание в главном машинном зале. Он немного подождал, затаив дыхание, и с облегчением перевел дух, убедившись, что резервный генератор не включился.

Отключение питания вызвало аварийные сигналы на центральной станции слежения комплекса безопасности кампуса, но никому до этого не было дела. Еще бы — по кампусу разгуливал вооруженный преступник, открывший огонь! Беспокоиться о других аварийных сигналах было не время.

На прошлой неделе Джерри провел две ночи в Библиотеке Файрстоуна и был уверен, что после закрытия здания охранников в нем не оставалось. В течение ночи охранник в форме пару раз совершал снаружи обход и, посветив фонариком у дверей, шел дальше. Патрульный автомобиль тоже объезжал территорию, но высматривал, главным образом, пьяных студентов. Как и в других кампусах, с часу ночи до восьми утра жизнь тут замирала.

Однако в эту ночь Принстон переживал жуткую катастрофу, поскольку была открыта стрельба по сливкам американской молодежи. Трэй сообщил подельникам, что кругом царил полный хаос: повсюду сновали полицейские, спецназовцы надевали экипировку, выли сирены, постоянно работали переговорные устройства, от моря мигалок все переливалось синим и красным. Деревья окутаны дымом, будто туманом. Где-то сверху слышался рокот вертолета. Настоящее безумие.

Под покровом темноты Дэнни, Джерри и Марк быстро пробрались к лестнице и спустились в подвал под этажом со Специальными коллекциями. На каждом были очки ночного видения и шахтерская лампа, закрепленная на лбу. Каждый тащил тяжелый рюкзак, а Джерри еще и небольшую армейскую брезентовую сумку, которую спрятал в библиотеке вечером пару дней назад. На третьем, самом нижнем уровне они остановились у толстой металлической двери, вывели из строя камеры наблюдения и принялись ждать, когда Ахмед проделает свой фокус. Тот спокойно забрался в систему сигнализации и дезактивировал четыре датчика двери. Прозвучал громкий щелчок. Дэнни нажал на ручку и открыл дверь. За ней находился узкий коридор с двумя металлическими дверями. Марк посветил фонариком на потолок и увидел камеру наблюдения.

— Там, — сказал он. — Всего одна.

Будучи самым высоким в команде — его рост составлял шесть футов и три дюйма, — Джерри достал маленькую баночку с черной краской и распылил ее на объектив камеры.

— Бросим монетку? — предложил Дэнни, глядя на две двери.

— Что вы видите? — поинтересовался из Буффало Ахмед.

— Две одинаковые металлические двери, — ответил Дэнни.

— У меня тут ничего нет, парни, — отозвался Ахмед. — После первой двери в системе ничего нет. Начинайте резать.

Из холщовой сумки Джерри вынул две восемнадцатидюймовые канистры: одну — с кислородом, а другую — с ацетиленом. Дэнни расположился перед дверью слева, зажег газовый резак и начал раскалять пятно в шести дюймах выше замочной скважины и защелки. Через несколько секунд посыпались искры.

Тем временем Трэй уже покинул хаос вокруг колледжа Маккаррена и прятался в темноте через дорогу от библиотеки. Подъехали аварийно-спасательные машины, и вой сирен стал еще громче. Наверху слышался рокот вертолетов, хотя видеть их Трэй не мог. Не горели даже уличные фонари. Рядом с библиотекой не было ни души. Все собрались в другом месте.

— Вокруг библиотеки все тихо, — сообщил он. — Как успехи?

— Режем, — лаконично ответил Марк.

Все члены группы знали, что разговоры необходимо свести к минимуму. Дэнни медленно и умело резал металл язычком насыщенного кислородом пламени, раскаленного до восьмисот градусов. Шли минуты, расплавленный металл капал на пол, а из

двери разлетались красные и желтые искры. В какой-то момент Дэнни сообщил, что металлическая
обшивка имеет толщину в дюйм. Закончив с верх-
ним краем, он стал резать один из боковых. Работа шла медленно, минуты тянулись, и напряжение
нарастало, но они сохраняли спокойствие. Джерри
и Марк присели за Дэнни и наблюдали за каждым
его движением. Покончив, наконец, и с нижний линией, Дэнни постучал по фиксатору, и тот сдвинулся
с места, но что-то его не пускало.

— Это болт, — сказал он. — Я его разрежу.

Через пять минут дверь распахнулась. Ахмед,
следивший за системой безопасности библиотеки по
экрану ноутбука, не заметил ничего необычного.

— Тут все чисто, — сообщил он.

Дэнни, Марк и Джерри прошли в комнату, оказавшуюся такой маленькой, что они едва помести-
лись. Стол длиной около десяти футов был узким,
не шире пары футов. На каждой стороне стола стояло по четыре больших деревянных ящика. Марк —
а «медвежатником» в команде были именно он — от-
вернул очки, поправил фонарь и осмотрел один из
замков.

— Как и следовало ожидать, — произнес он,
покачав головой. — Замок с цифровым кодом, который, возможно, меняется компьютером каждый
день. Взломать такой невозможно. Придется сверлить.

— Займись этим, — сказал Дэнни. — Начинай
сверлить, а я пока разрежу другую дверь.

Джерри достал мощную аккумуляторную дрель
с двумя боковыми упорами. Приставив сверло к зам-
ку, они с Марком налегли на нее изо всех сил. Одна-

ко сверло, взвизгнув, соскользнуло с металлической накладки, которая поначалу показалась слишком твердой. Но вот появилась одна стружка, затем другая, и сверло начало вгрызаться в замок. Когда он наконец поддался, ящик все равно не открылся. Тогда Марк просунул в щель над замком тонкую монтировку и яростно налег на нее. Деревянная рама раскололась. Внутри лежал футляр для хранения архивных материалов с черной металлической окантовкой двадцати двух дюймов длиной, семнадцати шириной и трех высотой.

— Осторожно, — предупредил Джерри, когда Марк открыл ящик и аккуратно извлек из него тонкое издание в твердой обложке.

— «Избранные стихотворения Дольфа Макензи», — медленно прочитал Марк. — Мечта моей жизни.

— Кто это такой, черт возьми?

— Понятия не имею, но мы здесь не для поэзии.

За их спинами появился Дэнни и скомандовал:

— Ладно, продолжаем. Тут еще семь ящиков. И я почти закончил со второй дверью.

Они возобновили работу, а Трэй в это время курил на скамейке в парке через дорогу, то и дело поглядывая на часы. Безумие, творившееся в кампусе, пока не шло на убыль, но продолжаться вечно оно не могло.

Во втором и третьем ящиках первой комнаты оказались другие редкие книги авторов, о которых члены банды никогда не слышали. Открыв дверь во вторую комнату, Дэнни велел Джерри и Марку принести дрель туда. В этой комнате было тоже восемь больших ящиков, по виду точно таких же, как и в первой комнате. В четверть третьего Трэй сообщил, что кампус по-прежнему опечатан, но любопытствующие студенты начали собираться на лужайке перед колледжем Маккаррен, чтобы посмотреть шоу. Полицейские по мегафону призывали их вернуться в свои комнаты, но их было слишком много, чтобы очистить территорию силой. Над колледжем кружили по меньшей мере два вертолета с репортерами, что только осложняло ситуацию. С помощью смартфона он смотрел Си-эн-эн, и происходящее в Принстоне было главной новостью. Репортер канала, находившийся «на месте происшествия», взволнованно рассказывал о «неподтвержденных жертвах» и сумел создать впечатление, что многие студенты пали жертвой «минимум одного стрелка».

— «Минимум одного стрелка»? — пробормотал Трэй. Разве не любая стрельба требует участия хотя бы одного стрелка?

Дэнни, Марк и Джерри обсудили идею добраться до содержимого ящиков с помощью паяльной лампы, но решили от этого воздержаться, во всяком случае, пока. Риск устроить пожар был слишком велик, а какой толк будет от рукописей, если они пострадают? Тогда Дэнни достал дрель поменьше и начал сверлить. Марк и Джерри работали со своей дрелью. В первом ящике второй комнаты оказались стопки хрупких листов, исписанных другим давно забытым поэтом, о котором они никогда не слышали, но все равно его возненавидели.

В половине третьего Си-эн-эн подтвердило, что двое студентов убиты и не меньше двух получили ранения. Впервые прозвучало слово «бойня».

5

В ходе зачистки второго этажа общежития Маккаррена полиция обратила внимание на предметы, похожие на остатки петард. В туалете и душе нашли пустые дымовые мины. Брошенный Трэем рюкзак был вскрыт экспертами-подрывниками, и в нем тоже нашли отработанную дымовую мину. В 03:10 командир первым произнес слово «хулиганство», но адреналин в жилах продолжал струиться с такой силой, что о словосочетании «отвлекающий маневр» никто и не подумал.

Во всем здании общежития быстро восстановили порядок, все студенты оказались на месте и были живы-здоровы. Оцепление вокруг кампуса еще долго не снимали, пока не закончился осмотр всех соседних зданий.

6

В 03:30 Трэй сообщил:

— Похоже, тут все успокаивается. Прошло уже три часа. Как продвигается сверление?

— Медленно, — коротко ответил Дэнни.

Внутри хранилища работа действительно шла медленно́, но безостановочно. В первых четырех вскрытых ящиках оказались рукописи, часть написана от руки, часть напечатана на машинке: все они принадлежали известным писателям, однако не тому, кто был нужен. Наконец, искомое обнаружилось в пятом ящике, когда Дэнни достал из него архивный футляр для хранения, ничем не отличавшийся от других. Он осторожно открыл его. Справочная страница, добавленная библиотекой, гласила: «Оригинал рукописи романа "Прекрасные и проклятые" Фрэнсиса Скотта Фицджеральда».

— Есть! — спокойно констатировал Дэнни. Он вытащил из пятого ящика два футляра, осторожно положил их на узкий стол и открыл. Внутри находились оригиналы рукописей «Ночь нежна» и «Последний магнат».

Ахмед, не сводивший глаз с экрана ноутбука и пивший уже не чай, а энергетик с высоким содержанием кофеина, услышал долгожданные слова: «Ладно, парни, у нас есть три из пяти. Где-то здесь должны быть "Гэтсби" и "Рай"».

— Сколько еще? — поинтересовался Трэй.

— Двадцать минут, — ответил Дэнни. — Подгони фургон.

Трэй не спеша прошелся по университетскому городку, смешался с толпой любопытных и некоторое время понаблюдал, как суетилась небольшая армия полицейских. Они больше не пригибались, не прятались за машинами и не бежали за ними с оружием наизготовку. Опасность явно миновала, хотя все вокруг по-прежнему освещалось мигалками. Трэй тихо ретировался, прошел полмили пешком, вышел из кампуса и добрался до Джон-стрит, где сел в белый грузовой фургон с надписью «Типография Принстонского университета», нанесенную на обе передние дверцы в помощью трафарета. На фургоне был номер 12, что бы это ни значило, и он очень походил на тот, что Трэй сфотографировал неделю назад. Трэй направился обратно в университетский городок, объехал общежитие Маккаррена стороной и припарковался у пандуса позади библиотеки.

— Фургон на месте, — доложил он.

— Вскрываем шестой ящик, — отозвался Дэнни.

Когда Джерри и Марк подняли свои очки и наклонились поближе к столу, чтобы осветить лучами фонарей коробку, Дэнни осторожно открыл архивный футляр для хранения. На лежавшем сверху листе было написано: «Оригинал рукописи романа "Великий Гэтсби" Фрэнсиса Скотта Фицджеральда».

— Бинго, — снова спокойно констатировал он. — У нас есть «Гэтсби», этот старый сукин сын.

— Обалдеть! — воскликнул Марк, хотя все старались сдержать волнение. Джерри вынул из ящика последний футляр. В нем находилась рукопись «По эту сторону рая» — первого романа Фицджеральда, вышедшего в 1920 году.

— У нас все пять рукописей, — спокойно произнес Дэнни. — Пора уносить ноги.

Джерри убрал сверла, резак, канистры с кислородом и ацетиленом, а также монтировки. Наклонившись поднять холщовую сумку, он нечаянно оцарапался левым запястьем о щепку из третьего ящика. В волнении он не обратил на это внимания и просто потер это место, снимая рюкзак. Дэнни и Марк осторожно разместили пять бесценных рукописей в трех студенческих рюкзаках. Воры выскочили из хранища, нагруженные добычей и инструментами, и поднялись по лестнице на первый этаж. Они покинули библиотеку через служебный вход возле пандуса — этот вход удачно скрывала от посторонних глаз густая живая изгородь. Они забрались в фургон через задние двери, и Трэй тронулся с места. Проезжая мимо патрульной машины с двумя охранниками кампуса, он приветственно махнул им рукой, но те не ответили.

Трэй заметил время: 03:42. По рации он передал:
— Все чисто, выезжаем из кампуса с мистером Гэтсби и друзьями.

7

При отключении питания в пострадавших зданиях на пульт поступили сигналы аварии. К четырем утра инженер-электрик, покопавшись в компьютерной сети электроснабжения, нашел источник проблемы. Электричество было восстановлено во всех зданиях, кроме библиотеки. Начальник службы безопасности отправил туда трех сотрудников. Им понадобилось десять минут, чтобы найти причину сигнала аварии.

К тому времени банда остановилась в дешевом мотеле на автостраде 295 неподалеку от Филадельфии. Трэй припарковал фургон рядом с грузовой фурой подальше от одинокой камеры, следившей за стоянкой. Марк взял баллончик с белой аэрозольной краской и закрасил надпись «Типография Принстонского университета» на дверцах фургона. В номере, в котором они с Трэем провели предыдущую ночь, мужчины быстро переоделись в охотничьи наряды и сложили все, что надевали для работы — джинсы, кроссовки, толстовки, черные перчатки — в другую холщовую сумку. В ванной Джерри осмотрел маленькую ранку на левом запястье. Во время поездки он зажимал ее большим пальцем и понял, что крови было больше, чем ему сначала показалось. Он вытер ранку полотенцем, раздумывая, не следует ли рассказать о ней остальным. И в конце концов решил, что сейчас не время, может, позже.

Они тихо вытащили все вещи из номера, выключили свет и вышли. Марк и Джерри забрались в пикап — за рулем в нем сидел Дэнни, взявший его напрокат, — и они выехали с автостоянки за фургоном Трэя сначала на улицу, а затем и автостраду. Обогнув пригороды Филадельфии с севера, они передвигались только по большим автострадам и скрылись в сельской местности Пенсильвании. Возле Квакертауна они свернули на выбранную заранее местную дорогу, на которой примерно через милю покрытие сменилось на гравий. Тут не было никаких домов. Трэй остановил фургон в небольшом овраге, снял украденные номерные знаки, вылил галлон бензина на мешки с инструментами, сотовыми телефонами, радиооборудованием и одеждой, после чего чиркнул спичкой. Фургон мгновенно вспыхнул и превратился в огненный шар, и они, пересев в пикап, не сомневались, что уничтожили все возможные улики. Рукописи были надежно уложены между Трэем и Марком на заднем сиденье пикапа.

Начинало светать, стали видны холмы, и все четверо молча глядели в окна, правда, смотреть особо было не на что: редкая встречная машина; фермер, направлявшийся в амбар и не обращавший внимания на шоссе; старуха, забиравшая кошку с крыльца. Около Вифлеема они выехали на автостраду 78 и направились на запад. Дэнни нарочно ехал гораздо тише разрешенной скорости. После университетского городка Принстона они не видели ни одной полицейской машины. В автокафе они перекусили лепешками с курицей и кофе, а затем направились по автостраде 81 на север в сторону Скрантона.

8

Первая пара агентов ФБР прибыла в Библиотеку Файрстоуна сразу после семи утра. Сотрудники службы безопасности кампуса и полиции города Принстона ввели их в курс дела. Фэбээровцы осмотрели место преступления и настоятельно рекомендовали закрыть библиотеку на неопределенный срок. В кампус срочно направили следователей и экспертов из отделения ФБР в Трентоне.

Не успел президент университета переступить порог своего дома после бессонной ночи, как ему сообщили о пропаже ценностей. Он сразу примчался в библиотеку, где встретился с главным библиотекарем, фэбээровцами и полицейскими города. Они приняли общее решение держать это событие в тайне как можно дольше. К делу подключился начальник вашингтонского Отдела ФБР по возврату редких ценностей: по его мнению, в скором времени похитители могут связаться с университетом и предложить сделку. Шумиха в прессе — а она наверняка будет громкой — лишь осложнит ситуацию.

9

Празднование успеха было отложено до приезда в маленький охотничий домик в глубине горного массива Поконо, штат Пенсильвания. Дэнни арендовал его на весь охотничий сезон и прожил там два месяца — потраченные средства должны быть компенсированы после превращения их добычи в наличные. Из четырех членов преступной группы постоянный адрес имелся только у Джерри. Он снимал со своей девушкой небольшую квартирку в Рочестере, штат Нью-Йорк. Трэй прожил в бегах большую часть своей взрослой жизни. Марк время от времени жил у своей бывшей жены неподалеку от Балтимора, однако нигде это зафиксировано не было.

У всех четверых имелось по несколько комплектов поддельных документов, включая паспорта, способные обмануть любого сотрудника таможни.

В холодильнике было заготовлено три бутылки дешевого шампанского. Дэнни открыл одну, разлил по четырем кофейным кружкам, среди которых не имелось и пары одинаковых, и торжественно произнес:

— Поздравляю, парни! Мы сделали это!

Через полчаса все бутылки оказались выпиты, и усталые «охотники» провалились в продолжительный сон. Рукописи, по-прежнему находившиеся в футлярах для архивных материалов, уложили как слитки золота в сейф для хранения оружия, который стоял в кладовой, и в течение нескольких дней их предстояло охранять Дэнни и Трэю. Джерри и Марк должны были вернуться домой после изнурительной недели «охоты на оленей в лесах».

10

Пока Джерри спал, против него заработала в полную силу мощная и беспощадная машина федерального правительства. Эксперт ФБР заметила крошечное пятнышко на первом пролете лестницы хранилища библиотеки. Она справедливо приняла его за свежую капельку крови, которая еще не успела стать темно-бордовой и почти черной. Эксперт соскребла его, доложила начальнику, и образец доставили в лабораторию ФБР в Филадельфии. Анализ ДНК был проделан немедленно, и результаты пропущены через национальный банк данных. Менее чем через час обнаружилось совпадение в штате Массачусетс: ДНК принадлежала некоему Джеральду А. Стингардену, выпущенному по УДО преступнику, осужденному семь лет назад за кражу картин у торговца произведениями искусства в Бостоне. Группа аналитиков срочно занялась поисками его следов. В США людей с такой фамилией оказалось пятеро. Четверо сразу отпали. На пятого мистера Стингардена были получены ордера на обыск квартиры, распечатки звонков по мобильному и пользованию кредитками. Когда Джерри проснулся в Поконосе, ФБР уже следило за его квартирой в Рочестере. Было принято решение его не задерживать, а наблюдать и ждать.

А вдруг — кто знает? — мистер Стингарден выведет их на остальных.

В Принстоне подготовили списки всех студентов, посещавших Библиотеку Файрстоуна на прошлой неделе. Студенческие билеты фиксировали все посещения любой из библиотек кампуса. Были выявлены поддельные билеты, что сразу вызвало подозрения, поскольку ими в колледже пользовались несовершеннолетние для покупки спиртного, а не для посещения библиотек. Определили точное время их использования, после чего сопоставили с записями с камер наблюдения библиотеки. К полудню ФБР располагало четким изображением Дэнни, Джерри и Марка, хотя в настоящий момент толку от этого было мало. Все преступники постарались сильно изменить свою внешность.

В Отделе редких книг и специальных коллекций старина Эд Фолк впервые за десятилетия оказался в центре невероятного внимания. В окружении агентов ФБР он поднял записи регистрационных журналов и фотографий всех последних посетителей. С каждым из них связались для проверки, и когда фэбээровцы вышли на адъюнкт-профессора Невилла Манчина из Портлендского университета, тот заверил их, что никогда не был в кампусе Принстона. У ФБР появилась четкая фотография Марка, но его настоящего имени никто не знал.

Менее чем через двенадцать часов после успешного ограбления сорок агентов ФБР уже просматривали видеозаписи, изучали и анализировали все полученные данные.

11

Ближе к вечеру четверо «охотников» собрались за карточным столиком и открыли пиво. Говорил Дэнни и напомнил всем то, о чем они уже слышали не меньше дюжины раз. Ограбление прошло успешно, но при любом преступлении остаются следы. Ошибки делаются всегда, и если человек способен предвидеть хотя бы половину из них, то он — гений. Фальшивые документы скоро выявят. Полицейским станет известно, что преступники занимались подготовкой ограбления библиотеки не один день. Кто знает, сколько записей сделали камеры? На месте преступления могли остаться волокна их одежды, отпечатки кроссовок и так далее. Они не сомневались, что не оставили отпечатков пальцев, но исключать такой возможности было нельзя. Будучи опытными ворами, все четверо отлично это понимали.

Никто не заметил маленькой полоски пластыря на левом запястье Джерри, и он тоже решил не придавать царапине значения. Он убедил себя, что это пустяки.

Марк достал четыре устройства, по виду ничем не отличавшиеся от смартфона Apple iPhone 5 — на них имелся даже логотип компании, — но это были не смартфоны, а приборы спутниковой связи с мгновенным доступом в любой точке мира. Они не пользовались сотовой связью, и у полицейских не было возможности ни отследить их, ни прослушать. Марк еще раз напомнил всем, включая Ахмеда, что в предстоящие несколько недель они должны постоянно находиться на связи. Устройства достал Ахмед у одного из своих многочисленных источников. Кнопки включения/выключения у приборов не было — для включения требовалось ввести трехзначный код. Как только устройство включалось, каждый пользователь должен был набрать свой пятизначный пароль, чтобы получить доступ. Два раза в день — ровно в восемь утра и в восемь вечера — все пятеро должны были передать с помощью устройств лишь одно слово: «Чисто». Задержки не допускались, и расценивались они как сигнал провала. Задержка означала, что устройство, а главное — его пользователь — оказались каким-то образом «скомпрометированы». Задержка в пятнадцать минут активировала «План Б», согласно которому Дэнни и Трэю надлежало забрать рукописи и перебраться во второе убежище. Если на связь не выходили Дэнни или Трэй, то всю операцию следовало считать проваленной, а Джерри, Марку и Ахмеду надлежало немедленно покинуть страну.

О неприятности сообщало короткое слово «Красный». Оно означало без каких-либо пояснений и времени на раскачку, что 1) что-то пошло не так; 2) если возможно, перевезти рукописи в третье убежище; и 3) во что бы то ни стало покинуть страну как можно быстрее.

Если кого-то заберет полиция, то ему следовало держать рот на замке. Все пятеро выучили имена родственников своих подельников и их адреса, чтобы гарантировать, что никто не расколется. Возмездие гарантировалось. Никто никого не выдаст. Никогда.

При всей мрачности подобных приготовлений настроение у них по-прежнему оставалось приподнятым и даже праздничным. Они провернули блестящее дело и умело замели все следы.

Ветеран побегов Трэй с удовольствием делился опытом. Ему удавалось избегать поимки, поскольку после каждого побега у него имелся план, что делать дальше, тогда как большинство заключенных думали только о том, как им выбраться. С преступлением то же самое. Планированием занимаются дни и даже недели, а когда дело сделано, не знают, как быть потом. А для этого нужен план.

Но в одном подельники не могли прийти к единому мнению. Дэнни и Марк были сторонниками быстрой развязки, которая предусматривала выход на Принстон в течение недели с требованием выкупа. Это позволяло избавиться от рукописей, не беспокоиться об их защите и перемещении и получить свои деньги.

Более опытные Джерри и Трэй предпочитали выждать. Пусть пыль осядет, на черном рынке станет известно о случившемся, а время позволит убедиться, что их никто не подозревает. Принстон был не единственным возможным покупателем. Наверняка появятся и другие желающие.

Обсуждение было долгим и нередко острым, но при этом сопровождалось шутками, смехом и обилием пива. Наконец они договорились о временном плане. Джерри и Марк уезжают на следующее утро домой: Джерри в Рочестер, Марк в Балтимор через Рочестер. Они затаятся, всю следующую неделю станут следить за новостями и, конечно же, связываться с остальными членами команды два раза в день. Дэнни и Трэй будут отвечать за рукописи и перевезут их через неделю или около того во второе убежище — дешевую квартирку, снятую в рабочих кварталах Аллентауна, штат Пенсильвания. Через десять дней туда приедут Джерри и Марк, и они вместе выработают окончательный план. Тем временем Марк свяжется с потенциальным посредником, которого знал уже много лет: тот был хорошо известен в теневом мире купли-продажи краденых предметов искусства и артефактов. С помощью недомолвок и намеков, принятых на этом тайном рынке, Марк даст понять, что ему кое-что известно о рукописях Фицджеральда. Но ничего конкретного сказано не будет, пока они не встретятся снова.

12

В половине пятого Кэрол, жившая в квартире с Джерри, вышла из дома. За ней установили наблюдение и сопроводили до продуктового магазина, расположенного в нескольких кварталах. Однако в квартиру решили не проникать, во всяком случае сейчас. Вокруг слишком много соседей. Стоит кому-нибудь из них что-то заметить, и о слежке станет сразу известно. Кэрол понятия не имела, под каким пристальным наблюдением находилась. Пока она делала покупки, агенты установили два жучка на бамперах ее машины. Еще два агента — женщины в спортивных костюмах — наблюдали за тем, что она покупала (ничего интересного). Когда Кэрол отправила матери эсэмэску, текст был тут же прочитан и записан. Когда она позвонила подруге, агенты слушали каждое слово. Когда она зашла в бар, агент в джинсах предложил купить ей выпить. Она вернулась домой в десятом часу, и каждый ее шаг фиксировался и записывался.

13

Тем временем ее сожитель потягивал пиво и читал «Великого Гэтсби», лежа в гамаке на заднем крыльце охотничьего домика возле чудесного пруда. Марк и Трэй ловили с лодки лещей, а Дэнни жарил стейки на гриле. На закате подул холодный ветер, и четверка «охотников» собралась в гостиной и развела в камине огонь. Ровно в восемь вечера все, включая Ахмеда в Буффало, достали свои новые устройства спутниковой связи, ввели коды доступа и отправили слово «Чисто», подтверждая, что все в порядке.

Жаловаться им действительно было грех. Менее суток назад они находились в кампусе, прятались в темноте и чертовски нервничали, чувствуя, как от напряжения концентрация адреналина в крови буквально зашкаливает. Разработанный план сработал идеально, и в их руках оказались бесценные рукописи, которые вскоре превратятся в наличные. Этот обмен не станет легким, но продумать его детали время еще будет.

14

Выпивка помогла немного расслабиться, но все четверо спали плохо. Рано утром на следующий день, когда Дэнни готовил яичницу с беконом и жадно глотал черный кофе, Марк сидел с ноутбуком, просматривая заголовки газет с Восточного побережья.

— Ничего, — сообщил он. — Много материала о ЧП в кампусе, который теперь официально квалифицируется как «розыгрыш», но ни слова о рукописях.

— Уверен, они стараются пока держать это в тайне, — заметил Дэнни.

— Да, и сколько это продлится?

— Недолго. Такое событие невозможно скрыть от прессы. Сегодня или завтра наверняка будет утечка.

— Даже не знаю, хорошо это или плохо.

— Я тоже.

На кухню вошел Трэй с обритой головой. Он с гордостью потер лысину и спросил:

— Ну, как я вам?

— Отлично, — одобрил Марк.

— Хуже не стало, — отозвался Дэнни.

Все четверо преобразились, и никто не выглядел так, как сутки назад. Трэй и Марк сбрили все — бороду, волосы, даже брови. Дэнни и Джерри лишились только бород, но зато изменили цвет волос. Дэнни перестал быть блондином и превратился в шатена. Джерри стал рыжим. Все четверо должны были носить шапки и очки и менять их каждый день. Они знали, что их засняли камеры наблюдения, что у ФБР имелась технология распознавания лиц, и были в курсе ее возможностей. Они наверняка совершили ошибки, но способность понять, какие именно, таяла на глазах. Все мысли были уже о следующем этапе.

К тому же столь блестяще совершенное преступление неизбежно порождало чувство самонадеянности. Они впервые встретились год назад, когда Трэй и Джерри — двое преступников, обладавших большим опытом, — познакомились с Дэнни, который знал Марка, а тот, в свою очередь, Ахмеда. Они долгими часами разрабатывали план, споря о том, кто что будет делать, какое выбрать время и куда отправиться потом. Обсудили сотни деталей, как значительных, так и мелких, каждая из которых могла сыграть решающую роль. Теперь, когда ограбление уже совершено, все это осталось в прошлом. Сейчас им предстояло решить только одну задачу — как получить деньги.

В восемь утра в четверг все проделали оговоренную процедуру спутниковой связи. С Ахмедом все было в порядке. Каждый доложился об отсутствии проблем. Джерри и Марк попрощались и, покинув охотничий домик в Поконосе, через четыре часа добрались до окрестностей Рочестера. Они понятия не имели, сколько агентов ФБР терпеливо ждали появления пикапа «Тойота», арендованного тремя месяцами ранее.

Джерри припарковался на стоянке возле дома, и скрытые камеры сняли крупным планом его и Марка, пока они беззаботно шагали по стоянке и поднимались по лестнице на третий этаж.

Цифровые снимки мгновенно переслали в лабораторию ФБР в Трентоне. Джерри еще только целовал Кэрол при встрече, а снимки уже сличали с записями с камер наблюдения Библиотеки Принстона. Технология распознавания лиц подтвердила, что Джерри являлся мистером Джеральдом А. Стингарденом, а Марк — тем самым самозванцем, который выдал себя за профессора Невилла Манчина. Поскольку Марк не имел судимости, никаких сведений о нем в национальной базе данных преступников не содержалось. ФБР знало, что он был в библиотеке, но не знало его имени.

Однако выяснить его не представляло труда.

Было принято решение наблюдать и ждать. Джерри уже вывел на Марка; не исключено, что через него им удастся выйти и на другого подельника. После обеда преступная пара покинула квартиру и направилась к «Тойоте». Марк нес дешевую спортивную сумку из бордового нейлона. У Джерри в руках ничего не было. Они поехали в центр города, и Джерри вел машину осторожно, стараясь соблюдать все правила дорожного движения и не привлекать внимания полиции.

15

Преступники были настороже. От их внимания не ускользала ни одна машина, ни одно лицо, ни один старик, сидевший на скамейке в парке и прятавший лицо за газетой. Они не сомневались, что за ними не следят, но в их бизнесе следовало всегда держаться начеку. Они не могли не видеть, не слышать, как за ними на высоте три тысячи футов неотлучно следовал вертолет.

У вокзала Марк молча вылез из пикапа, забрал свою сумку и направился вдоль тротуара к билетным кассам. Он купил билет эконом-класса до Пенсильванского вокзала в Манхэттене. Поезд отходил в 14:13, и Марк ждал, погрузившись в чтение потрепанного дешевого издания «Последнего магната». Вообще-то он не относился к любителям чтения, но Фицджеральд вдруг пробудил в нем неожиданный интерес. При мысли об этой рукописи и о том, где она сейчас находится, он с трудом подавил довольную ухмылку.

Джерри остановился у винного магазина и купил бутылку водки. Когда он выходил, перед ним возникли трое молодых людей крепкого сложения в темных костюмах, которые поздоровались, показали свои жетоны и сказали, что хотели бы кое о чем его расспросить. Джерри отказался, сославшись на занятость. Молодые люди ответили, что они тоже на работе. Один из них достал наручники, второй взял у Джерри бутылку водки, а третий обыскал его карманы и забрал бумажник, ключи и устройство спутниковой связи. Джерри препроводили в большой черный внедорожник и отвезли в городскую тюрьму, расположенную менее чем в четырех кварталах от места задержания. Во время короткой поездки все молчали. Джерри поместили в пустую камеру, снова не проронив ни слова. Он не задавал вопросов, а сами молодые люди ничего не говорили. Когда к камере подошел познакомиться надзиратель, Джерри поинтересовался:

— Послушай, приятель, что за дела?

Тюремщик оглянулся по сторонам и, сделав шаг к решетке, произнес:

— Не знаю, парень, но ты здорово разозлил серьезных ребят.

Джерри растянулся на койке темной камеры и уставился в потолок, спрашивая себя, не снится ли ему все это. Какого черта?! Как его могли вычислить?

Когда Джерри оказался за решеткой, в его квартиру позвонили, и Кэрол, открыв дверь, увидела на пороге с полдюжины агентов. Один из них показал ордер на обыск. Другой велел выйти из квартиры и ждать внизу в своей машине, но двигатель не включать.

Марк сел на поезд в два часа. В 14:13 двери закрылись, но поезд не тронулся. В 14:30 двери открылись, и двое мужчин в одинаковых плащах свободного покроя вошли в вагон и строго посмотрели на него. В этот ужасный момент Марк понял, что дело плохо.

Они негромко представились и попросили выйти из вагона. Один взял его за локоть, а другой забрал сумку с верхней полки. По дороге в тюрьму они не произнесли ни слова.

— Парни, я что — арестован? — спросил Марк, не выдержав молчания.

Не оборачиваясь, водитель ответил:

— Обычно мы не надеваем наручники на первых попавшихся граждан.

— Ладно. И за что меня арестовали?

— Все объяснят в тюрьме.

— Мне казалось, что вы должны предъявить обвинение и зачитать права.

— Похоже, ты новичок в этом деле. Мы не должны зачитывать права, пока не начнем задавать вопросы. А сейчас нам бы хотелось насладиться тишиной и покоем.

Марк замолчал и уставился в окно. Он подумал, что они наверняка схватили Джерри, иначе как бы узнали, что он, Марк, находится на вокзале. Может ли быть, что они арестовали Джерри, и тот решил расколоться и пойти на сделку со следствием? Нет, невозможно!

Джерри не сказал ни слова, у него просто не было такой возможности. В 17:15 его забрали из тюрьмы и доставили в офис ФБР, располагавшийся в нескольких кварталах от тюрьмы. Его завели в комнату для допросов, усадили за стол, сняли наручники и дали чашку кофе. Затем в допросную вошел агент по фамилии Макгрегор, снял пиджак, сел на стул и завел беседу. Держался он дружелюбно и, в конце концов, зачитал права Миранды.

— Были аресты до этого? — строго спросил Макгрегор.

Джерри уже арестовывали, и он по опыту знал, что у сидевшего перед ним МакГрегора имелся список всех его приводов.

— Да, — подтвердил он.

— Сколько раз?

— Послушайте, мистер агент. Вы только что сами сказали, что у меня есть право хранить молчание. Я ничего не стану говорить, и мне нужен адвокат. Понятно?

— Само собой, — ответил Макгрегор и вышел из комнаты.

В допросной за углом уже находился Марк. Макгрегор вошел, и предыдущая беседа повторилась. Какое-то время они потягивали кофе и говорили о правах Миранды. С ордером на руках они обыскали сумку Марка и нашли массу интересных предметов. Макгрегор вытащил из большого конверта несколько пластиковых карт и разложил их на столе.

— Все это нашли в вашем бумажнике, мистер Дрисколл. Водительские права штата Мэриленд, фотография неважная, но на ней у вас пышная прическа и даже есть брови. Затем две действующие кредитные карты и временная лицензия на охоту, выданная в штате Пенсильвания, — пояснил агент, доставая новые карты. — А вот это из вашей сумки. Водительские права, выданные в штате Кентукки на имя Арнольда Сойера, где у вас снова много волос. Одна фиктивная кредитная карта. — Он не спеша доставал новые карты. — Фальшивые водительские права штата Флорида, на которой вы в очках и с бородой, на имя мистера Лютера Банахана. И наконец, очень качественная подделка паспорта, якобы выданного в Хьюстоне некоему Клайду Д. Мэйзи. К нему прилагаются водительские права и три фальшивые кредитные карты.

Весь стол оказался завален документами. Марк почувствовал тошноту, но, сжав зубы, постарался изобразить равнодушие. Мол, и что?

— Весьма впечатляет, — продолжал МакГрегор. — Мы все проверили и знаем, что ваше настоящее имя — мистер Марк Дрисколл. Адреса местожительства у вас нет, потому что вы постоянно переезжаете с места на место.

— Это вопрос?

— Нет, пока нет.

— Хорошо, потому что я не собираюсь ничего говорить. У меня есть право на адвоката, и вы должны мне его предоставить.

— Ладно. Только странно, что на всех этих фотографиях вы везде с бровями, у вас много волос и даже есть усы. А теперь ничего такого нет. Вы от чего-то скрываетесь, Марк?

— Мне нужен адвокат.

— Само собой. Послушайте, Марк, мы не нашли никаких документов на имя профессора Невилла Манчина из Портлендского университета. Это имя вам о чем-нибудь говорит?

«Говорит»? Да оно орет благим матом!

Через одностороннее стекло на Марка смотрела камера с высоким разрешением. В другой комнате два эксперта по допросам, специализировавшиеся на выявлении лживых показаний подозреваемых и свидетелей, наблюдали за зрачками глаз, верхней губой, мышцами челюсти, положением головы. Упоминание о Невилле Манчине потрясло подозреваемого. Когда Марк неуверенно заявил, что будет молчать и ему нужен адвокат, оба эксперта кивнули и заулыбались. Попался!

Макгрегор вышел из допросной, поговорил с коллегами и направился в комнату с Джерри. Там он сел, улыбнулся и после долгой паузы поинтересовался:

— Ну что, Джерри, по-прежнему молчим, да?

— Я требую адвоката.

— А вот твой дружок Марк куда разговорчивее.

Джерри с трудом сглотнул. Он надеялся, что Марку удалось уехать на поезде. Выходит, что нет. Что же, черт возьми, произошло? Как их могли вычислить так быстро? Еще вчера они в это время играли в охотничьем домике в карты, пили пиво и смаковали детали своего идеального преступления.

Наверняка Марк держит язык за зубами.

Макгрегор показал на левую руку Марка и спросил:

— У вас тут пластырь. Порезались?

— Мне нужен адвокат.

— Может, доктор?

— Адвокат.

— Ладно, ладно. Пойду поищу адвоката.

Он ушел, хлопнув дверью. Джерри перевел взгляд на запястье. Неужели?!

16

На пруд легли тени, и Дэнни, сложив снасти, начал грести к берегу. Чувствуя, как холод от воды начинает забираться под легкую куртку, он подумал о Трэе и о том, что вообще-то не очень ему доверяет. Трэю был сорок один год, его дважды ловили с награбленным. При первом сроке он отсидел четыре года и потом бежал, а при втором совершил побег через два года. Особенно Дэнни настораживала беспринципность Трэя, который с легкостью выдал своих подельников, чтобы скостить себе срок. А в преступной среде это непростительный грех.

Дэнни не сомневался, что из пятерых членов банды Трэй был самым слабым звеном. Когда Дэнни служил десантником, он сражался на войнах и нередко рисковал жизнью. Он терял друзей и не раз убивал. Он понимал, что такое страх. И ненавидел слабость.

17

Вечером в четверг Дэнни и Трэй играли в карты и пили пиво. В 20:00 они отложили карты, достали свои спутниковые устройства, включили и отправили сообщения. Через несколько секунд отозвался Ахмед, приславший из Буффало слово «Чисто». От Марка и Джерри сообщений не было. Марк должен был ехать в поезде — поездка из Рочестера до Нью-Йорка занимала шесть часов. Джерри должен был находиться у себя дома.

Следующие пять минут тянулись очень медленно, а может, им так показалось. Не было ясности. Устройства работали, верно? Их качеству доверяло ЦРУ, и стоили они целое состояние. Чтобы одновременно оба замолчали... Что это могло означать? В 20:06 Дэнни поднялся и сказал:

— Начинаем собираться. Складываем в сумки необходимое и думаем, как лучше выбраться. Ясно?

— Ясно, — подтвердил Трэй, явно встревожившись.

Они бросились в свои комнаты и начали быстро запихивать вещи в холщовые сумки. Через несколько минут Дэнни произнес:

— Сейчас одиннадцать минут девятого. В восемь двадцать мы уходим. Согласен?

— Согласен, — подтвердил Трэй и бросил взгляд на свое спутниковое устройство. Сообщений не было. В 20:20 Дэнни открыл кладовую и отпер сейф для хранения оружия. Они засунули пять рукописей в две армейские сумки с вещами и отнесли их в машину Дэнни. Затем вернулись в домик выключить свет и убедиться, что ничего не забыли.

— Подожжем его? — поинтересовался Трэй.

— Нет, черт возьми! — с раздражением рявкнул Дэнни. — Это только привлечет ненужное внимание. И они докажут, что мы здесь были. И все дела. А мы давно уехали, и тут никаких следов книг.

Они выключили свет, заперли обе двери, и на крыльце Дэнни слегка замешкался, чтобы Трэй оказался впереди. Затем он рванулся вперед и, сомкнув ладони на шее Трэя, нажал большими пальцами на сонную артерию. Трэй — возрастной, щуплый и нетренированный — был застигнут врасплох и оказался бессилен против смертельной хватки бывшего десантника. Он несколько раз рванулся, взмахнул руками и обмяк. Дэнни бросил тело на землю и вытащил у него ремень.

18

Около Скрантона он остановился заправиться и выпить кофе и оттуда двинулся на запад по автостраде 80. На ней действовало ограничение скорости в семьдесят миль в час, и он установил круиз-контроль на шестьдесят восемь. Вечером Дэнни выпил несколько бутылок пива, но сейчас голова была светлая. Он то и дело бросал взгляд на устройство спутниковой связи, установленное на торпеде, но уже знал, что экран останется темным, и никто на связь не выйдет. Он полагал, что Марка и Джерри замели вместе, и их устройствами уже занимались очень ушлые спецы. Трэй со своим устройством лежал на дне пруда.

Если Дэнни удастся продержаться сутки и выбраться из страны, то вся добыча достанется ему одному.

Он припарковался у круглосуточной закусочной и сел так, чтобы видеть свою машину. Потом достал ноутбук и спросил у официантки, есть ли у них беспроводной доступ в Интернет. Та сказала, что да, и дала пароль. Дэнни решил задержаться и заказал блинчики с беконом. С помощью Интернета он выяснил, какие есть рейсы из Питтсбурга, и забронировал билет до Мехико с пересадкой в Чикаго. Затем поискал хранилища, оборудованные климат-контролем, и составил список. Он ел медленно, заказывал еще кофе и изо всех сил тянул время. Потом зашел на сайт «Нью-Йорк таймс» и был ошарашен статьей на первой полосе, размещенной около четырех часов назад. Заголовок кричал: «Принстон подтверждает кражу рукописей Фицджеральда».

После суток молчания и неубедительных опровержений официальные лица университета, наконец, сделали заявление, подтверждавшее слухи. Ночью прошлого вторника воры проникли в Библиотеку Файрстоуна, а в кампусе в это время занимались поимкой мифического стрелка. Нет сомнений, что сообщение о нем в Службу спасения являлось отвлекающим маневром, который отлично сработал. Университет отказался уточнить, какую часть коллекции Фицджеральда похитили, ограничившись тем, он назвал ее «существенной». Расследованием занималось ФБР, и все такое. Подробностей не сообщалось.

Никакого упоминания о Марке и Джерри. Дэнни вдруг занервничал и решил, что лучше уехать. Он расплатился и на выходе выбросил спутниковое устройство в мусорный бак. С прошлым его больше ничего не связывало. Он был один, свободен, ощущал от этого подъем, но сообщение в прессе об ограблении заставило его задергаться. Надо как можно быстрее уезжать из страны. Дэнни планировал не это, но так выходило даже лучше. В жизни никогда не получается так, как планировалось, но успеха добиваются только те, кто умеет перестроиться на ходу.

Трэй представлял проблему. Он бы быстро стал помехой, затем обузой и, наконец, балластом. Дэнни вспоминал о нем только мимоходом. Добравшись на рассвете до северных окраин Питтсбурга, он окончательно выкинул Трэя из головы. Еще одно идеальное преступление.

В девять утра он вошел в офис компании, занимавшейся ответственным хранением в пригороде Питтсбурга Оукмонте. Он объяснил, что ищет место с контролируемой температурой и влажностью для хранения нескольких бутылок дорогого вина. Сотрудник показал ему маленькое квадратное помещение на первом этаже, сдававшееся в аренду минимум на год по цене 250 долларов в месяц. Дэнни сказал, что ему не требуется такой долгий срок, и они сошлись на 300 долларах в месяц сроком на полгода. Он предъявил водительские права штата Нью-Джерси, подписал договор под именем Поля Рафферти и заплатил наличными. Получив ключ, он вернулся в помещение, установил температуру на 13 градусов Цельсия и влажность на 40% и выключил свет. Затем направился по коридору, отворачиваясь от камер наблюдения, и вышел из здания, не попадаясь на глаза сотруднику.

В десять утра открылся винный склад, торговавший оптом со скидкой, и Дэнни был его первым клиентом. Он заплатил наличными за четыре ящика сомнительного шардоне, попросил у продавца две пустые картонные коробки и вышел из магазина. Покрутившись с полчаса на машине в поисках укромного места вдали от движения и камер наблюдения, он заехал на дешевую автомойку и припарковался возле автоматов с пылесосами самообслуживания. «По эту сторону рая» и «Прекрасные и проклятые» отлично уместились в одной из пустых коробок. «Ночь нежна» и «Последний магнат» нашли пристанище во второй. «Гэтсби» удостоился отдельной коробки, двенадцать бутылок из которой перекочевали на заднее сиденье пикапа.

К одиннадцати часам Дэнни поместил шесть ящиков в арендованное помещение хранилища. На выходе он наткнулся на сотрудника и сказал, что завтра заедет снова и привезет еще вина. Тот равнодушно кивнул. Шагая по длинным коридорам, Дэнни невольно подумал о том, какая еще награбленная добыча может ждать тут своего часа за запертыми дверями. Наверняка ее тут хранилось немало, но ничего столь же ценного, как рукописи Фицджеральда.

Проехав через центр Питтсбурга, Дэнни добрался до неблагополучных кварталов, где остановился возле аптеки, окна которой были забраны толстыми металлическими прутьями. Дэнни опустил стекла в дверцах и, оставив в замке зажигания ключи, а двенадцать бутылок плохого вина на заднем сиденье, забрал свою сумку и ушел. Время приближалось к полудню, и в этот ясный и солнечный осенний день он чувствовал себя в относительной безопасности. По телефону-автомату он вызвал такси и подождал его возле кафе с негритянской кухней. Спустя сорок пять минут такси высадило его возле зала вылета международного аэропорта Питтсбурга. Забрав свой билет, Дэнни благополучно прошел контроль и направился к кофейне возле выхода на посадку его рейса. В газетном киоске он купил «Нью-Йорк таймс» и «Вашингтон пост». На первой странице кричал заголовок: «Арест двух грабителей Принстонской библиотеки». Их имена не назывались, фотографии отсутствовали, и было очевидно, что и Принстон, и ФБР не раскрывали всей информации. В короткой статье сообщалось, что накануне в Рочестере арестовали двух мужчин.

Поиск других соучастников этой «впечатляющей кражи со взломом» продолжался.

19

Пока Дэнни ждал посадки на рейс в Чикаго, Ахмед прилетел из Буффало в Торонто, где забронировал билет в одну сторону до Амстердама. Его рейс был через четыре часа, и он решил скоротать время в баре аэропорта, где заказал выпивку, пряча лицо за меню.

20

В следующий понедельник Марк Дрисколл и Джеральд Стингарден отказались от рассмотрения их дела другим штатом, и их привезли в Трентон, штат Нью-Джерси. Они предстали перед федераль-

ным судьей, поклялись в письменной форме, что
у них нет средств, и суд назначил им адвокатов. Из-
за обилия найденных при них поддельных документов вероятность того, что они попытаются куда-нибудь улететь и скрыться, считалась высокой, и в выходе под залог им было отказано.

Прошла еще неделя, затем месяц, и расследование начало заходить в тупик. То, что сначала выглядело столь перспективным, постепенно стало
казаться безнадежным. Капля крови, фотографии
изменивших внешность воров и, конечно же, отсут-
ствующие рукописи — вот и весь перечень фактов,
которыми располагало следствие. Сгоревший фургон, на котором они скрылись с места преступления, был найден, но никто не знал, откуда он. Арендованный Дэнни пикап был украден и разобран на
запчасти. Сам он из Мехико отправился в Панаму,
где у него имелись друзья, умевшие скрываться от
правосудия.

Не вызывало сомнений, что для посещения
библиотеки Джерри и Марк использовали поддельные студенческие билеты. Марк даже выдал себя
за исследователя творчества Фицджеральда. В ночь
ограбления эта пара вошла в библиотеку вместе
с третьим сообщником, но когда и как они ее покинули, оставалось неизвестным.

В отсутствие похищенного прокурор США отложил предъявление обвинения. Адвокаты Джерри
и Марка подали прошение о прекращении дела, но
судья отказал. Они оставались в тюрьме без права
выхода под залог и продолжали молчать. Это молчание затянулось надолго. Через три месяца после
кражи прокурор предложил Марку фантастическую

сделку: рассказать все без утайки и выйти на свободу. Без судимости и с ДНК с места преступления Марк представлялся оптимальным вариантом. Просто рассказать и выйти на волю.

Он отказался по двум причинам. Во-первых, его адвокат заверил, что властям будет сложно доказать дело в суде, и поэтому, судя по всему, они тянут с предъявлением официального обвинения. Во-вторых, и это играло решающую роль, Дэнни и Трэй оставались на свободе. Это означало не только то, что рукописи хорошо спрятаны, но и вероятность возмездия. Более того, даже если бы Марк сообщил полные имена Дэнни и Трэя, разыскать их ФБР вряд ли удастся. Марк, естественно, не знал, где находились рукописи. Он был в курсе адресов второго и третьего убежищ, но понимал, что они, по всей вероятности, не использовались.

21

Все зацепки оказались тупиковыми и ни к чему не привели. Теперь оставалось только ждать. Те, в чьих руках находились рукописи, хотели получить за них деньги. Причем много денег. В конце концов, они объявятся, но где, когда и сколько они потребуют?

Глава 2
ТОРГОВЕЦ

1

Когда Брюсу Кэйблу исполнилось двадцать три года и он все еще был студентом Обернского университета, его отец неожиданно скончался. Они постоянно ссорились из-за плохой успеваемости Брюса, и пару раз дело доходило до того, что Кэйбл-старший грозился вычеркнуть сына из завещания. Некий древний родственник заработал состояние на добыче гравия и, следуя скверным советам юристов, учредил сеть непонятных и плохо управляемых трастовых компаний, которые снабжали деньгами недостойных членов семьи разных поколений. Семья долгое время жила за фасадом чудесного богатства, наблюдая, как оно медленно тает. Угроза лишить наследства и перекрыть доступ к выплатам трастовых компаний являлась излюбленным оружием родителей в борьбе с детьми, но толку от этого было мало.

Мистер Кэйбл умер, так и не добравшись до офиса своего адвоката, поэтому на Брюса неожиданно свалилось наследство в 300 тысяч долларов — очень даже неплохая сумма, однако недостаточная для безбедной жизни до конца дней. Он подумывал об инвестировании, но надежные варианты сулили ежегодный доход всего в 5—10 процентов, явно недостаточный для того образа жизни, который Брюс считал для себя достойным. Инвестирование в проекты, сулившие больший доход, было рискованным, а Брюс не хотел искушать судьбу и рисковать деньгами. Все это привело к неожиданным поступкам. Самым странным из них было решение уйти из университета после пяти лет учебы и забыть о нем навсегда.

Брюс поддался на уговоры одной девушки отправиться вместе на пляж на остров Камино во Флориде — полоске суши шириной в десять миль к северу от Джексонвилла. В хорошей квартире, за которую платила она, Брюс целый месяц спал, пил пиво, занимался серфингом, часами любовался Атлантикой и читал «Войну и мир». В университете его специализацией являлись английский язык и литература, и великие книги, которых он не читал, не давали ему обрести душевный покой.

Брюс бродил по пляжу, обдумывая разные варианты сохранения денег и, по возможности, их приумножения. Он благоразумно помалкивал о свалившихся на него деньгах — в конце концов, к ним не было доступа на протяжении многих лет — и ему не досаждали друзья со своими советами и просьбами дать в долг. Девушка, конечно, о деньгах тоже ничего не знала. Недели, проведенной с ней, ему оказалось достаточно, чтобы понять, что скоро он с ней расстанется. Брюс взвешивал плюсы и минусы инвестиций во франшизу закусочной, приобретение неосвоенного участка земли во Флориде, квартир в близлежащей высотке, новых интернет-компаний в Силиконовой долине, торгового центра в Нашвилле и так далее. Прочитав десятки финансовых журналов, он окончательно убедился, что не обладает необходимым для инвестирования терпением. Для него все это выглядело непостижимым набором цифр и стратегий. Неслучайно в университете он выбрал не экономику, а английский.

Время от времени они с девушкой наведывались в живописный городок Санта-Роза, чтобы пообедать в кафе или выпить в одном из баров на главной улице. Там имелся приличный книжный магазин с кофейней, и они часто туда заглядывали выпить послеобеденную чашку кофе латте и полистать «Нью-Йорк таймс». Владельцем заведения был пожилой бариста по имени Тим, и он очень любил поболтать. Однажды он упомянул, что подумывает о продаже магазина и переезде в Ки-Уэст. На следующий день Брюсу удалось оставить девушку дома и отправиться выпить кофе в одиночку. Он сел за столик и принялся расспрашивать Тима о планах относительно книжного магазина.

Тим объяснил, что продажа книг была непростым делом. Большие торговые сети предлагали на все бестселлеры большие скидки, достигавшие иногда 50 процентов, а теперь, когда есть Интернет и «Амазон», люди вообще покупали, не выходя из дома. За последние пять лет закрылось более 700 книжных магазинов. Удержаться на плаву удавалось лишь немногим. Чем больше он рассказывал, тем мрачнее становился.

— Розница — жестокая штука, — повторил он не меньше трех раз. — И что бы ты ни сделал сегодня, завтра все приходится начинать сызнова.

Отдавая должное его честности, Брюс сомневался в предприимчивости Тима.

Неужели он рассчитывал завлечь этим потенциального покупателя?

По словам Тима, магазин приносил неплохой доход. Остров облюбовали немало литераторов, среди которых были и писатели, проводился книжный фестиваль, имелись хорошие библиотеки. Пенсионерам все еще нравилось читать и тратить деньги на книги. Население острова составляли около сорока тысяч человек, и сюда ежегодно приезжали миллион туристов, так что место было весьма оживленным. На вопрос Брюса, сколько Тим хочет за магазин, тот ответил, что продаст за 150 тысяч долларов наличными, все деньги сразу, с правом на аренду здания. Брюс робко поинтересовался, может ли он взглянуть на бухгалтерию магазина, всего лишь на баланс с прибылями и убытками, но Тиму эта идея не понравилась. Он не знал Брюса и принимал его за очередного шалопая, который прожигал жизнь на пляже за папочкины деньги.

— Ладно, я покажу тебе свою бухгалтерию, как только увижу твою, — предложил Тим.

— Справедливо, — согласился Брюс.

Он ушел, пообещав вернуться, но его увлекла идея совершить сначала ознакомительную поездку. Три дня спустя он попрощался с девушкой и отправился в Джексонвилл купить новую машину. Он мечтал о новеньком сверкающем «Порше 911 Каррера», и сам факт, что он мог запросто выписать за него чек, делало искушение особенно сильным. Однако ему удалось его побороть, и после ожесточенной торговли он обменял с доплатой свой старенький «Джип-Чероки» на новый. Тот был вместительнее и больше подходил для перевозки багажа. «Порше» мог подождать, во всяком случае, пока Брюс на него не заработает.

На новых колесах и с деньгами на счете Брюс покинул Флориду, и с каждой новой милей желание окунуться в мир книги овладевало им все сильнее. У него не было конкретного маршрута. Он направился на запад и планировал от Тихого океана повернуть на север, затем поехать на восток, а уже оттуда на юг. Время не имело значения — никаких ограничений по срокам не было. Он искал специализированные книжные магазины и, наткнувшись на один из них, день-другой присматривался к нему, пил кофе, читал, а то и обедал в нем, если там имелось кафе. Обычно ему удавалось разговориться с хозяином и осторожно прозондировать почву. Брюс говорил, что подумывает о покупке книжного магазина и, если честно, нуждается в совете знающего человека. Ответы были разными. Но большинству явно нравилось то, чем они занимались, даже тем, кто смотрел в будущее с тревогой.

В этом бизнесе царила большая неопределенность: торговые сети расширялись, и было непонятно, чем может обернуться развитие интернет-торговли. Ходили жуткие истории об известных книжных магазинах, вытесненных с рынка появлением по соседству крупных магазинов, которые продавали книги с большой скидкой. Какие-то специализированные книжные процветали, особенно в небольших студенческих городках, слишком маленьких для открытия там сетевых магазинов. В других книжных магазинах, даже в больших городах, было практически безлюдно. Вместе с тем открывались и новые книжные, которым удавалось наперекор всему уверенно раскручиваться и набирать обороты. Советы были разными: от стандартного «Розница — жестокая штука» до «На твоем месте я бы рискнул, тебе же всего двадцать три года». Но всех, кто давал советы, объединяло одно: им нравилось то, чем они занимались. Они любили книги, литературу и писателей, любили все, связанное с книгоизданием, и готовы были много работать и общаться с клиентами допоздна, потому что считали это своим благородным призванием.

В поисках специализированных книжных магазинов Брюс колесил по стране два месяца, переезжая из города в город без всякой системы. Владелец магазина мог подсказать пару-тройку других городов в своем штате, где имелись книжные, и Брюс направлялся туда. Он общался с авторами, разъезжавшими по стране с рекламными турами, приобрел десятки книг с автографами, спал в дешевых мотелях, иногда с очередной любительницей книг, с которой только что познакомился, часами разговаривал с книготорговцами, готовыми поделиться советом и опытом, выпил море крепкого кофе и плохого вина на малолюдных встречах авторов с читателями, сделал сотни фотографий магазинов внутри и снаружи и всё аккуратно записывал. Когда поездка подошла к концу, Брюс чувствовал сильную усталость. За семьдесят четыре дня он проехал почти восемь тысяч миль и посетил шестьдесят один книжный магазин, среди которых не было и двух, даже отдаленно похожих друг на друга. Брюс решил, что теперь знает что делать.

Он вернулся на остров Камино и нашел Тима на прежнем месте в кофейне при магазине. Тот читал газету, потягивая эспрессо, и выглядел еще больше осунувшимся. Тим его не узнал, и Брюс напомнил:

— Я спрашивал о продаже магазина пару месяцев назад. Вы просили за него сто пятьдесят.

— Было дело, — отозвался Тим, чуть оживившись. — Ты нашел деньги?

— Частично. Я готов сегодня выписать чек на сто тысяч и через год еще на двадцать пять.

— Это хорошо, но, по моим подсчетам, двадцати пяти не хватает.

— Это все, что у меня есть, Тим. Решение за тобой. У меня на примете есть еще вариант.

Секунду поразмышляв, Тим медленно протянул правую руку, и они скрепили сделку рукопожатием. Тим позвонил своему адвокату и попросил оформить все как можно быстрее. Три дня спустя все бумаги были подписаны, и деньги перешли из рук в руки. Брюс закрыл магазин на месяц для ремонта, а сам принялся в ускоренном порядке изучать особенности книготорговли. Тим с удовольствием ему в этом помогал и охотно делился знаниями тонкостей бизнеса, а также сплетнями о клиентах и большинстве торговцев на центральной улице. Он был настоящим кладезем информации, и через пару недель Брюс почувствовал, что достаточно ориентируется в деле.

1 августа 1996 года магазин торжественно открылся, причем Брюс постарался обставить это событие с максимальной помпой. На открытие собралась приличная толпа, которая с удовольствием потягивала шампанское и пиво под звуки регги и джаза, а Брюс наслаждался моментом. Он запустил свой великий проект, и его детище «Новые и редкие книги Залива» вышло на рынок.

2

Своим интересом к редким книгам Брюс был обязан случайности. Получив скорбное известие о смерти отца от сердечного приступа, Брюс отправился домой в Атланту. Вообще-то дом не был его, потому что он никогда в нем долго не жил. Скорее это было последним пристанищем отца, который часто переезжал, причем обязательно в сопровождении какой-нибудь кошмарной женщины. Мистер Кэйбл был женат дважды, оба раза неудачно, и поклялся больше не связывать себя узами Гименея, но, видимо, не мог существовать без особы, отравлявшей ему жизнь. Этих женщин привлекало его богатство, но со временем они убеждались, что после двух жутких разводов он никогда не сможет оправиться и решиться на новый брак. К счастью, по крайней мере для Брюса, последняя подруга отца недавно съехала, и теперь тут не осталось никого, кто мог бы интересоваться содержимым дома.

Пока в нем не появился Брюс. В доме — модернистском строении из бетона и стекла в престижной части города — на третьем этаже имелась большая студия, где мистер Кэйбл любил рисовать, когда не занимался инвестированием. Карьера его никогда не интересовала, и, живя на наследство, он всегда представлялся «инвестором». Позже он увлекся живописью, но его творения оказались настолько ужасными, что все галереи Атланты решительно отказались иметь с ними дело. Одну из стен студии занимали сотни книг, и сначала Брюс не обратил на них внимания. Он подумал, что книги являются просто частью декора, еще одной неудачной попыткой отца выдать себя за глубокого и начитанного человека. Однако при ближайшем рассмотрении Брюс обратил внимание на две полки, на которых стояли старые книги со знакомыми названиями. Начав с верхней полки, он стал доставать их одну за другой и внимательно разглядывать. Простое любопытство быстро уступило место совсем другим чувствам.

Все эти книги были первыми изданиями, некоторые даже подписаны авторами. «Уловка-22» Джозефа Хеллера, опубликованная в 1961 году; «Нагие и мертвые» Нормана Мейлера (1948); «Кролик, беги» Джона Апдайка (1960); «Человек-невидимка» Ральфа Эллисона (1952); «Кинозритель» Уокера Перси (1961); «Прощай, Коламбус» Филипа Рота (1959); «Признания Ната Тёрнера» Уильяма Стайрона (1967); «Мальтийский сокол» Дэшила Хэммета (1929); «Хладнокровное убийство» Трумена Капоте (1965) и «Над пропастью во ржи» Джерома Сэлинджера (1951).

Просмотрев с десяток книг, Брюс принялся складывать их на столе, а не возвращать на полку. Его первоначальное любопытство сменилось волной возбуждения, а затем жадностью. На нижней полке попадались книги и авторы, о которых он никогда не слышал, но на ней его ждало совсем уж поразительное открытие. За толстой трехтомной биографией Черчилля стояли четыре книги: «Шум и ярость» Уильяма Фолкнера (1929), «Золотая чаша» Джона Стейнбека (1929), «По эту сторону рая» Скотта Фицджеральда (1920) и «Прощай, оружие!» Эрнеста Хемингуэя (1929). Все книги были первыми изданиями в отличном состоянии и подписаны авторами.

Покопавшись в книгах еще немного, Брюс больше не нашел ничего интересного и, устроившись в старом отцовском кресле, уставился на полки. Сидя в доме, которого он практически не знал, глядя на жалкие полотна, выполненные бездарным художником, он терялся в догадках, откуда тут взялись эти книги. Раздумывая над тем, как ему поступить, когда появится его сестра Молли и они займутся организацией похорон, Брюса вдруг поразило, как мало он знал покойного отца. Да и как он мог знать больше? Отец никогда не проводил с ним время. С четырнадцати лет Брюс жил и учился в школе-интернате. На полтора летних месяца мистер Кэйбл отправлял его в лагерь парусного спорта и еще на полтора — на ранчо, приспособленное для приема отдыхающих. Брюс понятия не имел, что его отец любил коллекционировать, не считая, конечно, злосчастных женщин. Мистер Кэйбл играл в гольф и теннис, много путешествовал, но никогда с Брюсом и его сестрой, а исключительно с последней подругой.

Так откуда взялись книги? Как долго он их собирал? Имелись ли старые накладные, свидетельствовавшие об их существовании? Включит ли душеприказчик их в список других активов для передачи Университету Эмори, согласно воле покойного?

Брюса злило, что основную часть состояния отец отписал университету. Вообще-то он об этом упоминал, правда, не вдаваясь в подробности. Мистер Кэйбл возвышенно полагал, что деньги нужно вкладывать в образование, а не оставлять детям на безрассудное проматывание. Брюса не раз подмывало напомнить ему, что тот сам всю жизнь тратил деньги, заработанные другими, но указывать на это было себе дороже.

Однако сейчас ему ужасно хотелось оставить эти книги себе. Он отобрал восемнадцать самых ценных экземпляров, а остальные решил не трогать. Поддайся он жадности, на полках бы зияли дыры и бросались в глаза. Брюс аккуратно сложил отобранные книги в картонную коробку из-под вина. Отец вел многолетнюю войну с бутылкой и, наконец, достиг перемирия в виде нескольких бокалов красного вина по вечерам. В гараже хранилось несколько пустых коробок. Брюс потратил несколько часов, перекладывая книги так, чтобы пропажа их части оказалась незаметной. Да и кто мог заметить? Насколько ему было известно, Молли ничего не читала и, главное, сторонилась отца, потому что ненавидела всех его подруг. Брюс был уверен, что в этом доме она ни разу не ночевала. Она и понятия не имела о личном имуществе отца. (Правда, через пару месяцев Молли спросила его по телефону, знал ли он что-нибудь о «старых книгах папы». Брюс заверил ее, что нет.)

Дождавшись наступления темноты, он отнес коробку в свой джип. За внутренним двориком, подъездной дорожкой и гаражом следили не меньше трех камер наблюдения, и, если у кого-то возникнут вопросы, он просто скажет, что забирал свои личные вещи. Кассеты с фильмами, компакт-диски, да что угодно. А если душеприказчик со временем начнет спрашивать о пропавших первых изданиях, Брюс, конечно, ничего про них знать не будет. И посоветует обратиться к экономке.

Судя по тому, как все складывалось, преступление было идеальным, если, конечно, вообще им являлось. Брюс же считал, что не являлось. По его мнению, ему причиталось гораздо больше. Благодаря объемному завещанию и усилиям семейных адвокатов, состояние быстро описали, причем библиотека отца нигде не фигурировала.

Так, благодаря стечению обстоятельств Брюс Кэйбл нежданно-негаданно приобщился к миру редких книг. Занявшись его изучением, он выяснил, что стоимость первой коллекции, состоявшей из восемнадцати книг, которые он забрал из отцовского дома, составляла около двухсот тысяч долларов. Брюс побоялся продавать книги, опасаясь, что об этом станет известно и к нему возникнут вопросы. Поскольку он не знал, каким образом эти книги попали к отцу, самым безопасным вариантом было подождать. Пусть пройдет время, и все уляжется. Брюс быстро понял, что в этом бизнесе успех сопутствовал только тем, кто умел ждать и обладал терпением.

3

Здание располагалось на углу Третьей улицы и Мэйн-стрит в самом центре Санта-Розы. Его построили сто лет назад для ведущего городского банка, которому не удалось пережить Великую депрессию. Затем в нем размещалась аптека, потом другой банк и, наконец, книжный магазин. Второй этаж был завален разными ящиками, коробками и картотечными шкафами, покрытыми толстым слоем пыли и совершенно бесполезными. Брюсу удалось заявить свои права и на второй этаж тоже: расчистив часть пространства, он снес пару стен, установил кровать и назвал квартирой, в которой прожил первые десять лет после открытия своего магазина. Если внизу покупателей не было, он поднимался наверх и занимался расчисткой, уборкой, покраской, ремонтом и в конечном итоге украшением своего жилья.

Август 1996 года был первым месяцем работы магазина. После торжественного открытия несколько дней в нем было людно, но постепенно интерес стал угасать. Поток посетителей иссяк, и через три недели Брюс начал задумываться, не совершил ли он ошибку. В августе чистый доход составил всего две тысячи долларов, и Брюс был близок к отчаянию. Как-никак туристический сезон на острове Камино был в самом разгаре. Вопреки советам большинства независимых книготорговцев, он решил предлагать скидку. Новые тиражи и бестселлеры предлагались на 25 процентов дешевле. Брюс перенес время закрытия с семи на девять, продлив время работы магазина до пятнадцати часов. При общении с посетителями он был похож на политика, запоминал имена постоянных клиентов и записывал их предпочтения. Он стал отличным бариста и успевал одновременно и заварить эспрессо, и рассчитать покупателя. Он убрал стеллажи со старыми книгами, в основном классикой, не пользовавшейся особым спросом, и на их месте устроил небольшое кафе.

Затем время закрытия сдвинулось еще на час — до десяти вечера. Он рассылал десятки рукописных извещений клиентам, писателям и книготорговцам, с которыми познакомился во время поездки от побережья до побережья. В полночь он часто садился за компьютер, чтобы обновить информационный бюллетень «Книг Залива». Брюс долго сомневался, не открываться ли ему и по воскресеньям тоже, как делали многие независимые книготорговцы. Ему этого не хотелось, потому что он нуждался в отдыхе и к тому же боялся, что это может выйти ему боком. Остров Камино находился в так называемом библейском крае — до десятка церквей вокруг магазина можно было добраться пешком. Но остров являлся и туристическим центром, а подавляющее большинство приезжих не интересовали воскресные утренние богослужения. Так что в сентябре он все-таки решился и открылся в 9:00 утра в воскресенье, предлагая посетителям еще теплые после типографии «Нью-Йорк таймс», «Вашингтон пост», «Бостон глоуб» и «Чикаго трибюн» и свежую выпечку, которую готовили в кафе по соседству. На третье воскресенье от клиентов было не протолкнуться.

В сентябре и октябре прибыль составила четыре тысячи долларов, а через полгода удвоилась. Брюс перестал беспокоиться. За год «Книги Залива» превратились в настоящую достопримечательность города и, безусловно, стали самым посещаемым магазином. Издатели и торговые представители уступили его неустанному давлению и начали включать остров Камино в рекламные туры авторов. Брюс вступил в Американскую книготорговую ассоциацию и стал принимать активное участие в работе ее комитетов. На съезде Ассоциации зимой 1997 года он встретил Стивена Кинга и уговорил его приехать на презентацию своего нового романа. Мистер Кинг подписывал книги девять часов, а очередь из фанатов выстроилась на целый квартал. Магазин продал две тысячи двести экземпляров различных произведений Кинга, и выручка составила семьдесят тысяч долларов. Это был славный день, принесший «Книгам Залива» известность. Три года спустя он был признан Лучшим независимым книжным магазином во Флориде, а в 2004 году журнал «Паблишерз уикли» назвал его «Книжным магазином года». В 2005 году после девяти лет тяжелой черновой работы Брюса Кэйбла избрали в совет директоров Ассоциации.

4

К тому времени Брюс превратился в видную фигуру города. У него имелась дюжина легких льняных костюмов, отличавшихся оттенком или цветом, которые он носил каждый день с накрахмаленной белой рубашкой с косым воротником и ярким галстуком-бабочкой, обычно красным или желтым. Его образ завершали замшевые туфли, в которых Брюс щеголял без носков. Носки он не надевал никогда, даже в январе, когда температура едва превышала ноль градусов. Густые и волнистые волосы были длинными и падали почти до плеч. Он брился раз в неделю в воскресенье утром. К тридцати годам усы и волосы тронула седина, которая его ничуть не портила.

Каждый день, когда в магазине наступало затишье, Брюс выходил на прогулку в город. Полюбезничав на почте с девушками за стойкой, он направлялся в банк, чтобы пофлиртовать с кассиршами. При открытии нового магазина Брюс обязательно являлся на торжественную церемонию, а потом заходил пообщаться с продавщицами. Обед играл важную роль в укреплении деловых связей, и Брюс обедал в ресторане шесть дней в неделю, причем обязательно в чьем-то обществе, чтобы отнести счет на представительские расходы. При открытии нового кафе Брюс являлся первым, дегустировал все меню и флиртовал с официантками. На обед он обычно выпивал бутылку вина, после которой отправлялся немного подремать в свою квартиру на втором этаже.

Для Брюса грань между флиртом и домогательством нередко оказывалась весьма тонкой. Он был неравнодушен к женщинам, сам тоже им нравился, чем с успехом и пользовался. В этом деле неоценимую помощь оказывал тот факт, что «Книги Залива» охотно включались в маршрут авторских рекламных туров. Половина писателей, приезжавших в город, были женщинами, в основном до сорока. Они находились вдали от дома, большинство из них были незамужними, путешествовали в одиночестве и были не прочь развлечься. Приехав в его магазин и попав в его мир, они добровольно становились легкими мишенями. После выступления перед читателями и автограф-сессии, за которыми следовал продолжительный ужин, они часто поднимались с Брюсом наверх, «чтобы глубже проникнуть в мир человеческих эмоций». У него имелись свои любимицы, особенно две молодые женщины, преуспевавшие на ниве эротических детективов. Причем их новые романы выходили каждый год!

Хотя Брюс всячески стремился выглядеть образованным и начитанным плейбоем, в душе он оставался честолюбивым бизнесменом. Магазин обеспечивал ему солидный доход, но это не было случайностью. Как бы поздно он ни лег спать накануне, но каждое утро еще до семи утра обязательно оказывался внизу в футболке и шортах, где распаковывал и расставлял на полках книги, проводил инвентаризацию и даже подметал полы. Ему нравилось доставать новые книги из коробок и чувствовать их запах. Он находил идеальное место для каждого нового издания. Держал в руках каждую книгу, поступавшую в магазин, и с печалью упаковывал непроданные книги обратно в коробки для возврата издателю, предоставившего их на реализацию. Он ненавидел возвращать книги и считал это провалом и упущенной возможностью. Он очищал запасы от того, что не продавалось, и через несколько лет его номенклатура составляла в среднем порядка двенадцати тысяч наименований. Склад являл собой тесно стоявшие старые стеллажи с провисшими под тяжестью пачек книг полками, но Брюс всегда знал, где найти нужную книгу. Без четверти девять он поспешно поднимался в квартиру, принимал душ, переодевался в костюм и ровно в девять открывал магазин и приветствовал первых клиентов.

Он редко брал выходной. Брюс считал отдыхом поездку в Новую Англию, где в старых пыльных магазинах торговцев антикварными книгами мог поболтать с ними о положении дел на рынке. Он любил редкие книги, особенно американских авторов двадцатого века, и увлеченно собирал их. Его коллекция постоянно росла, и причин тому было две: во-первых, Брюсу многое хотелось приобрести, и, во-вторых, расставание с книгой причиняло ему настоящую боль. Да, он, без сомнения, был дельцом, но относился к тем, кто предпочитает приобретать и почти никогда не перепродавать. Восемнадцать украденных Брюсом «старых папиных книг» заложили отличную основу, и к сорока годам он собрал редкую коллекцию стоимостью в два миллиона долларов.

5

Когда его избрали в совет директоров Ассоциации, владелец здания умер. Брюс выкупил его у наследников и занялся перестройкой. Уменьшив размеры своей квартиры, он перевел кофейню и кафе на второй этаж. Затем убрал одну перегородку и увеличил размер детской секции вдвое. По субботам утром магазин заполнялся детьми, которые покупали книги и слушали сказки, а их молодые мамы в это время потягивали наверху кофе латте под бдительным присмотром дружелюбного хозяина. Секция редких книг удостоилась особого внимания. На первом этаже Брюс снес еще одну перегородку и оборудовал Зал первых изданий, где книги стояли на красивых дубовых полках, стены были обшиты дубовыми панелями, а пол устлан дорогими коврами. Для хранения своих самых редких книг Брюс установил в подвале специальный сейф.

Прожив десять лет в квартире на втором этаже, Брюс решил, что пора сменить жилье на нечто посолиднее. Он присматривался к старым викторианским домам в историческом центре Санта-Розы и дважды даже пытался купить один из них. Но в обоих случаях за них просили больше, чем он мог себе позволить, и дома быстро продали другим покупателям. Великолепные дома, построенные в начале века для железнодорожных магнатов, воротил перевозок, докторов и политиков, прекрасно сохранились, неподвластные времени в тени древних дубов и зарослей испанского мха. Когда миссис Марчбэнкс умерла в возрасте 103 лет, Брюс обратился к ее 83-летней дочери, жившей в Техасе. Дом обошелся ему очень дорого, но он решил не упускать подвернувшийся случай в третий раз.

Этот дом располагался в двух кварталах к северу и трех к востоку от магазина. Его построил в 1890 году врач в подарок своей хорошенькой юной супруге, и все это время дом находился в собственности семьи. Он был огромным, в четыре этажа и общей площадью свыше восьми тысяч квадратных футов. С южной стороны к нему примыкала башня, а северную часть первого этажа опоясывала широкая веранда. Плоская крыша с разнообразными фронтонами покрыта чешуйчатой кровельной плиткой, а эркеры украшены витражами. Дом располагался в тени трех древних дубов с испанским мхом на небольшом угловом участке, огороженном белым штакетником.

На Брюса внутреннее убранство произвело удручающее впечатление: темные деревянные полы, такая же краска на стенах, потертые ковры, провисшие портьеры и пыльные шторы, обилие каминов из бурого кирпича. Большая часть мебели входила в стоимость дома, и он тут же занялся ее продажей. Древние ковры, еще сохранявшие более-менее приличный вид, отправились в магазин, где сразу внесли вклад в создание общей атмосферы, придав ей вид благородной старины. Обветшавшие шторы и портьеры не представляли ценности и были выброшены. Когда в доме не осталось мебели, Брюс нанял команду маляров, которая два месяца осветляла внутренние стены. После их ухода к делу приступил местный мастер, который два месяца дюйм за дюймом приводил в порядок дубовые и сосновые полы.

Брюс купил этот дом, потому что все его системы — водопровод, электричество, вода, отопление и вентиляция — находились в рабочем состоянии. У него не было ни терпения, ни желания затевать ремонт, который мог запросто обанкротить нового владельца. Сам Брюс не был мастеровитым и предпочитал проводить время за другими занятиями. Весь следующий год он продолжал жить в своей квартире над магазином, прикидывая, как лучше обставить и украсить дом. Тот, уже светлый и красивый, так и стоял пустым, и задача превращения его в пригодное для жизни пространство становилась пугающей. Дом являл собой величественный пример викторианской архитектуры, абсолютно неподходящей для современного и минималистского декора, в котором Брюс чувствовал себя комфортно. Он считал соответствующую архитектуре мебель аляповатой и вычурной, в окружении которой чувствовал себя неуютно.

Неужели нельзя иметь величественный старый дом, сохранив верность его первоначальному замыслу, по крайней мере снаружи, и в то же время вдохнуть в него жизнь современной мебелью и искусством? Однако совместить это у него никак не получалось, и Брюс порядком измучился, пытаясь придумать подходящий дизайнерский ход.

Он ежедневно приходил в дом и подолгу стоял в каждой комнате, неуверенно озираясь по сторонам. Неужели он совершил глупость, купив этот слишком большой и ко многому обязывающий дом, хотя толком и сам не знал, чего хочет?

6

Его спасительницей стала некая Ноэль Боннет, которая торговала антиквариатом в Новом Орлеане и сейчас ездила по стране с рекламным туром своей последней книги — красочным изданием ценой в пятьдесят долларов, какие обычно держат на столике в гостиной, предлагая полистать. Несколько месяцев назад он просматривал каталог ее издателя и был поражен, увидев фотографию Ноэль. Он привычно навел справки и выяснил, что ей тридцать семь лет, что она уроженка Нового Орлеана, хотя ее мать француженка, что разведена, детей нет и что является признанным знатоком предметов старины Прованса. Ее магазин находился на Ройал-стрит во Французском квартале Нового Орлеана, и, судя по биографии, Ноэль проводила по полгода на юге и юго-западе Франции в поисках старой мебели. Две ее предыдущие книги были посвящены как раз этой теме. Брюс внимательно ознакомился с обеими.

Для него это вошло в привычку, если не сказать, что было зовом сердца. Два, а то и три раза в неделю в его магазине устраивались встречи с авторами, на которых те подписывали читателям свои книги. К приезду автора Брюс прочитывал все, что им или ей было опубликовано. Он читал жадно, и, хотя предпочитал романы, написанные людьми, с которыми мог встретиться, подружиться и поддерживать отношения, он с меньшим пылом глотал биографии, самоучители, книги по кулинарии, истории, в общем, все и вся. Брюс считал это обязательным. Он восхищался всеми писателями, и если кто-то из них находил время посетить его магазин, пообедать, выпить и так далее, то быть в курсе его или ее творчества и поддержать разговор являлось меньшим, что Брюс мог для них сделать.

Он читал допоздна и часто засыпал с открытой книгой в руках. Он читал рано утром, потягивая крепкий кофе задолго до открытия магазина, если не надо было заниматься распаковкой или упаковкой книг. Брюс читал постоянно и днем и со временем даже выработал привычку стоять возле окна рядом с биографиями, небрежно опираясь на большую деревянную скульптуру вождя индейского племени Тимукуа, потягивать эспрессо и смотреть одним глазом на страницу, а другим на вход. Он приветствовал посетителей, находил для них книги, беседовал со всеми, кому хотелось поболтать, иногда помогал в кафе-баре или на кассе, если в магазине собиралось много народа, но при первой возможности занимал привычное место возле скульптуры вождя, брал книгу и продолжал читать. Брюс утверждал, что прочитывал в среднем по четыре книги в неделю, и этому все верили. При приеме сотрудников на работу он отказывал всем, кто не прочитывал хотя бы двух книг в неделю.

Как бы то ни было, визит Ноэль Боннет оказался весьма знаменательным событием в плане если не принесенного встречей дохода, то уж точно той роли, которую она стала играть в жизни Брюса и «Книг Залива». Их взаимное притяжение было мгновенным и оглушительным. После быстрого и даже скомканного обеда они удалились в квартиру наверху и оторвались по полной. Сославшись на болезнь, Ноэль отменила продолжение тура и осталась в городе на неделю. На третий день Брюс привел ее в свой новый дом и с гордостью его показал. Ноэль буквально лишилась дара речи. Для дизайнера/декоратора/дилера мирового класса восемь тысяч квадратных футов пустых помещений за фасадом столь великолепного викторианского строения были подарком небес. Переходя из комнаты в комнату, она сразу же начала представлять, как нужно оформить интерьер и обставить каждую из них.

Брюс высказал несколько скромных предложений, например, установить телевизор с большим экраном здесь и бильярдный стол там, но они не нашли понимания. В Ноэль уже проснулся художник, начавший рисовать на холсте без границ. Весь следующий день Ноэль провела в доме одна, измеряя, фотографируя или просто сидя в огромной пустоте. Совершенно потеряв от нее голову, Брюс занимался магазином и с тревогой ощущал надвигающийся финансовый кризис.

Она уговорила его оставить магазин на выходные, и они вместе прилетели в Новый Орлеан. Ноэль провела его по своему стильному и тесно заставленному магазину, где каждый стол, лампа, кровать с балдахином, сундук, кресло, тумбочка, ковер, комод и большой шкаф не только представляли кусочек исторического наследия Прованса, но и идеально подходили для того или иного места в пустых комнатах викторианского дома. Брюс и Ноэль гуляли по Французскому кварталу, обедали в ее любимых местных бистро, общались с ее друзьями, провели много времени в постели, и через три дня Брюс вернулся домой один, уставший и впервые в жизни по-настоящему влюбленный. Черт с ними, с деньгами! Ноэль Боннет была женщиной, без которой он не мог жить.

7

Через неделю в Санта-Розу прибыл большой грузовик и припарковался перед пустым домом Брюса. На следующий день Ноэль руководила грузчиками. Брюс несколько раз приходил посмотреть, как идут дела, и наблюдал за происходящим с большим интересом и трепетом. Ноэль полностью отдалась творческому порыву и летала по комнатам, где по нескольку раз заставляла переставлять каждую вещь на другое место и все равно никак не могла успокоиться. Вскоре после отъезда первого грузовика прибыл второй. Возвращаясь обратно в магазин, Брюс подумал, что на Ройал-стрит, наверное, практически ничего не останется. За ужином Ноэль это подтвердила и попросила приехать через несколько дней во Францию для новых покупок. Он отказался, сославшись на приезд важных авторов и дела в магазине. В ту ночь они впервые спали в доме, на оригинальной кровати из кованого железа, которую она отыскала возле Авиньона, где у нее имелась маленькая квартирка. Каждый предмет мебели, каждый аксессуар, ковер или картина имели свою историю, и ее любовь к ним заражала. На следующий день рано утром они потягивали кофе на заднем крыльце и разговаривали о будущем, которое представлялось пока весьма неопределенным. У Ноэль была своя жизнь в Новом Орлеане, Брюс жил на острове, и никто из них не был готов к отказу от привычной жизни и переезду ради выстраивания прочных и длительных отношений. Оба чувствовали неловкость и вскоре сменили тему. Брюс признался, что никогда не был во Франции, и они стали обсуждать, как отправятся туда вместе в отпуск.

Вскоре после отъезда Ноэль Брюс получил первый счет. Его сопровождала записка, написанная ее чудесным почерком, в которой говорилось, что она не стала прибавлять к стоимости свою обычную надбавку и продала ему все практически по себестоимости. Брюс молча возблагодарил Господа за маленькие чудеса. А теперь она снова уезжает во Францию за новой порцией!

Ноэль вернулась в Новый Орлеан из Авиньона за три дня до урагана Катрина. Ни ее магазин во Французском квартале, ни квартира в Гарден-дистрикт не пострадали, но город получил смертельный удар. Заперев двери, она тут же улетела на остров Камино, где ее ждал Брюс, чтобы успокоить и утешить. По телевизору показывали жуткое зрелище — затопленные улицы, плавающие тела, пятна нефти на воде, бегство обезумевшей от ужаса половины населения, исступление спасателей, растерянность политиков.

Ноэль сомневалась, что захочет и сможет вернуться.

Постепенно она начала задумываться о переезде. Около половины ее клиентов были в Новом Орлеане, но с таким количеством беженцев она сомневалась, что ее бизнес выживет. Вторая половина была рассеяна по всей стране. Ноэль пользовалась заслуженной репутацией, и антиквариат из ее магазина заказывали отовсюду. Ее сайт пользовался популярностью. Книги тоже, и многие ее поклонники являлись серьезными коллекционерами. При ненавязчивой поддержке Брюса она убедила себя, что, если перевести свой бизнес на остров, можно не только восстановить потери, но и расшириться.

Через полтора месяца после урагана Ноэль подписала договор аренды небольшого помещения на Мэйн-стрит в Санта-Розе совсем рядом с «Книгами Залива». Она закрыла магазин на Ройал-стрит и перевезла остатки товарных запасов в новый магазин, который назвала «Прованс Ноэль». Торжественное открытие с шампанским и икрой состоялось после прибытия новой партии из Франции, и Брюс помогал его организовать и провести.

Ноэль загорелась идеей новой книги: преображение дома Марчбэнксов с помощью прованского антиквариата. У нее имелись фотографии совершенно пустых комнат, и теперь она документировала их триумфальное преображение. Брюс сомневался, что продажи книги покроют расходы на издание, но что с того? Любой ее каприз!

В какой-то момент он перестал получать счета. Он робко поднял этот вопрос, и Ноэль с приличествующим моменту драматизмом объяснила, что теперь Брюс получает максимальную скидку: ее саму! Дом по-прежнему будет его, но все, что внутри, станет их общим.

8

В апреле 2006 года они провели две недели на юге Франции. Используя ее квартиру в Авиньоне в качестве базы, они колесили по окрестным деревням и рынкам, ели блюда, которые Брюс видел только на фотографиях, пили отличные местные вина, неизвестные в Америке, останавливались в самобытных гостиницах, любовались достопримечательностями, встречались с ее друзьями и, конечно же, отбирали предметы старины для ее магазина. Брюс, с его страстью к познанию, с головой окунулся в мир деревенской французской мебели и артефактов и вскоре мог сам распознать выгодное предложение.

Приехав в Ниццу, они решили пожениться. Причем безотлагательно.

Глава 3
ИНФОРМАТОР

1

В чудесный весенний день в конце апреля Мерсер Манн шла по кампусу Университета Северной Каролины в Чапел-Хилле, чувствуя беспокойство. Она согласилась встретиться с незнакомкой для беседы за деловым обедом только потому, что речь шла о возможной работе. По милости законодателей штата, объятых манией сокращения налогов и бюджетных расходов, через две недели Мерсер перестанет быть адъюнкт-профессором и преподавать литературу первокурсникам. Она всячески старалась добиться продления контракта, но ничего не получилось. И теперь совсем скоро она останется без работы, вся в долгах, без крыши над головой и без перспектив издаться. Ей исполнился тридцать один год, она была одинока, и жизнь складывалась совсем не так, как мечталось.

Первое из двух и весьма туманное электронное письмо от некой Донны Уотсон она получила накануне. Миссис Уотсон представилась консультантом, нанятым частным учебным заведением для поиска преподавателя литературного творчества в старших классах. Сейчас она находилась в этих краях и могла бы встретиться с Мерсер за чашкой кофе. Зарплата предлагалась порядка семидесяти пяти тысяч долларов в год, что было очень щедро, но директор школы любил литературу и хотел нанять преподавателя, уже опубликовавшего один или два романа.

На счету Мерсер имелся один роман и изданный сборник рассказов. Зарплата действительно впечатляла и была больше, чем она получала сейчас. Никаких других деталей не сообщалось. Мерсер ответила положительно и задала несколько вопросов о школе, в частности, ее названии и местоположении.

Во втором электронном письме, чуть менее расплывчатом, сообщалось, что школа находится в Новой Англии. И статус встречи был поднят «с чашки кофе» до «делового обеда». Может ли Мерсер встретиться с Донной в полдень в «Ресторане Спанки», что на Франклин-стрит рядом с университетским городком?

Мерсер со стыдом подумала, что на данный момент идея хорошего обеда привлекала ее больше перспективы преподавания старшеклассникам крутой школы. Несмотря на высокую зарплату, работа, безусловно, была понижением. Мерсер приехала в Чапел-Хилл три года назад, чтобы заняться преподаванием, а главное — завершить роман, над которым работала. Теперь ее ставку сокращают, и роман как был незавершенным, так и остался.

Едва она вошла в ресторан, как хорошо одетая и ухоженная женщина лет пятидесяти приветственно ей махнула и, протянув руку, сказала:

— Я Донна Уотсон. Рада с вами познакомиться.

Мерсер села за стол напротив нее и поблагодарила за приглашение. Официант принес меню.

Донна Уотсон не стала терять время и тут же превратилась в другую персону.

— Хочу сразу признаться, что я тут совсем по иному поводу, — заявила она. — Меня зовут не Донна Уотсон, а Элейн Шелби. Я работаю в компании, базирующейся в Битесде, штат Мэриленд.

Оторопев, Мерсер отвела взгляд и потом снова на нее посмотрела, лихорадочно соображая, как на это отреагировать.

Ничуть не смутившись, Элейн продолжала:

— Я солгала. Приношу свои извинения и обещаю, что больше такого не повторится. Тем не менее наш обед остается в силе, я его оплачиваю и очень прошу меня выслушать.

— Полагаю, у вас имелась веская причина солгать, — осторожно заметила Мерсер.

— Очень веская, и если вы простите меня за это прегрешение, я обещаю, что все объясню.

Мерсер пожала плечами и ответила:

— Я голодна, поэтому буду слушать, пока не наемся, и если к тому времени вы не снимите все вопросы, я просто уйду.

На лице Элейн заиграла самая что ни на есть располагающая улыбка. Мерсер подумала, что темные глаза и смуглая кожа выдавали ее ближневосточные корни, может, итальянские или греческие, но акцент определенно американский, типичный для Среднего Запада. Короткая стрижка седых волос была столь элегантной, что пара мужчин уже явно на нее заглядывались. Она была красивой и безупречно одетой женщиной, разительно выделявшейся на фоне обычной университетской публики.

— Но о работе я не солгала, — заверила Элейн. — Я здесь, чтобы убедить вас согласиться на работу на гораздо более привлекательных условиях, чем те, о которых я писала в письме.

— И что я должна делать?

— Писать, заканчивать свой роман.

— Который?

Подошел официант, и они быстро заказали салаты с цыплятами на вертеле и содовую. Он забрал меню и исчез, и Мерсер, помолчав, напомнила:

— Я слушаю.

— Это длинная история.

— Давайте начнем с простого — с вас.

— Хорошо. Я работаю в компании, которая специализируется на безопасности и расследованиях. Солидная фирма, о которой вы никогда не слышали, потому что свои услуги мы не рекламируем, и у нас нет сайта.

— Мы продолжаем топтаться на месте.

— Пожалуйста, потерпите. Сейчас вы все поймете. Шесть месяцев назад банда грабителей украла рукописи Фицджеральда из Библиотеки Файрстоуна в Принстоне. Двоих поймали и держат за решеткой. Остальные исчезли. Рукописи так и не нашлись.

Мерсер кивнула:

— Об этом много писали в газетах.

— Верно. Все пять рукописей были застрахованы нашим клиентом, крупной частной компанией, которая занимается страхованием предметов искусства, ценностей и редких активов. Но об этом вы вряд ли слышали.

— Я не слежу за страховыми компаниями.

— Вам повезло. Во всяком случае, мы копаем уже полгода, тесно сотрудничая с ФБР и его Отделом по возврату редких ценностей. Давление нарастает, потому что через шесть месяцев наш клиент будет вынужден выписать чек Принстону на двадцать пять миллионов долларов. Вообще-то Принстону нужны не деньги — он хочет вернуть рукописи, которые, как вы догадываетесь, для него бесценны. У нас имелось несколько зацепок, но до последнего времени ничего перспективного. По счастью, в темном мире краденых книг и рукописей не так уж много игроков, и мы полагаем, что сейчас вышли на след конкретного дилера.

Официант принес и поставил на стол высокую бутылку минеральной воды «Сан Пеллегрино» с двумя бокалами со льдом и лимоном.

Дождавшись, когда он уйдет, Элейн продолжила:

— Это человек, с которым вы можете быть знакомы.

Мерсер непонимающе на нее уставилась и, хмыкнув, пожала плечами:

— Едва ли.

— Вы хорошо знаете остров Камино. В детстве вы ездили туда на лето, где жили у бабушки в ее коттедже на пляже.

— Откуда вам это известно?

— Вы сами об этом писали.

Мерсер вздохнула, взяла бутылку и налила воды в оба бокала, лихорадочно пытаясь понять, что имелось в виду.

— Позвольте я угадаю. Вы прочитали все, что я написала.

— Нет, только то, что было издано. Это являлось частью подготовительной работы, причем весьма приятной.

— Спасибо. Жаль, что материала оказалось так мало.

— Вы молоды, талантливы и только начинаете.

— Давайте ближе к делу. Расскажите, что вам удалось выяснить.

— С удовольствием. Ваш первый роман «Октябрьский дождь» был издан «Ньюкомб-пресс» в 2008 году, когда вам исполнилось двадцать четыре года. Продажи были приличными: восемь тысяч экземпляров в твердой обложке, в два раза больше — в мягкой, плюс электронные версии. Не бестселлер, конечно, но критики оценили очень высоко.

— «Поцелуй смерти».

— Роман был номинирован на Национальную книжную премию и стал финалистом литературной премии фонда ПЕН/Фолкнер за лучшее прозаическое произведение года.

— Но так нигде и не стал победителем.

— Не стал, но такое признание получают очень немногие романы, тем более молодых писателей. «Таймс» включила его в десятку лучших книг года. Затем вы выпустили сборник рассказов «Музыка волн», которую критики также хвалили, но, как вы и сами знаете, рассказы продаются хуже.

— Да, я знаю.

— После этого вы сменили агентов и издателей, и... ну... мир по-прежнему ждет следующего романа. А вы тем временем опубликовали три рассказа в литературных журналах, в том числе о защите черепашьих яиц на пляже со своей бабушкой Тессой.

— Так вы и о Тессе в курсе?

— Послушайте, Мерсер, мы знаем о вас все, что нам было нужно, и узнали это из открытого доступа. Мы действительно подробно вас изучили, но не копались в вашей личной жизни сверх того, что может узнать любой из доступных источников. В наш век Интернета от частной жизни мало что осталось.

Принесли салаты, и Мерсер взяла нож и вилку. Проглотив несколько кусочков, она заметила, что Элейн продолжает потягивать воду и изучающе ее разглядывать.

— А вы собираетесь есть? — наконец поинтересовалась Мерсер, не выдержав.

— Конечно.

— Так что вам известно о Тессе?

— Ваша бабушка по материнской линии. Вместе с мужем они построили пляжный коттедж на острове Камино в 1980 году. Родом они из Мемфиса, где родились и вы сами и куда вы приезжали в отпуск. В детстве и юности вы проводили с ней там все летние каникулы. Опять-таки вы сами об этом писали.

— Это правда.

— Тесса погибла во время прогулки на яхте в 2005 году. Ее тело нашли на пляже через два дня после шторма. Ее спутник и яхта пропали. Об этом писали в газетах, например, «Таймс-юньон» Джексонвилла. Согласно архивам, Тесса завещала все, включая коттедж, трем своим детям, в том числе вашей матери. Коттедж по-прежнему находится в собственности семьи.

— Верно. Я владею половиной трети и не была там с тех пор, как она умерла. Мне бы хотелось его продать, но родственники против.

— А им вообще кто-нибудь пользуется?

— О да. Тетя проводит там зиму.

— Джейн.

— Она самая. А сестра живет там летом. Просто любопытно, что вы знаете о моей сестре?

— Конни живет в Нэшвилле с мужем и двумя девочками-подростками. Ей сорок лет, и она работает в семейном бизнесе. Ее мужу принадлежит сеть кафе, торгующих мягким мороженым, и бизнес процветает. Конни защитила степень по психологии в Юго-Восточном Массачусетском университете. Судя по всему, там она и познакомилась со своим мужем.

— А мой отец?

— Герберт Манн некогда владел крупнейшим агентством по продаже «Фордов» в Мемфисе. Похоже, денег тогда было достаточно, чтобы оплатить обучение Конни в университете, не залезая в долги. Затем по какой-то причине бизнес сместился на юг, Герберт не сумел удержать его, и последние десять лет он подрабатывал скаутом для бейсбольной команды «Балтимор ориолс». Сейчас он живет в Техасе.

Мерсер отложила нож и вилку и глубоко вздохнула.

— Извините, но от всего этого мне как-то не по себе. У меня такое чувство, будто за мной следят. Что вам нужно?

— Ну что вы, Мерсер, вся информация получена самыми традиционными способами. Все, что нам известно, мы узнали исключительно из открытых источников.

— Но от этого все равно не легче. Профессиональные сыщики копаются в моем прошлом. А как насчет настоящего? Что вам известно о моей работе?

— Ваша ставка в университете сокращается.

— Значит, мне нужна работа?

— Полагаю, что да.

— Но этих сведений нет в открытом доступе. Откуда вам известно, кого нанимают или увольняют в Университете Северной Каролины?

— У нас есть свои источники.

Мерсер нахмурилась и чуть отодвинула от себя тарелку с салатом, будто потеряла аппетит. Потом скрестила руки на груди и мрачно посмотрела на миссис Шелби.

— У меня такое чувство, будто меня вываляли в грязи.

— Прошу вас, Мерсер, выслушайте меня. Знать о вас как можно больше очень важно для нас.

— Для чего?

— Для работы, которую мы предлагаем. Если вы откажетесь, мы просто исчезнем и сотрем ваш файл. Мы никогда не станем разглашать имеющуюся у нас информацию.

— И в чем заключается эта работа?

Элейн положила в рот маленький кусочек и долго его жевала. Потом сделала глоток воды и произнесла:

— Вернемся к рукописям Фицджеральда. Мы считаем, что они спрятаны на острове Камино.

— И кто может их прятать?

— Вы должны мне пообещать, что все, о чем пойдет речь дальше, останется строго между нами. На карту поставлено очень многое, и одно неосторожное слово может нанести непоправимый ущерб не только нашему клиенту, не только Принстону, но и самим рукописям.

— И кому, черт возьми, я могла бы об этом рассказать?

— Пожалуйста, просто дайте мне слово.

— Конфиденциальность требует доверия. А почему я должна доверять вам? Если честно, и вы, и ваша фирма кажетесь мне весьма подозрительными.

— Я понимаю. Но пожалуйста, выслушайте до конца.

— Хорошо, я слушаю, но только больше я не голодна. Так что вам лучше поторопиться.

— Что ж, вполне справедливо. Вы заходили в магазин «Книги Залива» в центре Санта-Розы. Он принадлежит человеку по имени Брюс Кэйбл.

Мерсер пожала плечами:

— Думаю, что да. В детстве я заходила туда несколько раз с Тессой. Опять же после ее гибели одиннадцать лет назад я ни разу не была на острове.

— Это процветающий магазин, один из лучших специализированных в стране. Кэйбл хорошо известен в бизнесе и весьма преуспевает. У него отличные связи, и в его магазин приезжает много авторов с рекламными турами.

— Я тоже должна была туда поехать с «Октябрьским дождем», но это к делу не относится.

— Что ж, тогда продолжу. Кэйбл собирает коллекцию первых изданий современных авторов и очень активно ее пополняет. Он часто занимается обменом, и у нас есть основания считать, что он хорошо на этом зарабатывает. Кроме того, к нему обращаются для реализации краденых книг, а таких людей на этом темном рынке немного. Пару месяцев назад мы вышли на его след по наводке источника, близкого к другому коллекционеру. Мы считаем, что рукописи Фицджеральда находятся у него. Он приобрел их у посредника, который хотел избавиться от них как можно скорее.

— Я действительно не хочу больше есть.

— Мы не можем к нему подобраться. Весь последний месяц мы засылали в его магазин людей, которые за ним наблюдали, следили, скрытно снимали на фото и видео, но наткнулись на глухую стену. У него на первом этаже есть большая и со вкусом обставленная комната, в которой на полках стоят редкие издания, главным образом американских писателей двадцатого века, и он с удовольствием их показывает серьезным покупателям. Мы даже пытались продать ему одну редкую книгу — первое издание первого романа Фолкнера «Солдатская награда» с автографом автора. Кэйбл, конечно, сразу сообразил, что таких книг в мире осталось всего несколько экземпляров: три из них находятся в университетской библиотеке в Миссури, а одна — в собственности наследников. При рыночной цене порядка сорока тысяч долларов мы предложили ее купить за двадцать пять тысяч. Сначала Кэйбл заинтересовался, но потом стал задавать кучу вопросов о происхождении книги. Причем толковых вопросов. В конце концов он потерял к сделке интерес и отказался. Его чрезмерная осторожность лишь усилила наши подозрения. Мы так и не сумели проникнуть в его мир, и нам нужен в нем свой человек.

— Я?!

— Да, вы. Вы знаете, что авторы часто уходят в творческий отпуск и куда-нибудь уезжают, чтобы писать. У вас идеальное прикрытие. Вы практически выросли на этом острове. У вас до сих пор есть на нем недвижимость. Вы имеете прямое отношение к литературным кругам. Ваша легенда безупречна. Вы приехали на остров на полгода, чтобы закончить книгу, которую все с таким нетерпением ждут.

— Ее ждут от силы три человека.

— Мы заплатим за эти шесть месяцев сто тысяч долларов.

На мгновение Мерсер лишилась дара речи. Потом покачала головой:

— Извините, но я не шпионка.

— А мы просим вас не шпионить, а только наблюдать. Вы будете вести себя самым обычным образом, что не вызовет никаких подозрений. Кэйбл обожает писателей. Он общается с ними, обедает, поддерживает. Многие из заезжих писателей останавливаются в его доме, который, кстати, просто потрясающий. Они с женой любят устраивать званые ужины, на которые приглашают друзей и писателей.

— А я должна ему свалиться как снег на голову, завоевать доверие и спросить, где он прячет рукописи Фицджеральда.

Элейн улыбнулась, но комментировать не стала.

— Мы сейчас в очень сложном положении, понимаете? Я представления не имею, что вы сможете узнать, но для нас любая информация на вес золота. Не исключено, что Кэйбл с женой сами на вас выйдут и даже подружатся с вами. И вы постепенно сможете оказаться в их ближнем кругу. Кэйбл любит выпить. Не исключено, что он скажет нечто лишнее, или кто-то из друзей упомянет о сейфе в подвале под магазином.

— Сейфе?

— Об этом ходят слухи, но и только. Мы же не можем заглянуть к нему на огонек и спросить об этом сами.

— А откуда вы знаете, что он любит выпить?

— На остров приезжает много авторов, а писатели, как известно, те еще сплетники. Об этом поговаривают. Вы же сами отлично знаете, какой это тесный мир.

Мерсер подняла руки ладонями вперед и отодвинула стул.

— Извините. Но это не мое. У меня есть недостатки, но я не лгунья. Я не умею врать и точно не смогу действовать обманом. Вы ошиблись, выбрав меня.

— Подождите, прошу вас.

Мерсер поднялась, показывая, что уходит.

— Спасибо за обед.

— Мерсер, пожалуйста.

Но той уже не было.

2

Во время этого недолгого обеда солнце вдруг скрылось, и поднялся ветер. Собирался весенний дождь, и Мерсер, как всегда без зонтика, спешила попасть домой как можно быстрее. Она жила в полумиле отсюда рядом с кампусом в маленьком арендованном доме на тенистой немощеной аллее за красивым старинным зданием в исторической части Чапел-Хилла. Ее домовладелец — хозяин старинного здания — сдавал жилье только студентам-выпускникам и нищим преподавателям, работавшим по временному договору.

Мерсер успела как раз вовремя: едва она ступила на узкое крылечко, как по жестяной крыше забарабанили первые капли дождя. Она невольно обернулась, чтобы убедиться, что за ней никто не следит. Кто эти люди? Решив выбросить все это из головы, она вошла в дом, сняла туфли и, налив себе чашку чая, устроилась на диване, прислушиваясь к стуку капель и прокручивая в голове недавний разговор.

Первоначальный шок от того, что о ней кто-то так много узнал, начал проходить. Элейн была права — в наши дни с появлением Интернета, социальных сетей, расплодившихся хакеров и разговорами о прозрачности от частной жизни мало что осталось. Мерсер пришлось признать, что план был очень неглупым. Она являлась отличной кандидатурой: писательница с корнями на острове и даже недвижимостью на нем; незавершенный роман, сроки сдачи которого давно истекли; одиночество, предполагающее открытость к общению. Брюс Кэйбл ни за что бы не заподозрил в ней подставу.

Она хорошо его помнила — видный мужчина в дорогом костюме и галстуке-бабочке, без носков, с длинными вьющимися волосами и постоянным флоридским загаром. Она часто видела его у входной двери с неизменной книгой в одной руке и чашкой кофе в другой. Он читал постоянно и при этом успевал замечать все, что происходит вокруг. По какой-то причине Тессе он не нравился, и она редко заходила в магазин. Книг она тоже не покупала. Зачем их покупать, если можно бесплатно взять в библиотеке?

Встречи с авторами, на которых те подписывают книги, рекламные туры. Мерсер могла только мечтать о новом романе и его продвижении.

После выхода «Октябрьского дождя» в 2008 году у «Ньюкомб-пресс» не было денег ни для рекламы, ни для туров. Спустя три года издательство обанкротилось. Но после восторженных отзывов в «Таймс» несколько книжных магазинов обратились с просьбой включить их в маршрут поездки автора. Тур спешно организовали, и «Книги Залива» должны были стать девятой остановкой Мерсер. Но тур провалился почти сразу, когда на первой автограф-сессии в округе Колумбия появилось всего 11 человек, и только пятеро купили книгу. И это была ее самая большая аудитория! На второй встрече с читателями уже в Филадельфии за автографом выстроилась очередь из четырех человек, и последний час Мерсер провела за беседой с сотрудниками. Ее третья и, как оказалось, заключительная автограф-сессия проходила в большом магазине в Хартфорде. В баре на другой стороне улицы она выпила два мартини, поглядывая на зал и давая поклонникам возможность собраться. Но никакой толпы не собиралось. Наконец, с опозданием на десять минут, Мерсер перешла улицу и была шокирована тем, что ее ждет только сотрудник. Не явился ни один ценитель ее таланта. Ни один!

Никогда прежде Мерсер не чувствовала такого унижения. И ни за что в жизни больше не подвергнет себя столь унизительному сидению в одиночестве со стопкой красивых книг на столе, всячески избегая зрительного контакта с посетителями, которые стараются держаться подальше. Она была знакома с несколькими писателями и слышала о подобных кошмарах, когда автор появляется в магазине, видит дружелюбные лица сотрудников и добровольных помощников и спрашивает себя, сколько из них действительно являются клиентами и покупателями книг. А потом они начинают нервно оглядываться и, не видя никаких поклонников, исчезают, когда становится ясно, что их любимый автор провалился. Причем с оглушительным треском.

Мерсер отменила оставшуюся часть тура. Да и перспектива снова оказаться на острове Камино ее отнюдь не прельщала. Она сохранила множество замечательных воспоминаний, связанных с островом, но их всегда будет омрачать ужас трагической смерти там бабушки.

Дождь нагнал на нее сонливость, и Мерсер погрузилась в глубокий сон.

3

Ее разбудили шаги. Ровно в три часа с точностью будильника на скрипучем крыльце появился почтальон и оставил почту в маленьком ящичке возле входной двери. Дождавшись его ухода, она забрала привычную унылую пачку рекламных рассылок и счетов. Бросив их на кофейный столик, Мерсер вскрыла конверт с письмом от университета. Завкафедрой английского языка, рассыпаясь в комплиментах, официально извещал о сокращении ее должности. Она была «ценным сотрудником» и «талантливым педагогом», который пользовался «заслуженным уважением коллег» и «искренней любовью студентов», и все такое. «Все без исключения сотрудники кафедры» хотели бы и дальше видеть ее в своих рядах, но, к сожалению, сокращение финансирования этого не позволяло. Завершая послание наилучшими пожеланиями, завкафедрой выражал надежду на возобновление сотрудничества в следующем году, если «восстановление финансирования до нормального уровня» позволит увеличить штатное расписание.

Большая часть письма была правдой. Завкафедрой относился к ней хорошо и нередко помогал советом. Мерсер старалась ни во что не вмешиваться, больше помалкивала и не сближалась, насколько это возможно, ни с кем из преподавателей, работавших на постоянной основе, что позволило ей остаться в стороне от обычных для академической среды дрязг.

Однако она была писателем, а не преподавателем, и теперь настала пора двигаться дальше. Куда именно — Мерсер и сама не знала, но после трех лет преподавания она жаждала возможности проводить все дни исключительно за написанием романов и рассказов.

Второй конверт содержал выписку по кредитной карте. Баланс отражал ее скромный образ жизни и ежедневные усилия свести концы с концами. Они позволяли вовремя оплачивать счета и избегать ростовщических процентов, которые банк сдирал за просрочку платежей. Ее зарплата едва покрывала расходы на аренду, страховку и ремонт машины, а также на медицинскую страховку, от которой она каждый месяц хотела отказаться, когда выписывала чек. В принципе, не будь третьего конверта с его содержимым, ее финансовое положение оставалось бы достаточно стабильным, и Мерсер могла бы даже позволить себе не только лучше одеваться, но и тратить деньги на досуг.

Третье письмо было от Национальной корпорации студенческих кредитов, ненавистной конторы, преследовавшей ее все последние восемь лет. Отец успел оплатить ее первый год обучения в Южном университете Севани, но его неожиданное банкротство и моральное потрясение от случившегося явились тяжелым ударом, надолго выбившим ее из колеи. На оставшиеся три года учебы Мерсер все-таки удалось наскрести денег с помощью студенческих займов, полученных грантов, работы и скромного наследства, оставленного Тессой. Небольшие авансы за «Октябрьский дождь» и «Музыку волн» позволили погасить проценты по ее студенческим кредитам, но основная задолженность продолжала висеть тяжким грузом.

Меняя работу, Мерсер рефинансировала и реструктурировала свои займы, но каждая новая схема оборачивалась ростом задолженности, даже когда она работала в нескольких местах, чтобы свести концы с концами. Правда, в которой она никому не признавалась, заключалась в том, что она не могла себя выразить творчески из-за постоянного стресса от нависшего долга. Каждый новый день и каждая чистая страница предвещали не еще одну главу в великом романе, а скорее очередную попытку создать нечто, способное удовлетворить кредиторов.

Мерсер даже советовалась со знакомым адвокатом, не объявить ли себя банкротом, но тот объяснил, что банки и компании студенческого кредитования убедили Конгресс в необходимости предоставить таким долгам особый статус и не освобождать от них даже банкротов.

— Черт, и это при том, что даже азартные игроки могут объявить себя банкротами и ничего не платить! — искренне возмущался адвокат.

Интересно, а те, кто копался в ее жизни, знали о студенческом долге? Ведь это же конфиденциальная информация, разве нет? Но что-то ей подсказывало, что профессионалам под силу откопать любую информацию. Мерсер читала ужасные истории о том, как в нарушение врачебной тайны в чужих руках оказывались медицинские карты с тщательно скрываемыми диагнозами. Да и компании кредитных карт были известны тем, что продавали информацию о своих клиентах. Неужели в мире не осталось ничего тайного?

Мерсер собрала почтовую макулатуру и выбросила в мусорную корзину, отложила письмо от университета, а два счета положила на полку рядом с тостером. Потом налила себе еще одну чашку и собралась почитать роман, но тут подал сигнал ее сотовый телефон.

Звонила Элейн.

4

— Послушайте, мне очень жаль, что так вышло с обедом. Я не хотела заманивать вас обманом, но других вариантов поговорить с вами у меня просто не было. Что я могла сделать? Подстеречь вас в кампусе и с ходу ошарашить?

Мерсер закрыла глаза и оперлась на столешницу.

— Все нормально, я в порядке. Просто все это было очень неожиданно, понимаете?

— Понимаю, понимаю, и мне очень жаль. Послушайте, Мерсер, завтра утром я возвращаюсь в Вашингтон. Мне бы хотелось закончить наш разговор за ужином.

— Нет, спасибо. Я просто не тот человек, который вам нужен.

— Мерсер, вы нам идеально подходите, и, если честно, других кандидатур у нас нет. Пожалуйста, дайте мне возможность объяснить. Вы не все знаете, и, как я уже говорила, мы сейчас находимся в очень сложном положении. Мы пытаемся найти и сохранить рукописи, пока их не повредили или, того хуже, не распродали по частям иностранным коллекционерам. Тогда мы потеряем их навсегда. Пожалуйста, дайте мне еще один шанс.

Для Мерсер же важной причиной были деньги — обманывать себя она не хотела. Даже самой веской причиной. Мгновение поколебавшись, она поинтересовалась:

— И что вы не успели сказать?

— На это потребуется время. У меня есть машина с водителем, и я заеду за вами в семь. Я не знаю города, но слышала, что лучшим рестораном считается заведение под названием «Фонарь». Вы там были?

Мерсер знала о нем, но не могла себе позволить его посетить.

— Вы знаете, где я живу? — спросила она и тут же поняла, что сморозила глупость.

— Конечно. До встречи в семь.

5

Автомобиль, конечно, оказался черным седаном и в этой части города выглядел белой вороной. Мерсер встретила его на подъездной дороге и быстро шмыгнула на заднее сиденье рядом с Элейн. Когда машина тронулась, Мерсер воровато оглянулась и убедилась, что их никто не видел. А чего ей было смущаться? Аренда истекала через три недели, а потом она уедет отсюда навсегда. Она надеялась, что после отъезда ее давняя подруга разрешит ей недолго пожить в Чарльстоне, в своей квартире над гаражом.

Элейн, теперь одетая нарочито небрежно в джинсы, темно-синий жакет и дорогие туфли лодочки, приветствовала ее улыбкой и сказала:

— Один мой коллега учился тут и постоянно об этом вспоминает, особенно во время баскетбольного сезона.

— Да, фанаты здесь те еще, но сама я к баскетболу равнодушна.

— Вам понравилось тут жить?

Они ехали по Франклин-стрит в исторической части города: сначала мимо окон проплывали живописные дома с ухоженными газонами, а затем Греческий квартал — настоящее королевство многочисленных студенческих клубов. Дождь перестал, и на улицу высыпали студенты выпить пива и послушать музыку на свежем воздухе.

— В общем, да, — ответила Мерсер без намека на ностальгию. — Но преподавательская жизнь не по мне. Чем больше я преподавала, тем сильнее хотела писать.

— В интервью газете кампуса вы сказали, что в Чапел-Хилле надеетесь закончить роман. Удалось?

— Как вы узнали? Это было три года назад, когда я только приехала.

Элейн улыбнулась и посмотрела в окно.

— От нас мало что ускользает.

Она держалась спокойно и расслабленно, а голос звучал уверенно. Судя по всему, у нее и таинственной фирмы имелись на то основания. Мерсер задумалась, как много подобных тайных операций Элейн организовала и провела за время своей работы. Наверняка ей приходилось сталкиваться с куда более сложными и опасными противниками, чем какой-то книготорговец из маленького городка.

«Фонарь» находился тоже на Франклин-стрит неподалеку от Греческого квартала. Водитель высадил их у входа, и они вошли в уютный и почти пустой зал. Их столик располагался у окна, всего в нескольких футах от фонаря и улицы. За последние три года Мерсер не раз читала восторженные отзывы о ресторане в местных журналах. Награды сыпались со всех сторон. Мерсер заранее посмотрела в Интернете меню, и у нее немедленно потекли слюнки. Подошла официантка и, приветливо поздоровавшись, налила им воды из кувшина.

— Будете что-нибудь на аперитив? — спросила она.

Элейн кивнула на Мерсер, которая быстро произнесла:

— Я буду сухой мартини.

— А мне «Манхэттен», — добавила Элейн.

Когда официантка исчезла, Мерсер сказала:

— Вам, наверное, приходится много путешествовать.

— Да, даже очень много. У меня двое детей, и они учатся в колледже. Муж работает в Министерстве энергетики и пять дней в неделю куда-то обязательно летает. А сидеть одной дома в пустом доме скучно.

— И вы занимаетесь этим? Разыскиваете похищенное?

— Мы много чем занимаемся, но да, это моя основная сфера деятельности. Я изучала искусство всю свою жизнь и наткнулась на эту работу по чистой случайности. Большинство наших дел связано с кражей или подделкой картин. Иногда скульптур, хотя их сложнее украсть. В наши дни часто похищают книги, рукописи и старинные карты. Но дело Фицджеральда стоит особняком, это в своем роде прецедент. И по понятным причинам мы бросаем на поиски все свои ресурсы.

— У меня много вопросов.

— А я никуда не тороплюсь, — заверила Элейн, пожимая плечами.

— Я буду спрашивать без всякой системы. А почему ФБР не на первых ролях в этом деле?

— Это не так. Его Отдел по возврату редких ценностей работает превосходно и весьма эффективно. ФБР почти раскрыло дело в первые двадцать четыре часа. Один из воров, некий мистер Стингарден, оставил на месте преступления недалеко от хранилища каплю крови. ФБР задержало его вместе с подельником по имени Марк Дрисколл. Мы думаем, другие члены банды испугались и исчезли вместе с рукописями. Честно говоря, мы считаем, что ФБР слишком поторопилось. Возьми оно эту пару под плотное наблюдение на несколько недель, наверняка бы вышло на остальных. Сейчас, задним числом, это кажется особенно очевидным.

— Знает ли ФБР о вашем плане использовать меня?

— Нет.

— Подозревает ли ФБР Брюса Кэйбла?

— Нет, во всяком случае, по моему мнению.

— Выходит, сейчас ведется два параллельных расследования. Ваше и ФБР.

— Если под этим иметь в виду, что мы не делимся информацией, то да. Мы часто идем разными путями.

— Но почему?

Официантка принесла напитки и поинтересовалась, нет ли у них пожеланий. Поскольку обе так и не взглянули на меню, то вежливо попросили ее подойти попозже. Зал быстро заполнялся посетителями, и Мерсер оглянулась посмотреть, нет ли среди них знакомых. Их не оказалось.

Элейн сделала глоток, улыбнулась, поставила бокал на стол и объяснила:

— Если мы подозреваем, что у вора есть краденая картина, книга или карта, у нас есть способы проверить это. Мы используем новейшие технологии, самые хитроумные приборы, привлекаем лучших специалистов. Некоторые наши эксперты являются бывшими сотрудниками спецслужб. Если наличие украденного объекта подтверждается, мы либо уведомляем ФБР, либо действуем сами. Зависит от конкретного случая, потому что каждый из них особенный.

— Действуете сами?

— Да. Не забывайте, Мерсер, что мы имеем дело с вором, который прячет ценность, которую наш клиент застраховал на большие деньги. Эта вещь ему не принадлежит, и он всегда ищет возможность продать ее, причем продать дорого. Это сильно осложняет каждое дело. И хотя часы постоянно тикают, нам приходится проявлять терпение.

Элейн сделала еще один маленький глоток и помолчала, подбирая нужные слова.

— Полиции и ФБР необходимо думать о таких вещах, как «вероятная причина» и ордер на обыск. Наши же действия не всегда ограничены этими конституционными формальностями.

— Другими словами, вы совершаете «взлом и проникновение»?

— Мы никогда не совершаем взлом, а проникновение — да, иногда. Но только с целью проверки и поиска. Зданий, проникновение в которые представляет для нас сложность, очень мало, а в умении спрятать свою добычу многие воры далеко не так искусны, как им кажется.

— Вы прослушиваете телефоны, взламываете компьютеры?

— Ну, скажем, иногда мы подключаемся.

— Выходит, вы нарушаете закон?

— Мы называем это действиями в «серой зоне». Мы слушаем, проникаем в помещение, проверяем, а затем в большинстве случаев сообщаем ФБР. Оно делает свою работу с надлежащими ордерами, и предмет искусства возвращается владельцу. Вор отправляется в тюрьму, а ФБР получает все лавры. Все довольны, разве что за исключением вора, но его чувства нас мало волнуют.

После третьего глотка джин начал действовать, и Мерсер понемногу расслабилась.

— Но если вы так хороши, то что же вам мешает проникнуть в хранилище Кэйбла и удостовериться?

— Кэйбл не вор и намного умнее обычного подозреваемого. Он ведет себя крайне осторожно, что только усиливает наши подозрения. Стоит нам совершить ошибку, и рукописи снова исчезнут.

— Но если вы прослушиваете, взламываете компьютер и следите за всеми его действиями, почему тогда не можете его поймать?

— Я не говорила, что мы все это делаем. Не исключено, что будем, причем скоро, но сейчас нам нужно собрать больше данных.

— А кому-нибудь из вашей фирмы предъявляли обвинение в совершении чего-то незаконного?

— Нет, даже близко. Опять-таки мы действуем в серой зоне, а когда преступление раскрывается, то кому это нужно?

— Например, вору. Я, конечно, не адвокат, но разве вор не может поднять шум о незаконном обыске?

— Адвокат бы из вас получился хороший.

— Такая перспектива точно не для меня.

— Так вот, мой ответ на ваш вопрос — нет. Ни вор, ни его адвокат понятия не имеют о нашем участии. Они никогда о нас не слышали, и мы не оставляем никаких следов.

Наступила долгая пауза, во время которой они потягивали коктейль и изучали меню. Снова появилась официантка, и Элейн вежливо сказала ей, что они не торопятся. Наконец Мерсер заметила:

— Похоже, вы просите меня сделать работу, которая не исключает действий в «серой зоне», а это просто эвфемизм для нарушения закона.

По крайней мере она в этом не уверена, подумала Элейн. После решительного ухода Мерсер с обеда она решила, что с ней ничего не выйдет. Теперь же задача заключалась в том, чтобы развеять все сомнения Мерсер.

— Вовсе нет, — заверила ее Элейн. — Какие законы вы можете нарушить?

— Вот вы мне и скажите. Вы тут не одна, и я уверена, что остальные никуда не уйдут. И будут следить за мной так же пристально, как и за Кэйблом. Задействована целая команда, и я понятия не имею, чем могут заниматься мои невидимые коллеги.

— Пусть это вас не тревожит. Они настоящие профессионалы, которые никогда и никому не попадались. Пожалуйста, Мерсер, я очень прошу мне поверить. Ничего из того, о чем мы вас просим, даже отдаленно не является незаконным. Я вам обещаю.

— Мы с вами не настолько близки, чтобы давать обещания. Я вас совсем не знаю.

Мерсер допила свой мартини и сказала:

— Мне нужно еще.

На подобных встречах алкоголь всегда является подспорьем, и Элейн, тоже допив свой коктейль, махнула рукой официантке. Когда та принесла им по второй порции, они сделали заказ: свинину по-вьетнамски и китайские рулетики.

— Расскажите мне о Ноэль Боннет, — попросила Мерсер, чтобы снять напряжение. — Не сомневаюсь, что вы ее тоже хорошо изучили.

Элейн улыбнулась:

— Да, а я не сомневаюсь, что вы перед встречей вышли в Интернет и посмотрели про нее сами.

— Все верно.

— На сегодняшний день Ноэль выпустила четыре книги, все по антиквариату Прованса и дизайну в прованском стиле, что говорит о ее увлечениях. Она много ездит, много выступает, много пишет и по шесть месяцев в году проводит во Франции. Судя по всему, они с Кэйблом составляют хорошую пару и вместе уже около десяти лет. Детей нет. У нее это второй брак, у Кэйбла — первый. Он редко ездит во Францию, потому что не любит оставлять магазин без присмотра. Ее магазин теперь рядом с его. Кэйбл выкупил здание три года назад и отдал ей площади, которые раньше занимал галантерейный магазин. Каждый занимается своим бизнесом и не вмешивается в дела другого, а вместе они устраивают презентации и вечеринки. Ее четвертая книга рассказывает об их доме — викторианском строении всего в нескольких кварталах от центра города, и оно того стоит. Хотите немного грязи?

— Само собой. Кто же ее не любит?

— Последние десять лет они всем рассказывают, что женаты и сочетались браком на склоне холма на Ницце. История романтическая, но это неправда. Они не женаты и живут, похоже, в открытом браке. Кэйбл ей неверен, Ноэль ему тоже, но они всегда возвращаются домой.

— Но как такое можно узнать?!

— Опять же в писательской среде промыть косточки и обменяться сплетнями не считается зазорным. К тому же среди авторов далеко не все разборчивы в связях.

— Не считайте меня такой же.

— У меня и в мыслях не было. Я говорю в общем.

— Продолжайте.

— Мы везде проверили, и записи о браке нет ни здесь, ни во Франции. На остров приезжает много

писателей. Брюс обольщает женщин. Ноэль делает
то же самое с мужчинами. У них в доме есть башня со спальней на третьем этаже, где спят их гости.
И не всегда в одиночку.

— И от меня ждут, что я ради дела буду готова
пойти на все?

— От вас ждут, что вы сумеете к нему подобраться как можно ближе. Как это сделать — решать только вам.

Принесли китайские рулетики. Мерсер заказала омаровые клецки в бульоне. Элейн — креветки
с перцем и бутылку легкого белого вина Сансер.
Прожевав пару кусочков, Мерсер поняла, что мартини основательно притупил вкусовые ощущения.

Элейн не стала пить второй коктейль и, помолчав, спросила:

— Могу я задать вам личный вопрос?

Мерсер засмеялась, может, даже слишком громко, и ответила:

— Конечно! Разве осталось хоть что-то, чего вы
не знаете?

— Много. Почему вы никогда не приезжали
в коттедж после смерти Тессы?

Мерсер, погрустнев, отвернулась и задумалась.

— Было слишком больно. Я с шести до девят-
надцати лет проводила там каждое лето, мы с Тессой
жили одни, бродили по пляжу, купались в океане
и разговаривали, разговаривали, разговаривали. Для
меня она была не просто бабушкой, а моим всем:
опорой, мамой, лучшей подругой. Я с нетерпением
ждала, когда пройдут девять долгих месяцев с отцом,
считала дни до окончания школы, чтобы потом вырваться на пляж к Тессе. Я умоляла отца позволить

мне жить с ней круглый год, но он не разрешал. Полагаю, вам известно о моей матери.

Элейн пожала плечами и отозвалась:

— Только то, что есть в архивах.

— Ее отправили в лечебницу, когда мне было шесть лет. Ее разум одолели демоны, и, подозреваю, свою лепту внес и отец.

— А отец ладил с Тессой?

— Не смешите меня. В нашей семье никто ни с кем не ладит. Отец ненавидел Тессу, потому что она была снобом и считала, что ее дочь вышла замуж неудачно. Герберт был из бедной семьи, которая жила в неблагополучной части Мемфиса. Он заработал состояние, продавая сначала машины с пробегом, а потом новые. Семья Тессы принадлежала к мемфисской аристократии, с глубокими корнями, большим самомнением, и все такое. Но реальных денег у них не было. Вам приходилось слышать выражение «Для перины слишком бедный, для соломы слишком гордый»? Про семью Тессы лучше не скажешь.

— У нее было трое детей.

— Да. Моя мать, тетя Джейн и дядя Холстед. Ну кто может дать мальчику такое имя? Только Тесса. Семейные гены.

— А Холстед живет в Калифорнии?

— Да, полвека назад он сбежал на юг и поселился в коммуне, где и нашел себе жену-наркоманку. У них четверо детей, и все чокнутые. Из-за моей матери они считают нас сумасшедшими, но на самом деле это они настоящие психи. Та еще семейка!

— Не очень-то лестно вы о них отзываетесь.

— Это я еще сдерживаюсь. Никто из них не потрудился приехать на похороны Тессы, поэтому я не видела их с детства. И, поверьте, не желаю видеть и впредь.

— В «Октябрьском дожде» рассказывается о неблагополучной семье. Вы описывали личный опыт?

— Они, конечно, так и подумали. Холстед написал мне грязное письмо, которое я посчитала оскорблением. Оно стало последней каплей. — Мерсер съела половину рулетика и запила водой. — Давайте поговорим о чем-нибудь другом.

— Хорошая идея. Вы сказали, что у вас есть вопросы.

— А вы спросили, почему я больше не ездила на остров. Там уже никогда не будет по-прежнему, и воспоминания не оставят в покое. Просто представьте. Мне тридцать один год, и самые счастливые дни моей жизни остались в далеком прошлом, в том коттедже с Тессой. Не думаю, что смогу туда вернуться.

— Это и не обязательно. Мы можем снять для вас хорошее жилье на полгода. Но для убедительности легенды лучше, конечно, поселиться в своем коттедже.

— Если он не занят. Сестра каждый год приезжает туда на две недели в июле, и его могут сдавать в аренду. За домом присматривает тетя Джейн и иногда пускает пожить друзей. В ноябре его занимает одна канадская семья, а сама тетя Джейн живет там с января по март.

Элейн положила в рот кусочек и сделала глоток.

— Просто интересно, — продолжила Мерсер, — вы видели этот дом?

— Да. Две недели назад. В рамках подготовки.

— И как он выглядит?

— Очень милым. И ухоженным. Я бы с удовольствием в нем пожила.

— Вдоль пляжа по-прежнему сдается много жилья?

— Конечно. Не думаю, что за одиннадцать лет там что-то изменилось. А у самого места аура отпуска старых добрых времен. Пляж красив и не переполнен.

— Мы жили на этом пляже. Тесса будила меня с восходом солнца, и мы шли проверять черепах, смотрели на новые гнезда, которые сделали ночью только что приплывшие.

— Ты написала об этом. Чудесная история.

— Спасибо.

Перед горячим они допили коктейли. Элейн, сделав глоток, одобрила принесенную бутылку вина, и официантка разлила его по бокалам. Мерсер положила в рот кусочек и отложила вилку.

— Послушайте, Элейн, я просто не гожусь для этого. Со мной вы ошиблись. Я никудышная лгунья, потому что не умею обманывать людей. Я не смогу проникнуть в мир Брюса Кэйбла и Ноэль Боннет и их маленькой литературной шайки и узнать хоть что-то, представляющее для вас ценность.

— Вы уже говорили это. Вы — просто писатель, который приехал пожить нескольких месяцев на пляже в семейном коттедже. Вы работаете над романом. Это идеальная легенда, Мерсер, потому что все это правда. И сама ваша личность тоже идеальная, потому что вы — настоящая. Если бы нам понадобился мошенник, мы бы сейчас не разговаривали. Вам страшно?

— Нет. Я не знаю. А что — должно быть?

— Нет. Я уже говорила, что мы не попросим от вас ничего противозаконного, и вам не будет угрожать никакая опасность. Мы станем видеться каждую неделю...

— Вы тоже там будете?

— Я буду приезжать и уезжать, но если вам нужен компаньон, мужчина или женщина, мы можем это организовать и поселить рядом.

— Мне не нужна няня, и я ничего не боюсь, кроме того, что подведу вас. Вы платите кучу денег, чтобы я сделала нечто, чего не могу даже представить, нечто очень важное, и вы вправе рассчитывать на результат. А что, если Кэйбл действительно окажется таким умным и осторожным, как вы предполагаете, и нигде не проколется? А что, если я совершу какую-нибудь глупость, вызову подозрения, и он перепрячет рукописи в другое место? Я вижу, как легко могу все испортить, Элейн. У меня нет нужного опыта и навыков.

— А я очень ценю вашу честность. Вот почему вы идеально подходите, Мерсер. Вы открытая, искренняя и правдивая. И к тому же вы очень привлекательны и наверняка понравитесь Кэйблу.

— Вы говорите о сексе? Подразумевается, что он входит в предлагаемую работу?

— Нет. Повторяю — вы сами будете решать, что делать и как.

— Но я понятия не имею, что делать! — в отчаянии воскликнула Мерсер так громко, что поймала на себе удивленный взгляд с соседнего столика. — Извините, — пробормотала она, опустив голову.

Несколько минут они ели молча.

— Вам нравится вино? — спросила **Элейн**.

— Вино отличное, спасибо.

— Одно из моих любимых.

— А что, если я снова откажусь? Что вы станете делать?

Элейн вытерла салфеткой губы и отпила воды.

— У нас очень короткий список альтернативных кандидатур, и никто из них с вами не сравнится. Если честно, Мерсер, мы были так убеждены, что лучше все равно никого не найти, что сложили все яйца в одну корзину. В вашу. Если вы откажетесь, мы, наверное, вообще откажемся от этого плана и перейдем к другому.

— Какому?

— Я не могу вас посвящать в него. У нас очень много возможностей, давление нарастает, так что нам придется действовать быстро в другом направлении.

— А Кэйбл единственный подозреваемый?

— Поймите меня правильно, я не вправе говорить об этом. Я смогу рассказать вам гораздо больше, если вы окажетесь там, и мы станем работать вместе и гулять вдвоем по пляжу. Нам есть что обсудить, включая некоторые соображения о том, как вам лучше действовать. Но я не буду вдаваться в это сейчас. Как-никак речь идет о конфиденциальной информации.

— Понимаю. Я умею хранить секреты. Это первое, чему меня научила семья.

Элейн улыбнулась, как будто понимала и полностью доверяла Мерсер. Официантка налила им еще вина, и они занялись едой. После самой затянувшейся паузы Мерсер наконец с трудом сглотнула и, глубоко вздохнув, произнесла:

— На мне висит студенческий кредит в шестьдесят одну тысячу, который я никак не могу погасить. Этот долг отравляет каждый час моего существования и сводит меня с ума.

Элейн снова улыбнулась, словно знала об этом. Мерсер с трудом удержалась, чтобы не спросить, но на самом деле не хотела слышать ответ. Элейн положила вилку и оперлась на локти. А потом произнесла, постукивая пальцами по столу:

— Мы погасим все студенческие ссуды и заплатим еще сто тысяч. Пятьдесят тысяч сейчас и еще пятьдесят через шесть месяцев. Наличными, чеками, золотыми слитками — на ваше усмотрение. Понятно, что налогов с них платить не придется.

С плеч Мерсер вдруг свалился и растаял в воздухе тяжеленный свинцовый груз. Она подавила вздох, приложила руку ко рту и заморгала, стараясь унять подступившие слезы. Она попыталась что-то сказать, но не находила слов. Во рту сразу же пересохло, и она судорожно сделала несколько глотков воды. Элейн внимательно следила за каждым ее движением, как всегда, оценивая и взвешивая. Мерсер была ошеломлена реальностью мгновенного освобождения от долгового рабства — жуткого кошмара, который преследовал ее на протяжении восьми лет. Она глубоко вздохнула — неужели даже дышать теперь стало легче? — и подцепила омаровую клецку. Затем запила вином, которое на самом деле пробовала в первый раз. Она решила, что в ближайшие дни обязательно купит еще бутылку или даже две такого же.

Элейн, почувствовав, что Мерсер «поплыла», нанесла завершающий удар:

— Как скоро ты сможешь приехать на остров?

— Экзамены закончатся через две недели. Но я хочу отложить решение до завтра.

— Нет проблем.

Официантка выжидающе на них посмотрела, и Элейн сказала:

— Я бы попробовала панакоту[*]. Мерсер?

— Я тоже. С бокалом десертного вина.

6

Вещей было мало, и переезд занял всего несколько часов. Уложив в свой «Фольксваген-Жук» одежду, компьютер с принтером, книги, несколько кастрюль, сковородок и посуду, Мерсер покинула Чапел-Хилл без малейшего сожаления. С этим местом ее не связывали никакие теплые воспоминания, а две подруги были из тех, что пару месяцев еще напомнят о себе, а затем исчезнут навсегда. Мерсер переезжала и прощалась столько раз, что уже знала по опыту, какая дружба переживет разлуку, а какая нет. Она сомневалась, что когда-нибудь снова встретится с этими двумя. Через пару дней она отправится на юг, но не сейчас.

По федеральной автостраде Мерсер поехала на запад, пообедала и немного погуляла в живописном Эшвилле, а затем по извилистой горной дороге добралась до Теннесси. Было темно, когда она наконец остановилась в мотеле на окраине Ноксвилла. Заплатив наличными за небольшой номер, она поу-

---

[*] Северо-итальянский десерт из сливок, сахара и ванили. — *Здесь и далее примеч. пер.*

жинала в соседней закусочной с мексиканской кухней. Проспав восемь часов подряд, Мерсер проснулась на рассвете, полная сил для предстоящего долгого дня.

Хильди Манн была пациенткой клиники последние двадцать лет. Мерсер навещала ее каждый год, иногда два раза, но не чаще. Другие посетители к ней не приходили. Как только Герберт понял, что домой жена не вернется, он потихоньку начал процесс развода. Его никто не осуждал. А Конни, хотя и жила в трех часах езды отсюда, не видела мать годами. Как старшая дочь, она являлась теперь официальным опекуном Хильди, но была слишком занята, чтобы найти время для посещения.

Мерсер терпеливо прошла через долгую процедуру регистрации. Поговорив пятнадцать минут с врачом, она вновь услышала тот же неутешительный прогноз. Пациентка страдала тяжелой формой параноидальной шизофрении, и рациональное мышление блокировалось бредовыми идеями, голосами в голове и галлюцинациями. За четверть века в больнице ее состояние не улучшилось, и надежд на это не было. Ей давали много лекарств, и каждый приезд Мерсер задавалась вопросом, сколько вреда они нанесли за все эти годы. Но альтернативы не оставалось. Хильди была обречена постоянно находиться в больнице для душевнобольных и жить там до конца своих дней.

По случаю посещения медсестры не стали ее одевать в больничную белую униформу, а нарядили в голубой сарафан — один из тех, что привозила Мерсер за эти годы. Хильди сидела босая на краю кровати и смотрела в пол, когда Мерсер вошла и поцеловала ее в лоб. Мерсер присела рядом, погладила по колену и рассказала, как сильно по ней соскучилась.

В ответ Хильди только довольно улыбалась. Мерсер не переставала удивляться, какой старой выглядела ее мать. Сейчас ей всего шестьдесят четыре, но запросто можно было дать все восемьдесят. Иссохшая, изнуренная, с белоснежными волосами и прозрачной кожей. А что удивительного? Она никогда не покидала своей палаты. Раньше медсестры каждый день выводили ее на час или около того погулять по двору, но Хильди в конце концов этому воспротивилась. Что-то там ее пугало.

Мерсер произнесла свой привычный монолог, сообщив о жизни и работе, о друзьях, о том о сем. Что-то в ее рассказе было правдой, что-то вымыслом, но до Хильди, похоже, Мерсер так и не достучалась. Мать продолжала также тихо улыбаться, глядя в пол. Мерсер говорила себе, что Хильди узнала ее голос, но не была уверена. Если честно, она и сама не понимала, почему продолжала сюда ездить.

Из-за чувства вины. Конни могла выкинуть мать из головы, но Мерсер чувствовала себя виноватой, что не навещала ее чаще.

Последний раз Хильди разговаривала с ней пять лет назад. Тогда она узнала дочь, назвала по имени и даже поблагодарила за приезд. В следующий раз Хильди во время встречи раскричалась и так разбушевалась, что пришлось вмешаться медсестре. Мерсер часто задавалась вопросом, не накачивали ли теперь мать лекарствами больше, узнав о ее приезде.

Тесса рассказывала, что в юности Хильди любила поэзию Эмили Дикинсон. И Тесса, часто навещавшая дочь в первые годы ее заточения, всегда читала ей стихи. В то время Хильди слушала и реагировала, но с годами ее состояние ухудшилось.

— Как насчет стихов, мама? — спросила Мерсер, доставая толстый потрепанный том «Сборника стихотворений». Это была та же книга, что Тесса много лет привозила с собой в клинику. Мерсер пододвинула кресло-качалку и устроилась рядом с кроватью.

Пока она читала, Хильди продолжала молча улыбаться.

7

В Мемфисе Мерсер встретилась с отцом, и они вместе пообедали в ресторане в центре города. Герберт сейчас жил где-то в Техасе с новой женой, встречаться и общаться с которой Мерсер не имела ни малейшего желания. Когда отец торговал машинами, он говорил только о них, а теперь, будучи скаутом для «Балтимор ориолс», говорил лишь о бейсболе. Мерсер и сама не знала, какая из этих тем представляла для нее меньший интерес, но оживленно поддерживала разговор, стараясь сделать общение приятным. Она виделась с отцом один раз в год, и через полчаса вспомнила почему. Герберт находился в городе якобы «по делам бизнеса», но она очень в этом сомневалась. Его бизнес с треском лопнул после первого года ее обучения в колледже, и ей пришлось выкручиваться самой и залезать в долги.

Время от времени Мерсер щипала себя, чтобы убедиться, что это не сон и долги исчезли!

Герберт снова оседлал любимого конька и вернулся к бейсболу. Он рассказывал о том, какие надежды подает тот или иной старшеклассник, и ни разу не спросил о ее последней книге или планах. Если он и читал хоть что-то из ее публикаций, то никак этого не показал.

После часа, тянувшегося нескончаемо долго, Мерсер почти с нежностью вспоминала посещение клиники. Общение с ее бедной матерью, переставшей разговаривать, даже близко не было таким занудным и утомительным, как с болтливым и эгоцентричным отцом. Но попрощались они с объятием, поцелуем и обычными обещаниями видеться чаще. Мерсер сказала, что проведет несколько следующих месяцев в домике на острове, где собирается закончить роман, но он уже не слушал и, достав мобильник, набирал чей-то номер.

После обеда она поехала на кладбище Роузвуд и положила розы на могилу Тессы. Мерсер села возле надгробия, прижалась к нему спиной и не смогла сдержать слез. Тесса умерла в семьдесят четыре года, но какой же внутренне молодой она была! Теперь бы ей исполнилось восемьдесят пять, и нет сомнения, что она по-прежнему бродила бы по пляжу, собирала раковины, охраняла яйца черепах, трудилась в саду и ждала приезда любимой внучки.

Настало время вернуться, услышать голос Тессы, коснуться ее вещей, пройти по знакомым тропинкам. Сначала наверняка будет больно, но все эти одиннадцать лет Мерсер знала, что такой день настанет.

Она поужинала со старой школьной подругой, переночевала у нее в гостевой спальне и рано утром попрощалась. До острова Камино было пятнадцать часов езды.

8

Мерсер провела ночь в мотеле недалеко от Тал-
лахасси и добралась до коттеджа, как и планировала, около полудня. В нем немногое изменилось,
разве что стены были теперь покрашены белой краской, а не мягко-желтой, как нравилось Тессе. По
обе стороны узкой подъездной дорожки, устланной
ракушками, раскинулась лужайка с аккуратно стри-
женной бермудской травой. По словам тети Джейн,
за газоном, как и в прежние времена, продолжал
ухаживать Ларри, который обязательно зайдет поздороваться.

Дом стоял недалеко от Фернандо-стрит, и Тесса огородила свой участок карликовыми пальмами
и кустами бузины, которые так выросли, что сейчас
загораживали дома соседей. На клумбах, возле которых Тесса любила скрываться по утрам от солнца, цвели бегонии, кошачья мята и лаванда. Стол-
бы крыльца скрывали побеги глицинии. Амбровое
дерево сильно выросло и теперь отбрасывало тень
на бо́льшую часть передней лужайки. Джейн и Ларри отлично справлялись с ландшафтным дизайном.
Тесса была бы довольна, хотя наверняка нашла бы
возможность что-то подправить.

Ключ повернулся, но дверь заклинило, и Мерсер пришлось с силой толкнуть ее плечом, чтобы
открыть. Она вошла в большую комнату, широкую
и длинную. В одном углу — старый диван и кресла лицом к телевизору, и еще здесь появился де-
ревенский обеденный стол, который Мерсер не
помнила. За ним располагалась кухня со стеной
из высоких окон с видом на океан, раскинувший-

ся в двухстах футах за дюнами. Вся мебель была другой, как и картины на стенах и ковры на полу. Дом был больше похож на арендованный, чем родной, но Мерсер была к этому готова. Тесса почти двадцать лет жила там круглый год и содержала его в безупречном порядке. Теперь же его использовали только для отдыха, и помещение нуждалось в хорошей уборке. Мерсер прошагала через кухню, вышла на улицу и оказалась на широкой веранде со старинной плетеной мебелью. Вокруг росли пальмы и индийская сирень. Смахнув с кресла-качалки пыль и паутину, она села и, глядя на дюны и океан, стала слушать шелест нежно набегавших волн. Она обещала себе не плакать, и ей удалось сдержать слезы.

На пляже смеялись и играли дети. Мерсер слышала их, но не видела — прибой скрывался за дюнами. Чайки и рыбные вороны громко кричали, то взмывая вверх, то пикируя на дюны и водную гладь.

На нее нахлынули воспоминания — золотые и драгоценные мысли о другой жизни. Тесса практически удочерила Мерсер, когда та осталась без матери, и забирала к себе каждый год не меньше, чем на три месяца. Остальные девять месяцев Мерсер мечтала снова оказаться тут, в этом самом месте, и сидеть вечерами в кресле-качалке в сгущавшихся сумерках. Это было их любимое время дня. Нестерпимая жара спадала, и пляж пустел. Они шли на прогулку до южного пирса и обратно, искали ракушки, плескались в прибое и болтали с друзьями Тессы и просто знакомыми, которые тоже гуляли, наслаждаясь вечерней прохладой.

Этих друзей теперь тоже нет — они либо умерли, либо доживают свой век в домах для престарелых.

Мерсер долго качалась в кресле, потом поднялась. Она вернулась в дом и прошлась по комнатам — в нем осталось немного, что напоминало бы о Тессе. И это хорошо, решила она. Не было ни одной фотографии бабушки, а в спальне висели в рамке несколько снимков Джейн и ее семьи. После похорон Джейн послала Мерсер коробку с фотографиями, рисунками и ребусами, которые, по ее мнению, представляли интерес. Часть из них Мерсер держала в специальном альбоме. Достав его и распаковав остальные вещи, она отправилась в магазин купить продукты. Потом приготовила обед и, поев, устроилась с книгой почитать, но не могла сосредоточиться и вскоре задремала в гамаке на веранде.

Ее разбудили громкие шаги Ларри по ступенькам. Они обнялись и обменялись впечатлениями о том, как изменились за эти годы.

Ларри заявил, что Мерсер такая же красивая, как и прежде, только теперь уже «совсем взрослая женщина». Он изменился немного, разве что прибавилось седины и морщин, а кожа еще больше задубела и потемнела от долгого пребывания на солнце. Ларри был коренастым и жилистым и носил, похоже, ту же соломенную шляпу, которую она помнила с детства. В его прошлом имелось что-то темное — Мерсер не могла сейчас вспомнить, что именно, — но он бежал во Флориду откуда-то с далекого севера, может, даже из Канады. Он подрабатывал садовником и был мастером на все руки, и они с Тессой постоянно спорили, как следует ухаживать за цветами.

— Тебе уже давно надо было приехать, — заметил Ларри.

— Наверное, — согласилась Мерсер. — Хочешь пива?

— Нет. Бросил пить несколько лет назад. Жена заставила.

— Найди себе другую.

— Уже пробовал.

Мерсер помнила, что он был женат несколько раз и, по словам Тессы, не пропускал ни одной юбки. Она подошла к креслу-качалке и предложила:

— Садись. Давай поболтаем.

— Давай.

Его кроссовки были испачканы зеленью, а к лодыжкам прилипли кусочки срезанной травы.

— Воды бы я выпил.

Мерсер улыбнулась и, сходив на кухню, принесла ему стакан воды, а себе пиво.

— Так чем ты все это время занимался?

— Тем же самым, все по-прежнему. А ты?

— Я преподавала и писала.

— Я читал твою книгу. Мне понравилось. Я часто смотрел на твою фотографию на обложке и говорил себе: «А я ее знаю. И знаю давно». Тесса бы тобой очень гордилась.

— Думаю, да. А о чем тут сейчас сплетничают?

— Тебя не было здесь целую вечность, а как появилась, сразу подавай тебе сплетни, — засмеялся он.

— Бэнкрофты по-прежнему наши соседи? — поинтересовалась Мерсер, кивая через плечо.

— Он умер пару лет назад. Рак. Она еще жива, но в доме для престарелых. Их дети продали коттедж. Новым владельцам я не понравился, а они — мне.

Мерсер помнила, что Ларри всегда был своенравным и острым на язык.

— А Хендерсоны через дорогу?

— Умерли.

— После смерти Тессы мы несколько лет переписывались, а потом перестали. А здесь мало что изменилось.

— Остров не меняется. Кое-где появились новые дома. Все пляжные участки застроены, возле «Ритца» теперь шикарные кондоминиумы. Туризм на подъеме, что, я считаю, хорошо. Джейн говорит, что ты приехала на несколько месяцев.

— Во всяком случае, таков мой план. Там видно будет. Я сейчас не работаю и хочу закончить книгу.

— Ты всегда любила книги, верно? Я помню, как они лежали по всему дому, даже когда ты была маленькой.

— Тесса водила меня в библиотеку два раза в неделю. В пятом классе у нас в школе был конкурс, кто в летние каникулы прочтет больше книг. Я в то лето прочитала девяносто восемь и стала победительницей. Майкл Квон занял второе место с пятьюдесятью тремя. А вообще-то я хотела добраться до ста.

— Тесса всегда говорила, что в тебе слишком развит дух соперничества. Шашки, шахматы, «Монополия». И тебе обязательно нужно было победить.

— Наверное. Сейчас это кажется таким глупым.

Ларри сделал глоток, вытер губы рукавом рубашки и сказал, глядя на океан:

— Знаешь, мне ее здорово не хватает. Мы постоянно спорили насчет цветников и удобрений, но для своих друзей она была готова на все.

Мерсер кивнула, но промолчала. После долгой паузы он добавил:

— Извини, что заговорил об этом. Я знаю, что боль так и не ушла.

— Могу я задать тебе вопрос, Ларри? Я никогда ни с кем не разговаривала о том, что случилось с Тессой. Когда после похорон прошло уже много времени, я прочитала статьи в газетах, и все такое, но есть ли еще что-то, чего я не знаю? Как это произошло?

— Никто не знает. — Ларри кивнул в океан. — Они с Портером были там, милях в трех-четырех от берега, наверняка в пределах видимости, и буря налетела неожиданно. Такое случается летом ближе к вечеру, но тот шторм оказался на редкость сильным.

— А ты сам где был в это время?

— Дома, что-то чинил. Небо вдруг стало черным, и поднялся жуткий ветер. Косой дождь хлестал стеной. Кучу деревьев вырвало с корнем. Электричество вырубилось. Говорили, что Портер подал сигнал бедствия, но, судя по всему, слишком поздно.

— Я была на борту этой яхты дюжину раз, но ходить под парусом никогда не любила. Мне казалось, там слишком жарко и слишком скучно.

— Портер был опытным моряком и, как ты знаешь, обожал Тессу. Но ничего романтического. Черт, он же был на двадцать лет моложе ее.

— А я не уверена в этом, Ларри. Они были очень близки, и с возрастом у меня появились подозрения. Однажды я нашла в ее шкафу пару его старых парусиновых туфель. И из обычного детского любопытства стала за ними шпионить. Я ничего не говорила, а просто слушала. И у меня сложилось впечатление, что Портер проводил здесь много времени, пока меня не было.

Лари покачал головой:

— Нет. Неужели я бы не заметил?

— Думаю, что нет.

— Я бываю здесь три раза в неделю и приглядываю за домом. Чтобы тут кто-то ошивался? Я бы точно знал.

— Ладно. Однако Портер ей очень нравился.

— Он всем нравился. Хороший парень. Но ни его, ни лодку так и не нашли.

— А искали?

— Еще как! Самые масштабные поиски на моей памяти. В море вышли все без исключения лодки на острове, включая мою. Береговая охрана, вертолеты. Тессу нашел на северном пирсе парень во время утренней пробежки. Насколько я помню, это случилось через два или три дня.

— Она отлично плавала, но мы никогда не надевали спасательные жилеты.

— При таком шторме они бы все равно не помогли. Нет, мы никогда не узнаем, что там случилось. Мне жаль.

— Я сама спросила.

— Пожалуй, мне пора. Какая помощь требуется? — Ларри медленно поднялся и протянул руки. — Мой номер телефона у тебя есть.

Мерсер тоже поднялась и обняла его.

— Спасибо, Ларри. Была рада тебя увидеть.

— С возвращением.

— Спасибо.

9

В конце дня Мерсер скинула сандалии и направилась к пляжу. От веранды до дюн был проложен дощатый настил, а сама территория дюн охранялась государством. Она шла легкой походкой, привычно поглядывая по сторонам в поисках черепах-гоферов. Им грозило исчезновение, и Тесса была ярой защитницей их среды обитания. Черепахи питались морским овсом и спартиной, пучки которой росли на дюнах. К восьми годам Мерсер знала всю местную флору — буйволиную траву, вест-индскую осоку, юкку. Тесса научила ее различать травы и рассчитывала, что внучка их не забудет, когда приедет на следующий год. После ее смерти прошло 11 лет, а Мерсер по-прежнему все помнила.

Закрыв за собой узкую калитку в конце дощатого настила, Мерсер подошла к самой кромке воды и повернула на юг. По дороге ей встречались туристы, которые дружелюбно кивали и улыбались. Многие из них гуляли с собаками на поводках. Навстречу неспешно двигалась какая-то женщина, показавшаяся знакомой. В идеально сидящих шортах, блузке с короткими рукавами и накинутом на плечи легком свитере она представлялась моделью, сошедшей с обложки журнала мод. Элейн Шелби улыбнулась и поздоровалась. Они пожали друг другу руки и пошли дальше вместе, шагая босиком по морской пене.

— Как коттедж? — поинтересовалась Элейн.

— В хорошем состоянии. Тетя Джейн строго следит за порядком.

— Она задавала много вопросов?

— На самом деле нет. Она была счастлива, что я хочу здесь пожить.

— А вы можете там находиться до начала июля?

— Примерно до четвертого числа. В это время на две недели приедет Конни со своей семьей, так что меня там быть не должно.

— Мы найдем вам жилье поблизости. А еще кому-то коттедж сдали?

— Только в ноябре.

— Так или иначе, к тому времени вы уже освободитесь.

— Вам виднее.

— Есть несколько важных соображений, — произнесла Элейн, быстро переходя к делу.

Со стороны их общение выглядело невинной прогулкой по пляжу, но в действительности они проводили важное совещание. К ним подбежал поздороваться золотистый ретривер на поводке. Они почесали ему за ухом и обменялись с его хозяином обычными любезностями.

Когда они продолжили путь, Элейн сказала:

— Прежде всего я бы держалась от книжного магазина подальше. Важно, чтобы Кэйбл сам на вас вышел, а не наоборот.

— И как мне это устроить?

— На острове живет некая Майра Бэквит. Она тоже писательница, и вы о ней, возможно, слышали.

— Увы.

— Я так и думала. Майра написала кучу по-настоящему непристойных любовных романов, причем под самыми разными псевдонимами. В свое время она отлично продавалась в этом сегменте рынка, но с возрастом стала сдавать позиции. Она живет со своей партнершей в старом доме в центре города. Майра — крупная женщина, шести футов роста и мощная, настоящий боксер-тяжеловес. При виде ее невозможно поверить, что она вообще когда-либо занималась сексом, но у нее исключительно богатое воображение. Она очень колоритная личность, весьма эксцентричная, шумная и яркая, нечто вроде пчелиной матки местной литературной тусовки. Само собой, с Кэйблом они давние друзья. Напишите ей записку, представьтесь, объясните, что здесь делаете, и все такое. Скажите, что хотели бы зайти и познакомиться. Кэйбл узнает об этом в течение суток.

— А кто ее партнерша?

— Ли Трейн, тоже писательница, о которой вы могли слышать.

— Увы, тоже нет.

— Неудивительно. Ли пытается создавать «писательские» тексты, но из-под ее пера выходит лишь невразумительное чтиво, от которого магазины не могут избавиться. Ее последняя книга издана восемь лет назад, и за это время удалось продать только триста экземпляров. Майра и Ли — очень странная пара в полном смысле этого слова, но общение с ними может быть презабавным и занимательным. Как только вы познакомитесь, Кэйбл не заставит себя ждать.

— Звучит достаточно просто.

— Второе предложение порискованнее, но я уверена, что оно сработает. Есть молодая писательница по имени Сирина Роуч.

— Бинго! О ней я слышала. Мы не знакомы, но у нас общий издатель.

— Все верно. Ее последний роман только что вышел.

— Я читала рецензии. Они ужасные.

— Это не важно. А важно то, что Сирина сейчас ездит с туром по стране и будет на острове в следующую среду. У меня есть адрес ее электронной почты. Напишите ей, похвалите, пригласите выпить кофе, в общем, понятно. Она примерно вашего возраста, не замужем, так что общение не станет проблемой. А ее автограф-сессия будет отличной возможностью посетить магазин.

— Раз она молода и не замужем, Кэйбл может проявить себя во всей красе.

— А учитывая, что вы на острове надолго, а мисс Роуч нет, Кэйбл и Ноэль, возможно, устроят после презентации ужин. Ноэль, кстати, сейчас тоже в городе.

— Я даже не спрашиваю, откуда вы это узнали.

— Все очень просто. Мы ходили сегодня покупать антиквариат.

— Но вы сказали, что это рискованно.

— При общении там может выясниться, что вы с Сириной раньше не были знакомы. Такое вот счастливое совпадение. Но это может и насторожить.

— Вряд ли, — возразила Мерсер. — Раз у нас общий издатель, то желание встретиться и пообщаться выглядит вполне естественным.

— Хорошо. Завтра в десять утра вам доставят посылку. В ней будут все четыре книги Ноэль и три Сирины.

— Домашняя работа?

— Вы же любите читать, верно?

— Это часть моей работы.

— Я еще положу кое-что из творений Майры, чтобы вам не было скучно. Тот еще мусор, конечно, но довольно увлекательный. Мне удалось найти только одну книгу Ли Трейн, и ее я добавлю тоже. Не сомневаюсь, что ее больше не печатают, и не без причины. Но расстраиваться точно не буду. Я не смогла закончить даже первую главу.

— Буду ждать с нетерпением. Как долго вы здесь пробудете?

— Я уезжаю завтра.

Они помолчали, медленно шагая по кромке воды. Неподалеку двое подростков плескались на досках для серфинга.

— Когда мы ужинали в Чапел-Хилле, вы спрашивали об операции, — наконец снова заговорила Элейн. — Я не могу рассказать всего, но мы платим за информацию на конфиденциальной основе. Пару месяцев назад мы вышли на женщину, которая живет возле Бостона. Раньше она была замужем за коллекционером, который специализируется на редких книгах и пристраивает издания с темным прошлым. Судя по всему, развелись они недавно, и она не успела остыть от обиды. Она рассказала, что ее бывшему мужу много известно о рукописях Фицджеральда. Она уверена, что он выкупил их у воров и быстро перепродал из страха. По ее мнению, он получил за них миллион долларов, но мы не смогли найти те деньги, и она тоже. Если так и было на самом деле, то сделка прошла через офшоры с тайными счетами. Мы продолжаем копать.

— А вы разговаривали с ее бывшим?

— Еще нет.

— И он скинул их Брюсу Кэйблу?

— Она назвала нам его имя. Она помогала мужу в его бизнесе, пока их отношения не испортились, поэтому в курсе его дел.

— А зачем ему привозить их сюда?

— А почему нет? Здесь его дом, и он чувствует себя в безопасности. На данный момент мы предполагаем, что рукописи здесь, но это довольно смелое предположение. Мы можем ошибаться. Как я уже говорила, Кэйбл очень умен и знает, что делает. Он, вероятно, отлично понимает, что их нельзя хранить в месте, которое может выдать его причастность. И если под книжным магазином действительно есть сейф, сомневаюсь, что он держит их в нем. Но кто знает? Пока мы просто строим догадки и будем продолжать этим заниматься до получения новых вводных.

— Но каких?

— Нам нужны свои глаза в самом магазине, особенно в Зале первых изданий. Когда вы познакомитесь с Кэйблом, начнете захаживать в магазин, покупать книги, участвовать в презентациях и так далее, вы постепенно станете проявлять интерес к редким изданиям. У вас будут старые книги, которые оставила Тесса, и это послужит наживкой. Сколько они стоят? Не хочет ли Кэйбл их купить? Мы не знаем, к чему приведут эти разговоры, но по крайней мере у нас будет свой человек внутри, кто-то, кого он не подозревает. И что-нибудь, да всплывет. Кому что известно, когда, где. К примеру, о краже рукописей Фицджеральда могут заговорить при беседе за ужином. Как я уже сказала, он много пьет, а алкоголь развязывает языки. Люди часто говорят лишнее.

— Не представляю, чтобы он об этом проболтался.

— Согласна, но проговориться может кто-то другой. Сейчас самое важное иметь свои глаза и уши в его окружении.

У Южного пирса Элейн повела Мерсер по тропинке на север и, остановившись у одной калитки, открыла ее. За ней оказались ступеньки, которые вели на небольшую площадку. Элейн показала на двухэтажный дом в конце аллеи с тремя квартирами — каждая с отдельным входом.

— Квартира справа принадлежит нам, во всяком случае, пока. Я здесь живу. Но через пару дней сюда заедет кто-то другой. Я сообщу вам номер.

— За мной будут следить?

— Нет. Вы действуете по своему усмотрению, но на всякий случай тут всегда будет находиться друг. И я бы хотела каждый вечер получать от вас по электронной почте письмо, как бы ни развивались события. Договорились?

— Конечно.

— А сейчас мне пора. — Элейн протянула правую руку, и Мерсер пожала ее. — Удачи, Мерсер, и постарайтесь относиться к этому как к отпуску на пляже. А когда познакомитесь с Кэйблом и Ноэль, вам наверняка понравится их общество, и вы сможете даже развлечься.

— Посмотрим, — отозвалась Мерсер, пожимая плечами.

10

Галерея «Дамбартон» располагалась в Джорджтауне всего в квартале от Висконсин-авеню. Она была маленькой и занимала первый этаж старого дома, нуждавшегося в покраске и, возможно, новой крыше. Хотя на Висконсин-авеню всегда бурлили людские потоки, в галерее с практически голыми стенами, как правило, было пустынно.

Галерея специализировалась на современном минималистском искусстве, явно не пользовавшемся популярностью, во всяком случае, в Джорджтауне. Однако ее владельца — пятидесятидвухлетнего Джоэла Рибикоффа, дважды отсидевшего за торговлю крадеными предметами искусства, — это ничуть не смущало.

Его художественная галерея на первом этаже была прикрытием, призванным продемонстрировать окружающим — а после двух приговоров и восьми лет за решеткой Джоэл не сомневался, что находится под постоянным наблюдением, — что теперь он взялся за ум и пытается свести концы с концами, подобно многим галеристам Вашингтона. Он играл в эту игру и для большей правдоподобности устраивал презентации, поддерживал знакомство с немногочисленными художниками и клиентами и даже завел веб-сайт.

Он жил на третьем этаже того же дома. На втором располагался его офис, где он вел свой настоящий бизнес — совершал сделки по продаже краденых картин, гравюр, фотографий, книг, рукописей, карт, скульптур и даже поддельных писем, якобы написанных знаменитыми покойниками. Ни два приговора, ни ужасы тюремной жизни не сумели заставить Джоэла жить по закону. Для него жизнь в преступном мире была намного привлекательнее и прибыльнее забот о маленькой галерее и продвижении искусства, мало кого интересующего. Джоэл любил острые ощущения, которые испытывал, связывая воров с жертвами их краж или посредниками, а также разрабатывая многоходовые сделки со множеством участников, при которых ценности не светились, а деньги переводились на офшорные счета. Он редко покупал добычу сам, предпочитая выступать в роли опытного посредника, чистого перед законом.

ФБР провело с ним беседу через месяц после кражи рукописей Фицджеральда в Принстоне. Конечно, Джоэл ничего не знал. Через месяц агенты ФБР снова к нему пришли, но он по-прежнему не располагал никакой информацией. Зато после этого он оказался в центре событий. Опасаясь, что ФБР прослушивает его телефоны, Джоэл исчез из округа Колумбия и ушел в глубокое подполье. Используя предоплаченные и одноразовые сотовые телефоны, он связался с грабителем и встретился с ним в мотеле на автостраде неподалеку от Абердина, штат Мэриленд. Вор представился как Дэнни, а его сообщника звали Рукер. Пара крутых парней. Расположившись на дешевой кровати двухместного номера по семьдесят девять долларов в сутки, Джоэл осмотрел пять рукописей Фицджеральда, которые стоили больше, чем любой из них мог вообразить.

Джоэл видел, что Дэнни — без сомнения, главарь банды или того, что от нее осталось, — отчаянно хотел скинуть награбленное и убраться из страны.

— Я хочу получить за них миллион долларов, — сказал он.

— Эта сумма нереальна, — отозвался Джоэл. — У меня есть всего один-единственный клиент, с кем я в принципе могу поговорить об этих книгах. Сейчас все ребята в нашем бизнесе перепуганы до смерти. Федералы капитально всех обложили. Максимум... нет, единственное, что я могу предложить, — это полмиллиона.

Дэнни выругался и принялся нервно расхаживать по комнате, изредка останавливаясь у окна, чтобы чуть отодвинуть занавеску и посмотреть на автостоянку. Джоэлу надоело это представление, и он заявил, что уходит. Тогда Дэнни сдался, и они оговорили детали. Джоэл ушел, прихватив с собой только портфель. После наступления темноты Дэнни погрузил рукописи в машину и отправился в Провиденс, где они договорились встретиться в следующий раз. Там его уже ждал Рукер — давнишний армейский приятель, который тоже пошел по кривой дорожке. Обмен состоялся три дня спустя с помощью еще одного посредника.

Сейчас Дэнни и Рукер вернулись в Джорджтаун в поисках своего сокровища. В первый раз Рибикофф его здорово надул, но такое больше не повторится. В семь вечера среды 25 мая, когда галерея закрывалась, Дэнни вошел через главный вход, а Рукер влез в кабинет Джоэла через окно. Заперев все двери и погасив везде свет, они отнесли Джоэла в его квартиру на третьем этаже, где связали, заткнули рот и принялись выбивать информацию.

Глава 4
ПЛЯЖНЫЙ ОБРАЗ ЖИЗНИ

1

При Тессе день начинался с восхода солнца. Она вытаскивала Мерсер из постели, и они вместе пили кофе на веранде, с нетерпением ожидая первых лучей оранжевого светила на светлеющем горизонте. Как только солнце вставало, они быстро бежали по настилу к пляжу, чтобы провести его осмотр. Позже утром, когда Тесса уходила ухаживать за клумбами на западной стороне участка, Мерсер часто возвращалась в постель, чтобы хорошенько выспаться.

С разрешения Тессы, Мерсер выпила свою первую чашку кофе в возрасте десяти лет, а мартини попробовала в пятнадцать. «Всему свое время», — любила приговаривать бабушка.

Но теперь Тессы не было, а восходов Мерсер видела достаточно. Она проспала до девяти, и ей нравилось вставать не сразу, а еще поваляться немного в постели. Пока заваривался кофе, она бродила по коттеджу в поисках идеального места для творчества и не находила его. Теперь, когда над ней ничего не висело, Мерсер решила писать, только если ей будет что сказать. Все равно сроки сдачи рукописи истекли целых три года назад. Если издательство в Нью-Йорке сумело прождать все это время, то еще один год наверняка ничего не изменит. Ее агент иногда справлялась, как идет процесс, но делала это все реже. Их беседы были краткими. Во время долгих переездов из Чапел-Хилла в Мемфис, а затем во Флориду Мерсер мечтала и витала в облаках, и порой ей даже казалось, что роман вот-вот начнет вырисовываться. Она собиралась выкинуть первые наброски и все, что успела написать, и начать роман с чистого листа, но уже серьезно и основательно. Теперь, когда ее больше не тревожили долги и не мучили мысли о поисках работы, Мерсер чувствовала удивительный подъем от отсутствия отравляющих жизнь хлопот. Как только она устроится и отдохнет, то сразу же непременно приступит к работе и станет писать по тысяче слов в день как минимум.

Но сначала нужно разобраться с ее нынешней работой, которая так щедро оплачивалась: Мерсер понятия не имела, как ее выполнить и сколько на это потребуется времени. Поэтому решила, что отвлекаться на другое сейчас не стоит. Она зашла в Интернет и проверила почту. Как и следовало ожидать, обязательная Элейн направила ей вечером письмо с нужными адресами.

Мерсер напечатала Пчелиной матке послание следующего содержания:

«Дорогая Майра Бэквит! Меня зовут Мерсер Манн, я писательница и приехала сюда на несколько месяцев поработать над книгой. Я практически никого здесь не знаю и рискнула обратиться к Вам, чтобы познакомиться и предложить выпить по бокалу вина вместе с Вами и мисс Трейн. Бутылку вина я принесу».

Ровно в 10.00 раздался звонок в дверь. Мерсер открыла и увидела на крыльце коробку без каких-либо надписей. Курьер, доставивший ее, исчез. Она отнесла коробку на кухню и, поставив на стол, распаковала. Как и было обещано, в коробке оказались четыре больших иллюстрированных издания Ноэль Боннет, три романа Сирины Роуч, довольно тонкая книжка Ли Трейн и с полдюжины романов с яркими кричащими обложками. На них крупным планом были изображены эффектные юные девы и их красавцы возлюбленные с невероятно плоскими животами. Имена у авторов были разные, но все романы написаны Майрой Бэквит. Ими Мерсер займется потом.

Надо сказать, ничего из увиденного не подвигло ее на работу над собственной книгой.

Вместо этого она села листать книгу Ноэль о доме Брюса и заодно позавтракала мюслями.

В 10:37 зазвонил ее сотовый, но номер был незнакомый. Едва Мерсер успела произнести «Алло», как ее прервал безапелляционно-напористый высокий голос:

— Мы не пьем вино. Я пью пиво, а Ли предпочитает ром, спиртного у нас полно, так что бутылку приносить не нужно. Добро пожаловать на остров. Это Майра.

Мерсер едва не рассмеялась.

— Рада знакомству, Майра. Я не ожидала, что вы так быстро откликнитесь.

— Ну, нам скучно, и мы постоянно ищем новых знакомств. Можете потерпеть до шести вечера? Мы никогда не начинаем пить до шести.

— Постараюсь. Тогда до встречи.

— А вы знаете, где мы живем?

— На Эш-стрит.

— До встречи.

Мерсер положила трубку и попыталась определить акцент. Определенно южный, возможно, Восточный Техас. Она выбрала один из романов Майры, написанный якобы Рунионом О'Шогнессом, и начала читать. «Дикарски красивый» герой искал любовных приключений в замке, где его не привечали, и к четвертой странице уже успел уложить в постель двух горничных и преследовал третью. К концу первой главы все были измотаны, в том числе и Мерсер. Она остановилась, когда поняла, что ее пульс заметно участился и просмотреть пятьсот страниц даже наскоро просто не в силах.

Тогда Мерсер взяла роман Ли Трейн, вышла на веранду и устроилась в качалке под зонтиком. Был уже двенадцатый час, и полуденное солнце во Флориде демонстрировало всю свою мощь. До всего, что осталось без тени, было невозможно дотронуться. В романе мисс Трейн рассказывалось о молодой незамужней женщине, которая однажды проснулась беременной и сама толком не знала, от кого именно. Весь предыдущий год она слишком много пила, была неразборчива в связях, да и положиться на память тоже не могла. С календарем в руках она попыталась восстановить события и наконец составила список из трех наиболее вероятных подозреваемых. Она решила тайно выяснить всё про каждого, а после рождения ребенка подать против настоящего отца иск об установлении отцовства и заставить его платить алименты.

Задумка была хорошей, но изложение оказалось настолько путаным и витиеватым, что продраться сквозь него не представлялось возможным. Описание сцен не было ясным, и читатель в принципе не мог разобраться, что же на самом деле происходит. Судя по всему, мисс Трейн работала с ручкой в одной руке и тезаурусным словарем в другой, потому что Мерсер попадались слова, которых раньше она нигде не встречала. Еще большую путаницу вносило отсутствие выделения диалогов кавычками, поскольку часто было неясно, кто что сказал.

Через двадцать минут Мерсер окончательно выбилась из сил и уснула.

Она проснулась от жары и уныния, а уныние было непозволительной роскошью. Всю свою взрослую жизнь Мерсер жила одна и научилась всегда находить себе занятие. В коттедже следовало бы навести порядок, однако это могло и подождать. Хотя Тесса и являлась примерной хозяйкой, эту черту Мерсер от нее не унаследовала. И почему, живя в одиночестве, она должна заботиться о безупречном порядке? Она надела купальник, увидела в зеркале свою бледную кожу и, решив поработать над загаром, отправилась на пляж. Наступила пятница, день заезда арендаторов на выходные, но возле коттеджа пляж был почти пустой. Мерсер долго плавала и после короткой прогулки вернулась домой, где приняла душ и решила пообедать в городе. Она надела легкий сарафан и не стала краситься, а лишь подправила губы помадой.

Фернандо-стрит тянулась на пять миль вдоль пляжа. На стороне с дюнами и океаном стояли старые и новые коттеджи, дешевые мотели, красивые особняки, кондоминиумы и изредка встречались мини-отели. На другой стороне улицы находились опять-таки жилые дома и коттеджи, магазины, несколько офисов, мотели, рестораны и кафе. Двигаясь с предписанной скоростью в тридцать пять миль в час, Мерсер подумала, что тут ничего не изменилось. Все в точности так, как ей запомнилось. Городские власти следили за тем, чтобы туристы не испытывали неудобств, и через каждые восемь миль была оборудована небольшая парковка с дощатым настилом для общественного доступа к пляжу.

Позади, на юге, высились большие отели «Ритц» и «Мариотт», окруженные многоэтажными домами и эксклюзивными жилыми анклавами, чего Тесса никогда не одобряла, поскольку слишком много огней мешает гнездованию зеленых и морских черепах. Тесса была активным членом «Защиты черепах» и всех других природоохранных и экологических групп на острове.

Мерсер не являлась активисткой, так как терпеть не могла собраний, что было еще одной причиной держаться подальше от кампусов и факультетов. Она въехала в город и, двигаясь с потоком машин по Мэйн-стрит, миновала книжный магазин с вывеской «Прованс Ноэль» по соседству. Припарковавшись в переулке, она нашла небольшое кафе со столиками во внутреннем дворике. После неспешного обеда в тени Мерсер, смешавшись с туристами, прогулялась по магазинам одежды, но ничего не купила. Затем направилась к гавани и понаблюдала за движением по ее глади разных судов. Они с Тессой приходили сюда встречать своего друга-моряка Портера. У него имелся свой тридцатифутовый шлюп, походить на котором он их постоянно зазывал. Дни плавания тянулись очень медленно, во всяком случае, для Мерсер. Насколько ей запомнилось, ветер всегда дул слишком слабо, и они жарились на палубе. Она пыталась укрыться в каюте, но там не было кондиционера. Жена Портера умерла из-за какой-то ужасной болезни; Тесса сказала, что он никогда об этом не говорил и переехал во Флориду, дабы избежать воспоминаний. Тесса считала, что у него самые грустные глаза на свете...

Мерсер не винила Портера в том, что произошло. Тесса любила выходить с ним в море и знала о возможных рисках. Они никогда не заплывали так далеко, что земля скрывалась от глаз, и считали, что не подвергают себя опасности.

Чтобы спрятаться от жары, Мерсер зашла в ресторан и выпила стакан холодного чая в пустом баре. Она глядела на гавань и наблюдала за возвращением зафрахтованного катера с уловом золотистой макрели и четырьмя довольными краснолицыми рыбаками. Несколько гидроциклов сразу же рванули во весь опор, игнорируя знак «Не создавать волн!». А затем от пирса отошел шлюп. Размером и цветом он походил на яхту Портера, и на палубе находились два человека — мужчина в годах и дама в соломенной шляпе. На мгновение Мерсер приняла ее за Тессу: та лениво сидела с бокалом в руке и, возможно, давала непрошеные советы капитану. Прошлое снова ожило, а вместе с ним и Тесса. Мерсер очень захотела оказаться с ней рядом, взять за руку и вместе над чем-то посмеяться. И почувствовала, как к горлу подкатил комок... Видение рассеялось. Она смотрела на яхту, пока та не скрылась, а потом расплатилась за чай и покинула гавань.

Устроившись в кофейне через дорогу от книжного магазина, Мерсер наблюдала за ним. Большие витрины заставлены книгами. Баннер, анонсировавший предстоящую автограф-сессию автора. Двери практически не закрывались: постоянно кто-то либо заходил внутрь, либо выходил из магазина. Поверить, что в подвале есть сейф, в котором хранятся рукописи, было невозможно. И совсем уж невероятной представлялась ее способность содействовать их изъятию.

Элейн рекомендовала Мерсер держаться подальше от магазина и ждать, пока Кэйбл сам на нее не выйдет. Однако Мерсер была теперь предоставлена сама себе и действовала по своему усмотрению, хотя так и не определилась с линией поведения. От нее не требовалось выполнять чьи-то указания. Указания? Да их просто не могло быть из-за отсутствия плана как такового. Мерсер просто бросили в бой, рассчитывая на ее умение ориентироваться по ходу и принимать нужные решения «на лету».

В пять пополудни мужчина в костюме из легкой ткани в полоску и галстуке-бабочке — несомненно, Брюс Кэйбл — вышел из магазина и направился на восток. Дождавшись, когда он скроется, Мерсер пересекла дорогу и впервые за много лет вошла в «Книги Залива». Она не могла вспомнить, когда именно была тут в последний раз, и решила, что, наверное, лет в семнадцать или восемнадцать, и что приезжала сюда на машине.

Как и в любом книжном, Мерсер сначала побродила по магазину, пока не нашла стеллажи с художественной литературой, расставленной по фамилиям авторов в алфавитном порядке. Ей хотелось знать, есть ли тут в продаже ее книги. Найдя экземпляр дешевого издания «Октябрьского дождя», она улыбнулась. «Музыки волн» не было, но это ее не удивило. Спустя неделю после выхода этого сборника в свет она ни разу не видела его в магазинах.

Испытывая частичное удовлетворение, она медленно побродила по магазину, впитывая запах новых книг, кофе и почему-то едва уловимый аромат трубочного табака. Ей в нем все нравилось: и провисшие полки, и стопки книг на полу, и старинные ковры, и стеллажи с дешевыми изданиями, и нарядная секция с бестселлерами со скидкой в 25%! Затем Мерсер походила по Залу первых изданий — красивому обшитому панелями помещению с большими окнами и сотнями дорогих книг. В кафе наверху она купила бутылку минералки и вышла на террасу, где посетители пили кофе и коротали время. В дальнем конце полный мужчина курил трубку. Мерсер полистала туристический буклет и бросила взгляд на часы.

Без пяти шесть она спустилась вниз и увидела, что возле кассы Брюс Кэйбл беседует с клиентом. Мерсер очень сомневалась, что он ее узнает. На суперобложке «Октябрьского дождя» была ее черно-белая фотография, но тому изданию уже семь лет, и никакой прибыли магазину оно не принесло. С другой стороны, посещение этого магазина было включено в тур, который она прервала, а Кэйбл, по слухам, читал книги всех авторов, которые приезжали для автограф-сессий, и, вероятно, знал о ее корнях на острове. Важным фактором по крайней мере в его глазах была привлекательность молодой писательницы, поэтому шансы, что он ее узнает, Мерсер оценивала как пятьдесят на пятьдесят.

Однако он не узнал.

2

Эш-стрит располагалась в квартале к югу от Мэйн-стрит. Нужный дом находился на пересечении с Пятой улицей и представлял собой старинный особняк с остроконечной крышей и двухэтажными портиками с трех сторон. Он был покрашен в мягкий розовый цвет с синей окантовкой вокруг дверей ставней и портиков. Маленькая табличка над входной дверью гласила: «Викер-Хаус. 1867 год».

Мерсер не помнила, чтобы в центре Санта-Розы стоял розовый дом, однако это не важно. Дома красили каждый год.

Она постучала в дверь, и по ту сторону раздался заливистый лай нескольких собачонок. Дверь резко распахнулась, и перед Мерсер возникла огромная женщина. Она рывком протянула руку и сказала:

— Я — Майра. Входите. Не обращайте внимания на собак. Кроме меня, тут никто не кусается.

— А я — Мерсер, — отозвалась та, пожимая руку.

— Понятное дело. Проходите.

Пока Мерсер шла за Майрой, собаки успели рассеяться по дому. Майра громко крикнула:

— Ли! У нас гости! Ли!

Не дождавшись ответа, Майра повернулась к гостье:

— Подождите пока здесь. Я сейчас ее приведу.

Она исчезла в гостиной, оставив Мерсер наедине с дворняжкой размером с крысу, которая забилась под маленький столик и рычала оттуда, скаля зубы. Мерсер решила не обращать на нее внимания и осмотреться. В воздухе ощущался неприятный запах смеси застоявшегося табачного дыма и псины. Мебель старая и куплена, видимо, на блошином рынке, но при этом своеобразная и даже симпатичная. Стены увешаны десятками дурных полотен маслом и акварелей, однако ни на одной картине не было изображено ничего, хоть как-то связанного с океаном.

Откуда-то из глубины вновь послышался крик Майры. Из столовой вышла женщина самой обычной комплекции и тихо поздоровалась:

— Здравствуйте. Я — Ли Трейн.

— Рада познакомиться. Мерсер Манн.

— Мне очень нравится ваша книга. — Ли улыбнулась, показав два ряда прекрасных зубов, правда, с желтым налетом от табачного дыма. Мерсер уже давно ни от кого не слышала таких слов и, растерявшись, смущенно поблагодарила:

— Спасибо.

— Купила экземпляр два часа назад в магазине, стоящая книга. Майра пристрастилась к ридеру и всё читает на нем.

Мерсер почувствовала, что ей придется солгать и сказать что-то хорошее о книге Ли, но ее спасла Майра. Она ввалилась в прихожую и сразу вмешалась в разговор:

— Вот ты где. Теперь, когда мы все подружились, бар открыт, и мне нужно выпить. Мерсер, вы что будете?

Помня, что хозяйки не пьют вино, Мерсер ответила:

— Сейчас жарко. Я буду пиво.

Обе женщины вздрогнули, будто их обидели.

— Ладно, — согласилась Майра, — только знайте, что я сама варю пиво, и оно отличается от обычного.

— Оно ужасно, — сообщила Ли. — Раньше я любила пиво, до того, как она завела себе пивоварню. Теперь я его терпеть не могу.

— Продолжай пить свой ром, милая, и мы отлично поладим, — отозвалась Майра и добавила, глядя на Мерсер: — Это пряный эль крепостью восемь градусов. Если не проявить осторожность, то можно запросто накиряться до чертиков.

— А почему мы все так и стоим в прихожей? — поинтересовалась Ли.

— Отличный вопрос! — похвалила Майра и, резко выбросив руку, показала на лестницу. — Идите за мной.

Сзади она производила впечатление тарана, расчищавшего путь в коридоре. Следуя за ней, они добрались до гостиной с телевизором и камином, а в углу находился бар с мраморной стойкой и всевозможными напитками.

— У нас есть вино, — предложила Ли.

— Тогда мне белого, — попросила Мерсер. Что угодно, лишь бы не брага.

Майра занялась напитками и принялась расспрашивать гостью:

— Итак, где вы остановились?

— Вряд ли вы помните мою бабушку Тессу Магрудер. Она жила в маленьком домике на пляже на Фернандо-стрит.

Обе женщины покачали головами. Нет.

— Но имя кажется знакомым, — заметила Майра.

— Она умерла одиннадцать лет назад.

— А мы здесь живем только десять лет, — сказала Ли.

— Домом по-прежнему владеет семья, так что в нем я и поселилась, — пояснила Мерсер.

— Надолго?

— На несколько месяцев.

— Хотите закончить книгу, верно?

— Или начать новую.

— Как и все мы, — вздохнула Ли.

— А договор на нее есть? — поинтересовалась Майра, гремя бутылками.

— Боюсь, что да.

— Это надо ценить. И кто ваш издатель?

— «Викинг».

Майра, переваливаясь, вышла из-за стойки и вручила Мерсер и Ли напитки. Потом подхватила литровую стеклянную банку с густым пивом и предложила:

— Пойдемте на улицу, где мы можем курить.

Было видно, что они курили многие годы.

Они прошли по деревянному настилу и расположились возле красивого столика из кованого железа рядом с фонтаном, где пара бронзовых лягушек извергала изо рта воду. Дворик надежно укрывали тенью старые амбровые деревья, и дул легкий ветерок. Дверь на крыльце не закрывали, и собаки приходили и уходили по своему усмотрению.

— Тут очень мило, — заметила Мерсер, когда обе хозяйки закурили сигареты.

Ли была высокой и худощавой. Майра — загорелой и мощной.

— Извините за дым, — сказала Майра, — но мы привыкли и никак не можем бросить. В свое время, давно, мы пытались, но те дни канули в Лету. Мы потратили кучу усилий и нервов, настрадались выше крыши, а затем решили послать все к черту. Все равно от чего-то придется умереть. — Она глубоко затянулась, потом выпустила дым и отпила самодельного напитка.

— Хотите попробовать? Не стесняйтесь.

— Я бы не стала этого делать, — посоветовала Ли.

Мерсер быстро сделала глоток вина и покачала головой:

— Нет, спасибо.

— Так коттедж, говорите, всегда был в семье? — переспросила Майра. — Значит, вы сюда давно ездите?

— Да, с самого детства. Я проводила тут лето со своей бабушкой Тессой.

— Как мило. Мне нравится.

Еще глоток пива. Седые волосы Майры, сбритые примерно на дюйм выше ушей, болтались из стороны в сторону, когда она пила, курила и разговаривала. У Ли примерно того же возраста собранные в «конский хвост» волосы были темными и длинными, без малейшего намека на проседь.

Обе, казалось, собирались забросать ее новыми вопросами, так что Мерсер решила сама перейти в наступление:

— А что привело вас на остров Камино?

Они посмотрели друг на друга, как будто история была длинной и непростой.

— Мы много лет прожили в Форт-Лодердейле и устали от суеты и толкотни. Здесь ритм жизни намного спокойнее. Люди приятнее. Недвижимость дешевле. А вы? Где у вас сейчас дом?

— Последние три года я преподавала и жила в Чапел-Хилле. А теперь я в переходной стадии.

— Что, черт возьми, это значит? — не поняла Майра.

— Это значит, что я, по сути, бездомная, безработная и мечтаю закончить книгу.

Ли фыркнула, Майра хмыкнула, и обе выпустили дым.

— Мы через это проходили, — заметила Майра. — Мы встретились тридцать лет назад, когда у обеих не было ни цента. Я пыталась написать исторический роман, и Ли — художественную хренотень, мысли о которой не оставила до сих пор, но никому наши опусы не были интересны. Мы жили на пособия и продовольственные талоны, работали за центы, и, главное, — никакого просвета. Однажды мы шли по торговому центру и увидели длинную очередь из женщин среднего возраста, которые чего-то ждали. Очередь тянулась в книжный магазин сети Уолдена, что имелись в каждом торговом центре, и там за столом сидела и купалась в лучах славы Роберта Доли, тогда одна из самых успешных авторов любовных романов. Я встала в очередь — у Ли для этого слишком много гордыни — и купила книгу, и мы заставили друг друга ее прочитать. В ней рассказывалось о пирате, который скрывался от британцев и бороздил Карибское море, нападая на суда и всячески бесчинствуя. И так получалось, что везде, где он бросал якорь, находилась потрясающая юная прелестница, которая только и ждала, чтобы ее лишили девственности. Полная бредятина. И тогда мы сочинили историю о южной красавице, которая так сдружилась со своими рабами, что в конце концов забеременела. Мы бросили на эту книгу все силы.

Ли добавила:

— Знаете, а справочной литературой для нас стали порнографические журналы. Там оказалось море всего, о чем мы и понятия не имели.

Майра рассмеялась и продолжила:

— Мы написали роман за три месяца, и я, преодолев сомнения, отправила его своему агенту в Нью-Йорк. Через неделю та позвонила и сообщила, что какой-то идиот предлагает пятьдесят тысяч в качестве аванса. Мы опубликовали его под именем Майра Ли. Оригинально, правда? Через год у нас уже была куча денег, и больше мы не нуждались.

— Так значит, вы пишете вместе? — удивилась Мерсер.

— Пишет она, — быстро ответила Ли, явно открещиваясь от соавторства. — Мы вместе работаем над сюжетом, что занимает минут десять, а потом Майра кладет его на бумагу. Во всяком случае, так было раньше.

— Ли слишком высокого о себе мнения, чтобы приложить к книге руку. Вот гонорары — другое дело!

— Майра, перестань, — улыбнулась Ли.

Та снова набрала полные легкие дыма и выдохнула его через плечо.

— Веселые были деньки. Мы настругали сотню книг под дюжиной имен и не успевали угнаться за спросом. Чем больше грязи, тем лучше. Почитайте на выбор. Сплошное бесстыдство.

— Обязательно, — пообещала Мерсер.

— Пожалуйста, не надо, — вмешалась Ли. — Вы слишком умны для этого. Мне очень нравится, как вы пишете.

Мерсер была искренне тронута и тихо произнесла:

— Спасибо.

— А потом нам пришлось сбавить обороты, — продолжала Майра. — Одна сучка с севера дважды подала на нас иск с обвинением в плагиате. Но это полная чушь! Наше дерьмо было несравненно лучше, однако наши адвокаты задергались и заставили пойти на досудебное урегулирование. Это привело к большому скандалу сначала с издателем, а потом и с агентом и выбило нас из колеи. За нами закрепилась репутация мошенниц, во всяком случае за мной. Ли благополучно спряталась за моей спиной, и грязь к ней не прилипла. Ее литературная репутация по-прежнему безупречна.

— Пожалуйста, не надо, Майра.

— И вы что — перестали писать? — поинтересовалась Мерсер.

— Скажем так — я сильно сбавила обороты. Деньги в банке еще есть, а кое-что из книг по-прежнему продается.

— А я продолжаю писать, причем каждый день, — вставила Ли. — Без этого моя жизнь стала бы пустой.

— Она бы совсем опустела без денег от моих книг, — огрызнулась Майра.

— Пожалуйста, не надо, Майра.

Самая крупная собака своры — длинношерстная дворняга весом в сорок фунтов — присела возле патио и наложила кучу. Майра все видела, но промолчала, ограничившись тем, что выпустила облако дыма в сторону собаки, когда та закончила свои дела.

Мерсер сменила тему:

— А есть на острове еще писатели?

Ли кивнула с улыбкой, и Майра ответила:

— Даже слишком много.

Сделав глоток прямо из банки, она причмокнула от удовольствия.

— Есть Джей, — сообщила Ли. — Джей Арклруд.

Судя по всему, задача Ли сводилась к тому, чтобы просто задать тему, а ее развитием занималась уже Майра.

— Ты не могла не начать с него, правда? Он тоже литературный сноб, чьи опусы никому не нужны, и ненавидит всех, чьи книги продаются. И к тому же он поэт. Вы любите поэзию, дорогая?

Ее тон не оставлял сомнений в том, как она относится к поэзии.

— Я мало ее читаю, — призналась Мерсер.

— Ну, его не читайте точно, даже если сможете найти.

— Боюсь, я о нем не слышала.

— Никто не слышал. У него продажи даже меньше, чем у Ли.

— Пожалуйста, не надо, Майра.

— А Энди Адам? — поинтересовалась Мерсер. — Разве он живет не здесь?

— Живет, когда не лечится от пьянства, — ответила Майра. — Он построил на юге чудесный дом, но при разводе потерял его. Энди — законченный пьяница, но отличный писатель. Я обожаю его серию о капитане Клайде, которую считаю одной из лучших в детективном жанре. Даже Ли опускается до того, что с удовольствием его читает.

— Он чудесный человек, когда трезвый, — сказала Ли, — но жутко пьет. И до сих пор затевает драки.

— В прошлом месяце он подрался с парнем вдвое моложе себя в баре на Мэйн-стрит, и тот здорово его отделал, — тут же подхватив эстафетную палочку, вступила Майра. — В результате Энди оказался в полицейском участке, и Брюсу пришлось вносить за него залог.

— А кто такой, этот Брюс? — быстро спросила Мерсер.

Майра и Ли вздохнули и сделали по глотку, будто любой разговор о Брюсе может занять несколько часов. Наконец Ли ответила:

— У Брюса Кэйбла здесь свой книжный магазин. Вы с ним не знакомы?

— Не думаю. Я помню, что в детстве бывала в магазине несколько раз, но с ним не пересекалась.

— Все, что связано с книгами и писателями, вращается вокруг магазина. А значит, вокруг Брюса. Он в этом — центральная фигура.

— А это хорошо?

— Мы обожаем Брюса, — сообщила Майра. — У него лучший книжный в стране, и он любит писателей. Много лет назад, еще до нашего переезда сюда, когда я много писала и печаталась, он пригласил меня на автограф-сессию в свой магазин. Для серьезного магазина очень необычно устраивать встречи с авторами любовных романов, но Брюса это не смущало. Он устроил потрясный вечер, была продана куча книг, дешевое шампанское лилось рекой, и магазин не закрывался до полуночи. Да что там, он организовал автограф-сессию даже для Ли.

— Пожалуйста, не надо, Майра.

— Но это правда, и тогда купили целых четырнадцать книг.

— Пятнадцать, — поправила Ли. — Мой личный рекорд.

— А мой рекорд пять, — призналась Мерсер. — На самой первой автограф-сессии. На второй было продано четыре книги, а на следующей ни одной. После этого я позвонила в Нью-Йорк и отменила тур.

— Надо же, — посочувствовала Майра. — И вы сдались?

— Можно и так сказать, но если я когда-нибудь и напечатаю что-то еще, то ни в каких турах участвовать не буду.

— А почему вы не приехали сюда, в «Книги Залива»?

— По плану должна была, но я испугалась и решила не рисковать.

— Вам следовало начинать отсюда. Брюс всегда может зазвать целую толпу. Черт, он постоянно нам звонит, рассказывает о предстоящем приезде писателя и говорит, что нам может понравиться его или ее книга. А это значит, что мы должны явиться к нему в магазин и купить эту чертову книжку! И мы всегда ходим!

— У нас набралась уже целая библиотека подписанных авторами книг, большинство из которых мы даже не открывали, — добавила Ли.

— А вы уже заходили в его магазин? — спросила Майра.

— Заглянула по дороге к вам. Отличный магазин.

— Это настоящий оазис цивилизации. Давай встретимся за ленчем, и я познакомлю вас с Брюсом. Он вам понравится, и гарантирую, что вы ему тоже. Он любит всех писателей, а молодые привлекательные женщины удостаиваются его особого внимания.

— Он женат?

— О да. Его жену зовут Ноэль, и обычно она тоже здесь. Неординарная женщина.

— А мне она нравится, — заявила Ли, будто наперекор мнению большинства.

— И чем она занимается? — поинтересовалась Мерсер как можно невиннее.

— Торгует французским антиквариатом. Ее салон рядом с магазином Брюса, — сообщила Майра. — Кому еще налить выпить?

Мерсер и Ли едва притронулись к своим бокалам. Майра направилась наполнить стеклянную банку, и за ней увязались несколько собак. Ли закурила новую сигарету и попросила:

— Расскажите о романе, над которым сейчас работаете.

Мерсер сделала глоток теплого шабли и ответила:

— Я не могу о нем говорить, потому что дала себе обещание. Терпеть не могу, когда писатели начинают рассказывать о своей работе, а вы разве нет?

— Не знаю... Мне бы хотелось обсудить свою работу, но Майра отказывается слушать. Мне кажется, рассказ о своей работе может открыть у писателя второе дыхание. А я уже восемь лет никак не могу выйти из творческого кризиса. — Ли усмехнулась и сделала быструю затяжку. — С другой стороны, Майра вряд ли может помочь. Я почти боюсь писать из-за нее.

На мгновение Мерсер стало ее жаль, и она почти вызвалась прочитать наброски нового творения Ли, однако вовремя вспомнила, как продиралась через ее прозу. Майра с шумом вернулась и, отпихнув ногой собаку, уселась на свое место.

— И еще тут есть сочинительница про вампиров. Как бишь ее?

— Эми Слейтер, — подсказала Ли.

— Точно! Поселилась тут лет пять назад с мужем и детьми. Напала на золотую жилу с серией о вампирах, призраках и прочей чуши. Полная ахинея, но зато расходится как горячие пирожки. Даже в свой худший период, и поверьте, я опубликовала несколько жутких книг, которые и не могли получиться другими, я бы точно написала лучше, причем со связанными руками.

— Пожалуйста, не надо, Майра. Эми — чудесная женщина.

— Ты всегда так говоришь.

— Это все? — уточнила Мерсер. Всем писателям воздали по заслугам, однако она не испытывала ни малейшей неловкости, потому что в писательской среде перемывать друг другу косточки за бокалом вина было самым обычным занятием.

Хозяйки дома ненадолго задумались и сделали по несколько глотков. Потом Майра сказала:

— Есть еще те, кто занимается самиздатом. Они штампуют свои опусы, выкладывают в Интернете и называют себя писателями. Печатают несколько экземпляров за свой счет и вертятся возле магазина, умоляя Брюса выставить их в витрине на видном месте, и каждый день справляются о гонорарах. Тот еще головняк. У Брюса есть стол, на котором выставлены все такие самиздатовские опусы, и их авторы вечно с ним скандалят о расположении своих творений. Вы в курсе, что с появлением Интернета теперь любой может назвать себя опубликованным автором?

— Да, в курсе, — подтвердила Мерсер. — Когда я преподавала, мне часто оставляли книги и рукописи на крыльце, обычно с приложением длинного письма о том, как гениально их произведение и как они будут признательны за положительный отзыв для обложки.

— Так расскажите нам о преподавании, — тихо попросила Ли.

— Говорить о писателях куда интереснее.

— Я вспомнила еще об одном, — объявила Майра. — Его зовут Боб, но издается он под псевдонимом Дж. Эндрю Кобб. Мы зовем его Боб Кобб. Он отсидел шесть лет в федеральной тюрьме за какое-то нарушение корпоративного законодательства и типа заделался писателем. Он опубликовал четыре или пять довольно занимательных книг о том, что знает лучше всего — о корпоративном шпионаже. Пишет неплохо.

— Мне казалось, что он уехал, — заметила Ли.

— У него имеется квартира в кондоминиуме неподалеку от «Ритца», и там всегда есть молоденькая девушка, которую он приводит с пляжа. Бобу уже под пятьдесят, а девчонкам обычно вдвое меньше.

Но ему не занимать обаяния, и к тому же он увлекательно рассказывает о тюремной жизни. Так что, находясь на пляже, будьте бдительны. Боб Кобб всегда рыщет в поисках добычи.

— Надо записать, чтобы не забыть, — отозвалась Мерсер с улыбкой.

— О ком еще вы хотите поговорить? — спросила Майра, осушив стеклянную банку.

— Думаю, на сегодня достаточно, — ответила Мерсер. — Мне уже и так непросто всех запомнить.

— Вы с ними скоро познакомитесь. Они регулярно наведываются в книжный магазин, а Брюс часто устраивает для всех вечеринки и ужины.

Ли улыбнулась и поставила свой бокал.

— А давай пригласим всех к нам, Майра. Закатим ужин и позовем этих чудесных людей, о которых рассказывали целый час. Мы уже давно ничего не устраивали, всегда только Брюс и Ноэль. Нам надо официально отметить приезд Мерсер на остров. Что скажешь?

— Отличная мысль! Просто замечательная! Я позову Дору заняться едой, а в доме кто-нибудь наведет порядок. Как вам предложение, Мерсер?

Та пожала плечами и подумала, что отказываться просто глупо. Ли пошла налить себе еще рома и принести Мерсер вина. Следующий час прошел в обсуждении вечеринки и списка гостей. За исключением Брюса Кэйбла и Ноэль Боннет, с каждым потенциальным гостем было что-то не так. Но от этого званый ужин обещал стать только интереснее.

Мерсер ушла, когда на улице уже стемнело. Хозяйки уговаривали ее остаться на ужин, однако Ли неосторожно проговорилась, что в холодильнике

у них только остатки еды, и Мерсер поняла: пора
и честь знать. После трех бокалов вина она не рискнула сесть за руль и отправилась в центр города, где
на Мэйн-стрит смешалась с толпой туристов. Кофейня еще была открыта, и Мерсер провела в ней
час за чашкой латте, листая глянцевый журнал, рекламирующий остров и в основном его агентов по
недвижимости. В книжном магазине через дорогу
было людно, и она в конце концов решилась подойти
и полюбоваться красивой витриной, однако внутрь
заходить не стала. Затем она отправилась в тихую гавань, где посидела на скамейке и полюбовалась мягким скольжением парусников по воде. В голове по-
прежнему звучали обрывки услышанных сплетен,
и, представив, как Майра и Ли потягивают свое пиво и ром и курят, все больше увлекаясь обсуждением
предстоящего ужина, она невольно улыбнулась.

Хотя Мерсер приехала на остров только вчера,
ей казалось, что она уже вполне на нем освоилась.
После выпивки с Майрой и Ли такое впечатление
сложилось бы у любого приезжего. Жаркая погода
и соленый воздух помогли ускорить процесс. А из-за
отсутствия своего дома скучать по нему было невозможно.

Мерсер постоянно задавалась вопросом, что именно она здесь делает. Ответа так и не появилось, но
и сам вопрос постепенно начал терять актуальность.

3

Прилив достиг высшей точки в 3:21 ночи, и тогда головастая морская черепаха выбралась на пляж
и какое-то время осматривалась, оставаясь в мор-

ской пене. Ее длина достигала 3,5 футов, а вес — 350 фунтов. Она плавала по морям более двух лет и теперь вернулась отложить яйца — в прошлый раз ее гнездо располагалось всего в пятидесяти ярдах отсюда. Черепаха медленно и неуклюже поползла по песку: было видно, с каким трудом ей дается каждое непривычное движение. Она вытягивала передние ласты и отталкивалась задними лапами, часто останавливаясь, чтобы оглядеть пляж, найти сухой участок и заметить хищника или любое необычное движение. Не увидев ничего опасного, черепаха продолжила путь, оставляя на песке широкий след, который вскоре найдут ее добровольные защитники. У подножия дюны в сотне футов от кромки воды она нашла подходящее место и начала разгребать рыхлый песок передними ластами и задними лапами, делая углубление для тела — круглую выемку глубиной четыре дюйма. По мере продвижения работы черепаха поворачивалась, чтобы выровнять края ямы, что для водного создания было весьма утомительным занятием, и она часто останавливалась передохнуть. Когда место для туловища было готово, она вырыла каплевидную нору для яиц, после чего медленно повернулась лицом к дюне и накрыла нору задней частью. Первые три яйца выпали одновременно: каждое из них было мягким, чтобы не разбиться при падении, и покрыто слизью. За первыми последовали следующие — по два-три яйца за раз. Откладывая яйца, черепаха не шевелилась, будто впав в транс, и только из глаз капали слезы, вымывая излишки соли.

Мерсер увидела борозду, идущую от моря, и улыбнулась. Она осторожно двинулась по ней, пока не заметила возле дюны неподвижный силуэт черепахи. По опыту Мерсер знала, что любой шум во время гнездования может потревожить черепаху, и она, так и не закончив откладывать яйца и не закопав уже отложенные, вернется в воду. Мерсер замерла на месте и внимательно вгляделась. Сквозь облака выглянул полумесяц, и черепаху стало видно лучше.

Та по-прежнему не шевелилась и продолжала откладывать яйца. Когда их количество достигло примерно сотни, черепаха завершила процесс и принялась засыпать их песком. Затем передними ластами заполнила песком выемку для тела, сравняв ее с землей и замаскировав гнездо.

Когда черепаха начала двигаться, Мерсер поняла, что гнездование завершилось, и яйца в безопасности. Она сошла с борозды и забралась на вершину соседней дюны, скрытой в темноте, освобождая матери путь к морю. Она наблюдала, как черепаха осторожно засыпала песком нору и выровняла поверхность гнезда, чтобы оно не стало добычей хищников.

Убедившись в безопасности кладки, черепаха тронулась в изнурительный обратный путь к воде, оставляя яйца, к которым больше никогда не вернется. В течение сезона она отложит яйца еще один или два раза, а потом уплывет за сотни миль туда, где много корма. Через год-два, а может, и три-четыре, она снова вернется на тот же пляж для гнездования.

Пять раз в месяц с мая по август Тесса ночами обходила этот участок пляжа в поисках следов гнездования. Ее внучка обязательно шагала рядом, увлеченная азартом охоты. Обнаружение следа всегда захватывало, а при виде черепахи, откладывающей яйца, ощущение было просто непередаваемым.

Сейчас Мерсер полулежала на дюне и терпеливо ждала. Скоро появятся члены добровольного Клуба защиты черепах и займутся своей работой. Тесса много лет была его председателем. Она фанатично боролась за защиту гнезд и много раз прогоняла отдыхающих, которые могли повредить кладку в охраняемой зоне. Мерсер помнила по меньшей мере два случая, когда бабушке пришлось вызывать полицию. Закон, защищавший черепах, был на ее стороне, и она добивалась его неукоснительного соблюдения.

Теперь ее звучный и громкий голос молчал, и пляж уже никогда не будет таким, как прежде, во всяком случае для Мерсер. Она посмотрела на огни лодок на горизонте, с которых ловили креветок, и улыбнулась воспоминаниям о Тессе и ее черепахах. Поднялся ветер, и Мерсер съежилась и прикрыла грудь руками, защищаясь от его порывов.

Примерно через шестьдесят дней — время зависит от температуры песка — из яиц вылупляются детеныши. Они самостоятельно выбираются из скорлупы и общими усилиями начинают выкапываться из норы, что может занять несколько дней. В подходящий момент — обычно ночью или в ливень, когда становится прохладнее, — они наконец решаются совершить бросок к морю. Они показываются на поверхности, мгновение осматриваются, чтобы сориентироваться, и мчатся к воде, чтобы сразу уплыть. Шансы выжить у них крайне малы. В океане водится столько хищников, что лишь одному детенышу из тысячи удается вырасти, а остальные становятся добычей.

На берегу показались две фигуры. Увидев след, они остановились, а затем медленно двинулись по нему к гнезду. Убедившись, что мать отложила яйца и ушла, они внимательно осмотрели место с фонарями, возвели вокруг него небольшую насыпь и воткнули маленький колышек с желтой лентой. Мерсер слышала, как они — это были две женщины — приглушенно переговаривались, не подозревая о ее присутствии. Женщины вернутся днем, чтобы соорудить проволочное ограждение и поставить табличку — точно так же, как они с Тессой проделывали много раз. Покидая это место, женщины тщательно засыпали песком след, оставленный черепахой, чтобы его не было видно.

После их ухода Мерсер решила дождаться восхода на пляже. Она никогда не ночевала на нем и, устроив себе ложе на дюне, удобно в нем расположилась, после чего в конце концов заснула.

4

Судя по всему, литературная братия острова слишком боялась Майру Бэквит, чтобы прогневить ее отказом от приглашения, полученного в последнюю минуту. И никто не захотел ее обидеть. К тому же Мерсер допускала, что никто не желал и рисковать своим отсутствием, дабы не стать предметом обсуждения за глаза. Из соображений безопасности и влекомые любопытством, писатели начали собираться в воскресенье вечером, чтобы выпить и отужинать в честь нового члена своей компании, пусть даже и временного. Это был уик-энд перед Днем памяти погибших воинов, за которым начиналось лето. В приглашении по электронной почте указывалось шесть вечера, но в писательской среде пунктуальность не особенно распространена. Вовремя никто не явился.

Первым пришел Боб Кобб и, затащив Мерсер на крыльцо, тут же принялся расспрашивать ее о работе. У него были длинные седые волосы и бронзовый загар человека, проводящего слишком много времени на открытом воздухе. Верхние пуговицы яркой рубашки с цветочным рисунком были расстегнуты и открывали коричневую грудь, покрытую седыми волосам. Если верить Майре, Кобб, только что представил свой последний роман редактору, который остался им недоволен. Откуда она это знала, Майра не уточнила. Пока Боб и Мерсер разговаривали, он отпивал из стеклянной банки домашнее пиво и стоял так близко, что ей было некомфортно.

Ей на помощь пришла Эми Слейтер, «сочинительница про вампиров», которая, выразив радость по случаю прибытия Мерсер на остров, начала рассказывать о трех своих детях и о том, как она рада вырваться из дома хотя бы на вечер. Затем к их компании присоединилась Ли Трэйн, однако говорила она мало и в основном слушала. Майра в ярко-розовом балахонистом платье размером с небольшую палатку с шумом носилась по комнатам, отдавая распоряжения по поводу еды, выставляя напитки и не обращая внимания на собак, крутившихся под ногами.

Затем появились Брюс и Ноэль, и Мерсер наконец встретила человека, которому была обязана своим творческим отпуском. На нем был костюм из мягкой желтой ткани и галстук-бабочка, хотя в приглашении настоятельно рекомендовался «повседневный стиль». Однако Мерсер давно уже знала, что в литературной среде одежда может быть любой. Кобб щеголял в спортивных шортах. Ноэль прекрасно смотрелась в элегантной белой хлопковой паре, подчеркивавшей стройность ее фигуры. «Проклятые француженки!» — с завистью подумала Мерсер, отпивая шабли и пытаясь поддержать беседу.

Среди авторов нередко встречаются опытные рассказчики с бесконечным запасом занимательных историй и анекдотов. Есть среди них и малообщительные интроверты, предпочитающие замкнутый образ жизни в своих одиноких мирах, кому разговоры даются с трудом. Мерсер была где-то посередине. Одинокое детство приучило ее жить в своем мире, где слова не нужны. И ей приходилось прилагать усилия, чтобы смеяться, болтать и получать удовольствие от шутки.

Появился Энди Адам и сразу же попросил двойную порцию водки со льдом. Майра выполнила просьбу и настороженно посмотрела на Брюса. Они знали, что Энди снова запил, и это их тревожило. Знакомясь с ним, Мерсер сразу обратила внимание на небольшой шрам над его левым глазом и подумала о склонности затевать драки в барах. Энди и Кобб были примерно одного возраста, оба разведены, оба любители выпить и побездельничать на пляже. Их книги хорошо продавались, что позволяло им вести бесшабашный образ жизни. Они быстро нашли общий язык и принялись оживленно обсуждать рыбалку.

Джей Арклруд, погруженный в свой мир поэт и непризнанный гений, прибыл сразу после семи, что, по словам Майры, было для него рано. Он взял бокал вина, поздоровался с Брюсом, но к Мерсер не подошел. Теперь, когда все собрались, Майра попросила тишины и предложила тост:

— Давайте поднимем бокалы за нашу новую подругу, Мерсер Манн, которая приехала сюда в надежде найти вдохновение на солнечном пляже и закончить свой проклятый роман, который должна была сдать еще три года назад. Выпьем!

— Всего три года? — переспросила Ли, и все засмеялись.

— Мерсер? — передала ей слово Майра.

Мерсер улыбнулась:

— Спасибо. Я очень рада снова оказаться здесь. С шести лет я приезжала сюда каждое лето, чтобы провести его со своей бабушкой Тессой Магрудер. Возможно, кто-то из вас ее знал. Дни, проведенные с ней на пляже и на острове, были самыми счастливыми в моей жизни, по крайней мере на сегодняшний день. Это было давно, но я рада вернуться. И рада находиться здесь сегодня вечером.

— Добро пожаловать, — произнес Боб Кобб, поднимая бокал.

Остальные последовали его примеру, дружно выпили за ее здоровье и разом заговорили.

Брюс подошел к Мерсер и тихо сказал:

— Я знал Тессу. Они с Портером погибли во время шторма.

— Да, одиннадцать лет назад, — подтвердила Мерсер.

— Мне очень жаль, — проговорил Брюс несколько смущенно.

— Все в порядке. Это было давно.

Беседу нарушила Майра:

— Я умираю с голоду! Забирайте свою выпивку и пойдемте за стол.

Все прошли в столовую. Стол был узким и недостаточно длинным для девяти человек, но приди сюда даже двадцать гостей, Майра все равно бы их втиснула. Стулья оказались разномастными, но зато стол — просто великолепным. По центру стояли короткие свечи со множеством цветов. Посуда и бокалы были старинными и изящно подобранными. С ними отлично сочеталось столовое серебро. Накрахмаленные белые салфетки красиво уложены. Майра держала лист с рассадкой, которую они с Ли наверняка долго обсуждали, и командовала, кому где сесть. Мерсер посадили между Брюсом и Ноэль, и после обычных в таких случаях препирательств все заняли свои места. Пока отвечавшая за питание Дора разливала вино, за столом завязались три отдельных беседы. Воздух был теплым, а окна открыты. Наверху негромко потрескивал лопастями старенький вентилятор.

— Правила такие! — объявила Майра. — Никаких разговоров о своих книгах и политике. Среди нас есть республиканцы.

— Как! — возмутился Энди. — Кто их позвал?

— Я позвала, а если что-то не нравится, то дверь всегда открыта.

— И кто же они? — не унимался Энди.

— Я! — гордо заявила Эми, поднимая руку. Было видно, что такое уже случалось не раз.

— Я тоже республиканец, — сказал Кобб. — Хотя я сидел в тюрьме и натерпелся от ФБР, я все равно остаюсь верным республиканцем.

— Господи помилуй! — пробормотал Энди.

— Видишь, что я имела в виду, — вмешалась Майра. — Ни слова о политике.

— А про футбол можно? — поинтересовался Кобб.

— Ни политики, ни футбола, — ответила Майра с улыбкой. — Брюс, о чем бы тебе хотелось поговорить?

— О политике и футболе, — ответил тот, и все засмеялись.

— А что у тебя в магазине на этой неделе?

— Ну, в среду приезжает Сирина Роуч. Я рассчитываю, что все вы придете на автограф-сессию.

— Сегодня утром ее раздолбали в «Нью-Йорк таймс», — не без злорадства заметила Эми. — Все читали?

— Да кто читает «Нью-Йорк таймс»?» — поинтересовался Кобб. — Левая мерзость.

— А я бы не возражала, чтобы «Нью-Йорк таймс» или еще кто меня раздолбал, — призналась Ли. — А о чем ее книга?

— Это ее четвертый роман, и речь там о незамужней женщине из Нью-Йорка, у которой проблемы с личной жизнью.

— Очень оригинально! — вмешался Энди. — Жду не дождусь прочитать!

Он осушил второй бокал с двойной порцией водки и попросил Дору налить ему еще. Майра нахмурилась и посмотрела на Брюса, который пожал плечами, как бы говоря, что тот уже взрослый человек.

— Гаспачо*, — объявила Майра, поднимая ложку. — Угощайтесь!

Через несколько мгновений беседующие разделились на группы, и все заговорили одновременно. Кобб и Энди негромко обсуждали политику. Ли и Джей в конце стола обменивались мнениями о чьем-то романе. Майра и Эми расспрашивали о новом ресторане. А Брюс повернулся к Мерсер и тихо произнес:

— Извините, что я заговорил о смерти Тессы. Это было бестактно.

— Ничего страшного, — успокоила его она. — С тех пор прошло много лет.

— Я хорошо знал Портера. Он часто бывал в магазине и обожал детективы. Тесса заходила раз в год и никогда не покупала много. Мне кажется, я смутно помню ее с внучкой много лет назад.

— А сколько вы здесь пробудете? — поинтересовалась Ноэль.

Мерсер не сомневалась, что все, о чем она сообщила Майре, было передано Брюсу.

— Несколько месяцев. Сейчас у меня период между работами, хотя, наверное, правильнее сказать, что я безработная. В последние три года я занималась преподаванием, но, надеюсь, это осталось в прошлом. А вы? Расскажите мне о своем магазине.

— Я торгую французским антиквариатом, — ответила Ноэль. — Мой магазин по соседству с книжным. Сама я из Нового Орлеана, но познакомилась с Брюсом и переехала сюда. После урагана «Катрина».

---

* Испанское блюдо, холодный суп из помидоров.

Речь мягкая, четкая, идеальная дикция, никаких следов новоорлеанского акцента. Да и другого тоже. Много дорогих украшений, но обручального кольца нет.

— Он был в две тысячи пятом. Через месяц после несчастья с Тессой, — сказала Мерсер. — Я хорошо помню тот год.

— А вы были здесь, когда это случилось? — спросил Брюс.

— Нет, то было первое за четырнадцать лет лето, которое я проводила не здесь. Мне пришлось устроиться на работу, чтобы платить за колледж, и я работала в Мемфисе, моем родном городе.

Дора убирала со стола грязную посуду и подливала всем вина. Голос Энди становился все громче.

— А у вас есть дети? — поинтересовалась Мерсер.

Брюс и Ноэль с улыбкой покачали головами.

— У нас никогда не было на это времени, — ответила Ноэль. — Я много путешествую, покупаю и продаю, в основном во Франции, а Брюс проводит в магазине семь дней в неделю.

— А вы с ней не ездите? — спросила Мерсер у Брюса.

— Редко. Там мы и поженились.

Нет, на самом деле никакого бракосочетания там не было. Такая легкая, ненавязчивая ложь, в которой они живут уже много лет. Мерсер сделала глоток вина и напомнила себе, что сидит рядом с одним из самых успешных торговцев солеными редкими книгами. Беседуя с Ноэль о юге Франции и торговле антиквариатом, Мерсер задавалась вопросом, насколько та была в курсе дел Брюса. Если он и в самом

деле заплатил миллион долларов за рукописи Фицджеральда, она бы это точно знала. Разве нет? Брюс
не был магнатом с интересами в разных уголках мира и возможностью перемещать деньги и скрывать
доходы. Он торговал книгами в маленьком городке
и практически жил в своем магазине. Он не мог бы
скрыть от нее такую сумму, верно? Ноэль должна
была знать.

Брюсу очень понравился «Октябрьский дождь»,
и он спросил у Мерсер, почему она так внезапно прервала первое турне. Майра услышала это
и, призвав всех к тишине, попросила Мерсер рассказать свою историю. Пока Дора раскладывала
по тарелкам запеченную рыбу, собравшиеся стали
обсуждать книжные туры, и у каждого нашлось что
вспомнить. Ли, Джей и Кобб признались, что им
тоже доводилось просиживать в магазинах впустую
по несколько часов без каких бы то ни было продаж
вообще. Первая книга Энди вызвала интерес и собрала в магазине немало читателей, однако он, на-
пившись, принялся оскорблять тех, кто не пожелал
раскошелиться на покупку, за что его благополучно
выдворили из магазина. Даже Эми — автору бест-
селлеров — довелось пережить немало неприятных
дней, прежде чем удалось напасть на золотую жилу
с вампирами.

Во время ужина Энди перешел на воду со льдом,
что не могло не порадовать всех собравшихся.

Кобб увлекательно рассказал одну историю из
тюремной жизни. Восемнадцатилетний заключен-
ный подвергся сексуальному насилию со стороны
сокамерника, настоящего подонка. Спустя годы,
когда оба оказались на свободе по УДО, он выследил

своего обидчика, который обосновался в пригороде и жил тихо, будто самый добропорядочный гражданин. И тогда настало время мести.

История была длинной и интересной, и, когда Кобб закончил, Энди сказал:

— Полная фигня! Все выдумано от начала до конца, верно? Это твой следующий роман.

— Нет, клянусь, что это чистая правда.

— Черта с два! Ты уже проделывал такое и раньше — скармливал нам небылицу, чтобы посмотреть на нашу реакцию, а через год выпускал в виде романа.

— Ну, такая мысль у меня была. Что скажете? Есть коммерческая перспектива?

— Мне нравится, — заметил Брюс. — Но не следует слишком расписывать сцены изнасилования в тюрьме. Мне кажется, тут ты немного переусердствовал.

— Говоришь совсем как мой агент, — пробурчал Кобб и достал из кармана рубашки ручку, будто собираясь делать заметки. — Что еще? Мерсер, а ваше мнение?

— У меня тоже есть право голоса?

— Конечно, а как же? Ваш голос значит ничуть не меньше, чем всех этих графоманов.

— Думаю, что воспользуюсь этим сюжетом! — заявил Энди, и все рассмеялись.

— Да, хороший сюжет тебе точно не повредит. Ты сумел уложиться в срок?

— Да, отправил рукопись и уже получил ее назад. Просят поработать над структурой.

— С прошлой книгой было то же самое, но ее все равно напечатали.

— И правильно сделали! А потом не успевали до-печатывать.

— Мальчики, перестаньте! — вмешалась Май-ра. — Вы нарушаете первое правило! Никаких разго-воров о своих книгах.

— Это может затянуться на весь вечер, — про-шептал Брюс Мерсер достаточно громко, чтобы все услышали.

Как и все, она тоже любила подшучивать. Никог-да раньше ей не доводилось оказываться в компании писателей, которые всячески стремились подколоть друг друга, но делали это не со зла, а исключительно шутки ради.

— А что, если тот парень из тюрьмы на самом де-ле оказался вампиром? — вмешалась Эми, раскрас-невшаяся от вина.

В ответ грянул взрыв смеха.

— Эй, об этом я не подумал, — тут же отозвался Кобб. — Мы могли бы начать новую серию о вампи-рах в тюрьме. Мне это нравится. Ты не против со-трудничества?

— Я позвоню своему агенту, чтобы он связался с твоим и они договорились.

— И кого-то еще удивляет, что литература пере-живает кризис, — удачно вставила Ли.

После нового взрыва хохота Кобб заметил:

— Снова литературная мафия перекрывает кис-лород.

Все занялись едой, и на несколько минут за сто-лом стало тише. Потом Кобб хмыкнул и поинтере-совался:

— «Поработать над структурой». Что бы это мог-ло означать?

— Это значит, что сюжет оставляет желать лучшего, — отозвалась Майра, — и так оно и есть. По правде говоря, меня это ничуть не смущало.

— Знаешь, ты всегда можешь издать роман за свой счет. А Брюс найдет ему место на отдельном столе у задней стенки, где держит неликвиды.

— Не надо. На том столике и так нет места, — отозвался Брюс.

Майра сменила тему и обратилась к Мерсер:

— Итак, вы уже здесь несколько дней. Можно ли узнать, как продвигается работа?

— Это неудачный вопрос, — ответила она с улыбкой.

— А вы пытаетесь закончить книгу или начать ее?

— Я и сама не знаю, — призналась Мерсер. — Нынешнюю, наверное, я заброшу и займусь другой. Я еще и сама не определилась.

— Ну, если вам понадобится совет по любому вопросу написания, публикации, любви, отношений, еды, вина, путешествий, политики, вообще всего, что только есть под солнцем, то вы оказались в нужном месте. Посмотрите на собравшихся. Да тут одни эксперты!

— Я так и поняла.

5

В полночь Мерсер сидела на нижней ступеньке настила на пляже и, зарывшись босыми ногами в песок, глядела на набегавшие волны. Ей никогда не наскучит мерный рокот океана, нежный шелест спокойного моря или рев прибоя при шторме. Ветер стих, и прилив почти не был слышен. Вдали, у самой кромки воды, маячила одинокая фигурка, шагавшая на юг.

Мерсер по-прежнему находилась под впечатлением вечеринки и старалась восстановить все детали. Чем больше она вспоминала, тем более удивительным всё казалось. Столько писателей в одном месте, и никаких ссор, ни одного резкого слова — и это при всем их самомнении, всей закомплексованности и завистливости, тем более что вино лилось рекой. Востребованные авторы — Эми, Кобб и Энди — жаждали критического признания, в то время как Ли, Джей и Мерсер мечтали о больших гонорарах. Майре было всё до лампочки. Брюсу и Ноэль нравилось находиться среди них, и они со всеми держались ровно, никого не выделяя.

Она никак не могла определиться в своем отношении к Брюсу. Первое впечатление было весьма благоприятным, но, учитывая его внешность и легкость в общении, Мерсер не сомневалась, что Брюс нравится всем, во всяком случае сначала. Он не отмалчивался, но и не был болтлив и, судя по всему, не собирался мешать Майре быть в центре внимания. В конце концов, это ее вечеринка, и она точно знала, что делает. Среди гостей Брюс чувствовал себя как рыба воде, получая настоящее удовольствие от их рассказов, шуток и веселых перебранок. У Мерсер сложилось впечатление, что Брюс сделает все, чтобы помочь им продвинуться на литературном поприще. Они же, в свою очередь, относились к нему с уважением.

По словам Брюса, обе книги Мерсер ему понравились, особенно роман, и они поговорили об этом достаточно, чтобы убедиться: он действительно их читал. Он сказал, что прочитал после выхода романа в свет, когда Мерсер должна была приехать в его магазин на автограф-сессию. Это было семь лет назад, но он отлично все помнил. Не исключено, что Брюс перед ужином полистал книгу, дабы освежить память, но на Мерсер это все равно произвело впечатление. Он попросил ее зайти в магазин и подписать два экземпляра для коллекции. Он прочитал и ее книгу с короткими рассказами. Но самое главное, Брюс ждал от нее новых творений, причем не важно, будет это романом или сборником рассказов.

Для Мерсер, некогда подававшей большие надежды на литературном поприще, но утратившей вдохновение и объятой страхом, что на писательской карьере можно поставить крест, слова поддержки столь искушенного читателя и ожидание им новых работ были исключительно важны. За последние годы веру в нее не утратили лишь литературный агент и редактор.

Брюс, конечно, умел очаровывать, но не сказал и не сделал ничего, чтобы показать свой интерес. Правда, другого Мерсер и не ожидала, поскольку его чудесная жена находилась всего в нескольких дюймах. Правда, если верить слухам, на любовном фронте Брюс Кэйбл умел добиваться побед не только стремительным натиском, но и неспешной несуетливой осадой.

В ходе ужина Мерсер несколько раз бросала через стол взгляд на Кобба, Эми и даже Майру и задавалась вопросом, знают ли те о темной стороне жизни Брюса. С видимой всем стороны, он управлял одним из лучших книжных магазинов страны, но в то же время тайно занимался торговлей крадеными. Книжный магазин был успешным и приносил большую прибыль. Брюс вел чудесный образ жизни, имел красивую жену/спутницу, прекрасную репутацию и исторический особняк в живописном городке. Неужели он действительно был готов рискнуть всем этим и оказаться в тюрьме за торговлю калеными рукописями?

Подозревал ли он, что по его следу уже идет целая команда опытных сыщиков? И что ФБР тоже не дремлет? Допускал ли, что через несколько месяцев может оказаться за решеткой на многие годы?

Нет, это казалось невероятным.

Подозревал ли он Мерсер? Нет, не подозревал. Что вызывало очевидный вопрос, что делать дальше. Элейн много раз повторяла, что действовать надо крайне осторожно и ни в коем случае не торопить события. Пусть Брюс сам придет и пустит Мерсер в свою жизнь.

На словах все было очень просто...

6

В понедельник 30 мая, День поминовения погибших в войнах, Мерсер проснулась поздно и пропустила еще один восход солнца. Налив себе кофе, она направилась на пляж, где из-за праздника было оживленнее, чем обычно, но еще не очень людно. После долгой прогулки она вернулась в коттедж, налила еще кофе и села за маленький столик для завтрака, откуда открывался вид на океан. Открыв ноутбук, Мерсер посмотрела на пустой экран и напечатала «Глава первая».

Писатели обычно делятся на две категории: одни тщательно продумывают сюжет романа и знают его конец еще до начала работы, а другие, напротив, полагают, что созданный персонаж сам позаботится о развитии событий. Старый роман, тот, который она только что отбросила и который мучил ее все последние пять лет, относился ко второй категории. За пять лет ничего интересного с персонажами так и не произошло, и ее саму уже от них тошнило. Она решила отложить его. Пусть вылежится, к нему всегда можно будет вернуться. Набросав краткое изложение первой главы нового романа, Мерсер приступила ко второй.

Закончив к полудню резюме первых пяти глав, она почувствовала, что совершенно выбилась из сил.

7

Машины на Мэйн-стрит еле ползли, а на тротуарах толпились туристы, съехавшиеся в город на праздничные выходные. Оставив машину в переулке, Мерсер направилась к книжному магазину. Ей удалось подняться в кафе наверху, не встретив Брюса, и устроиться за столиком с бутербродом и свежим номером «Нью-Йорк таймс». Потом появился Брюс, пришедший за чашкой эспрессо, и, заметив ее, удивился.

— У вас найдется время подписать книги? — спросил он.

— За этим я и пришла.

Мерсер проследовала за ним в Зал первых изданий, где он закрыл за собой дверь. Два больших окна смотрели на первый этаж, и было видно, как совсем рядом клиенты копались в стеллажах с книгами. В центре зала стоял старый стол, заваленный бумагами и папками.

— Это ваш кабинет? — поинтересовалась она.

— Один из. Когда нет запарки, я прихожу сюда перевести дух и немного поработать.

— Когда нет запарки?

— Это книжный магазин. Сегодня народу много. Завтра тут будет пусто.

Брюс убрал каталог, и под ним оказались два экземпляра «Октябрьского дождя» в твердом переплете. Он протянул ей ручку и взял книги.

— Я уже и не помню, когда подписывала их в последний раз, — призналась Мерсер.

Он открыл первую книгу на титульном листе, и она нацарапала на нем свое имя, после чего проделала то же самое со второй. Оставив одну книгу на столе, вторую Брюс вернул на прежнее место на полке. Первые издания были расставлены по фамилиям авторов в алфавитном порядке.

— А что тут? — поинтересовалась Мерсер, указывая на стену с книжными полками.

— Все первые издания писателей, которые поставили свои автографы здесь. Мы проводим около ста автограф-сессий в год, поэтому за двадцать лет собралась внушительная коллекция. Я посмотрел свои записи: к вашему приезду во время тура я тогда заказал сто двадцать экземпляров.

— Сто двадцать? Так много?

— У меня есть Клуб первых изданий — около сотни моих лучших клиентов, покупающих каждую книгу с автографами. На самом деле это довольно выгодно. Если я могу гарантировать продажу сотни книг, издатели и писатели очень хотят поставить нас в тур.

— И эти люди приезжают на каждую автограф-сессию?

— Если бы. Обычно около половины, но и в этом случае толпа собирается приличная. Треть живет за пределами города и получает книги по почте.

— А что случилось, когда я отменила тур?

— Я вернул книги.

— Мне жаль.

— Издержки бизнеса.

Мерсер прошла вдоль стены, разглядывая ряды книг, и некоторые из них узнавала. Все они были в единственном экземпляре. А что с остальными? Одну ее книгу Брюс поставил на полку, а вторую оставил на столе. Где они хранились?

— Тут есть ценные книги? — спросила Мерсер.

— По сути, нет. Это впечатляющая коллекция, и я очень ею дорожу, потому что ценю каждый экземпляр, но в плане стоимости они редко оправдывают вложения.

— Почему?

— Первые тиражи слишком велики. Первый тираж вашей книги был пять тысяч экземпляров. Это, конечно, не так уж и много, но чтобы оказаться ценной, книга должна быть редкой. Правда, иногда мне везло. — Брюс потянулся к полке, вытащил книгу и протянул ей. — Помните «Пьяницу из Пфтилли»? Шедевр Дж. П. Уолтолла.

— Конечно.

— Лауреат Национальной книжной премии и Пулитцеровской премии 1999 года по литературе.

— Я читала ее в колледже.

— Мне прислали ознакомительную копию, и, прочитав, я влюбился в книгу. Я знал, что у романа большое будущее, и заказал несколько коробок книг еще до того, как автор объявил об отказе от рекламного тура. У его издателя уже тогда было плохо с деньгами, да и чутьем он точно не отличался, так что первый тираж составил шесть тысяч экземпляров. Для первого романа неплохо, но конкретно для этого явно недостаточно. А потом профсоюз объявил забастовку, и после выпуска тысячи двухсот экземпляров печать остановили. Мне повезло, что я успел получить свой заказ. Первые рецензии оказались самыми восторженными, и второй тираж уже в другой типографии равнялся двадцати тысячам. Для следующего тиража эта цифра утроилась, и так далее. И в конечном итоге совокупный тираж проданных книг в твердом переплете составил миллион экземпляров.

Мерсер нашла страницу, где указаны авторские права, и увидела слова «Первое издание».

— И сколько она теперь стоит? — спросила она.

— Я продал пару по пять тысяч долларов. Теперь прошу восемь. У меня в подвале еще хранится порядка двух дюжин экземпляров.

Мерсер промолчала, однако взяла услышанное на заметку. Она протянула роман Брюсу и подошла к другой стене, уставленной книгами.

— Все та же коллекция, но не все из этих авторов подписывали экземпляры здесь, — пояснил Брюс.

Вытащив с полки «Правила Дома сидра» Джона Ирвинга, Мерсер заметила:

— Думаю, что на рынке их очень много.

— Это Джон Ирвинг. Роман вышел через семь лет после «Мира глазами Гарпа», поэтому первый тираж был огромным. Этот экземпляр стоит несколько сотен долларов. У меня есть один «Мир глазами Гарпа», но он не продается.

Она вернула книгу на место и пробежала взглядом по соседним изданиям. «Мира глазами Гарпа» не было. Мерсер решила, что она тоже «погребена в подвале», но ничего не сказала. Ей хотелось спросить у него о самых редких книгах, но решила, что разумнее не проявлять интереса.

— А вам понравился вчерашний ужин? — поинтересовался он.

Мерсер засмеялась и отошла от стеллажа.

— О да. Я никогда не ужинала в обществе стольких писателей. Знаете, обычно мы не очень общительны и предпочитаем держаться особняком.

— Я знаю. В вашу честь все старались вести себя прилично. Поверьте, такие встречи далеко не всегда проходят столь цивилизованно.

— Но почему?

— Специфика ремесла. Больное самолюбие, спиртное, да еще разные политические пристрастия — и страсти начинают кипеть.

— Хотела бы я на это посмотреть! А когда намечается следующая вечеринка?

— С этой публикой никогда не знаешь наверняка. Ноэль собиралась устроить ужин через пару недель. Вы ей понравились.

— Она мне тоже. Она просто чудесна.

— Ноэль очень жизнерадостна и настоящий профессионал в том, чем занимается. Вам обязательно надо зайти в ее магазин.

— Я обязательно зайду, хотя ничего не смыслю в эксклюзивных вещах.

Рассмеявшись, Брюс посоветовал:

— Только ей не говорите. Ноэль очень гордится тем, что выставляет на продажу и хранит на складе.

— Завтра за кофе я встречаюсь с Сириной Роуч перед ее автограф-сессией. Вы с ней знакомы?

— Конечно. Она была здесь уже дважды. Сирина довольно эксцентрична, но вместе с тем приятна в общении. Ее сопровождают бойфренд и пресс-агент.

— Эскорт?

— Вроде того. Но в этом нет ничего необычного. Сирина лечилась от наркомании и нуждается в поддержке. Жизнь на колесах выбивает из колеи многих писателей, и им нужна опора, чтобы чувствовать себя защищенными.

— Она не может путешествовать одна?

Брюс засмеялся. Казалось, он сомневается, стоит ли сплетничать.

— Знаете, я могу рассказать вам много всяких историй. Часть из них грустные, часть веселые, но все они весьма колоритные. Давайте прибережем их на другой день, может, как-нибудь после хорошего ужина.

— А бойфренд у нее прежний? Я спрашиваю потому, что читаю ее последний роман, и там главная героиня борется с мужчинами и наркотиками. Судя по всему, автор хорошо знакома с материалом по личному опыту.

— Не знаю, но в двух последних турах ее сопровождал тот же парень.

— Бедной девушке достается от критиков по полной программе.

— Да, и она воспринимает это очень болезненно. Утром мне позвонил пресс-агент, чтобы я не устраивал никаких ужинов по окончании сессии. Они пытаются оградить ее от спиртного.

— А тур только начинается?

— Мы — ее третья остановка. Не исключено, что тур окажется неудачным, но Сирина всегда может его отменить, как когда-то сделали вы.

— Я бы очень ей рекомендовала.

В окно заглянула продавщица и сообщила:

— Извините за беспокойство, но вам звонит Скотт Туроу.

— Мне жаль, но это важный звонок, — сказал Брюс.

— До завтра, — попрощалась Мерсер и направилась к двери.

— Спасибо, что подписали книги.

— Я подпишу все свои книги, которые вы купите.

8

Три дня спустя Мерсер, дождавшись вечера, направилась к пляжу. Сняв сандалии, она убрала их в маленький рюкзачок и зашагала на юг по кромке воды. Время отлива, пляж широкий и пустынный, если не считать редких пар, гулявших с собаками. Через двадцать минут она миновала многоэтажные кондоминиумы и направилась в сторону отеля «Ритц-Карлтон». Возле деревянного настила она ополоснула ноги, надела сандалии, прошла мимо пустого бассейна и вошла в отель, где за столиком в элегантном баре ее ждала Элейн.

Тесса любила этот бар в «Ритц-Карлтоне». Два или три раза каждое лето они с Мерсер одевались в свои лучшие наряды и ехали в «Ритц», где сначала угощались напитками, а затем ужинали в знаменитом ресторане отеля. Тесса всегда начинала с бокала мартини, а Мерсер до пятнадцати лет заказывала диетическую колу. Когда ей исполнилось пятнадцать, она приехала на лето с поддельным удостоверением личности, и они с Тессой угощались мартини вместе.

Случайно оказалось так, что Элейн сидела за их любимым столиком, и на Мерсер, занявшую место рядом, нахлынули воспоминания о бабушке. Тут ничего не изменилось. На заднем плане негромко пел музыкант, подыгрывавший себе на фортепиано.

— Я приехала сегодня днем и подумала, что хороший ужин вам не повредит, — сказала Элейн.

— Я была здесь много раз, — отозвалась Мерсер, осматриваясь и вдыхая столь знакомый запах смеси соленого воздуха и дубовых панелей. — Тесса обожала это место. Оно, конечно, не для тех, кто вынужден экономить, но время от времени бабушка позволяла себе такую роскошь.

— Значит, Тесса не была богатой?

— Нет. Она не нуждалась, и к тому же образ жизни вела скромный. Давайте поговорим о чем-нибудь другом.

Подошел официант, и они заказали напитки.

— По-моему, неделя у вас выдалась удачной, — заметила Элейн.

По заведенной процедуре, Мерсер каждый вечер отправляла ей по электронной почте отчет о прошедшем дне, в котором сообщала обо всем, что могло иметь отношение к их поиску.

— Я не уверена, что знаю больше, чем когда приехала, но зато установила контакт с противником.

— И?

— Он действительно очень обаятельный и весьма симпатичный. Самое ценное хранит в подвале, но о сейфе не говорил. У меня такое впечатление, что внизу у него целый склад. Его жена сейчас в городе, и ко мне он не проявил особого интереса, если не считать обычного расположения к писателям.

— Расскажите мне об ужине у Майры и Ли.

— Жаль, что там не было скрытой камеры, — улыбнулась Мерсер.

Глава 5
ПОСРЕДНИК

1

На протяжении более шестидесяти лет «Книжная лавка старого Бостона» занимала тот же дом ленточной застройки на Уэст-стрит в Лестничном квартале городского центра. Ее основал известный торговец антиквариатом Лойд Стайн, а после его смерти в 1990 году на место отца заступил его сын Оскар. Оскар вырос в магазине и любил этот бизнес, хотя со временем стал уставать. С появлением Интернета и при общем упадке в книжном деле зарабатывать приличные деньги становилось все труднее. Его отца вполне устраивала торговля подержанными книгами, подкрепляемая возможностью пусть редко, но все-таки прилично заработать на раритетном издании, но терпение Оскара иссякало. Дожив до пятидесяти восьми лет, он потихоньку начал искать способ сорвать большой куш и достойно уйти на покой.

В четверг в четыре часа пополудни Дэнни появился в магазине третий день подряд и лениво покопался на полках и в грудах подержанных книг. Когда продавщица — пожилая женщина, проработавшая там не один десяток лет, — оставила прилавок и поднялась наверх, Дэнни выбрал потрепанный экземпляр «Великого Гэтсби» в мягкой обложке и подошел к кассе. Оскар улыбнулся и спросил:

— Нашли что искали?

— Пока сойдет и это, — ответил Дэнни.

Оскар взял книгу, посмотрел на титульный лист и объявил:

— Четыре доллара и тридцать центов.

Положив на стойку пятерку, Дэнни сказал:

— Вообще-то я ищу оригинал.

Оскар взял купюру и уточнил:

— Вы имеете в виду первое издание? «Великого Гэтсби»?

— Нет. Оригинал рукописи.

Оскар громко засмеялся. Надо же быть таким кретином!

— Боюсь, что не смогу помочь вам, сэр.

— А мне кажется, сможешь.

Застыв на месте, Оскар посмотрел ему в глаза. Его встретил холодный, тяжелый взгляд. Жесткий и знающий. С трудом сглотнув, Оскар сумел выдавить из себя:

— Вы кто?

— Не важно.

Оскар отвернулся и положил пятерку в кассу — руки у него тряслись. Отсчитав несколько монет, он положил их на прилавок.

— Семьдесят центов, — сказал он. — Вы заходили сюда вчера, верно?

— И позавчера тоже.

Оскар огляделся. Они были одни. Он взглянул на маленькую камеру слежения сверху, нацеленную на кассу.

— Забудь о камере, — тихо предупредил Дэнни. — Я отключил ее прошлой ночью. И ту, что у тебя в кабинете, тоже.

Плечи у Оскара обвисли, и он глубоко вздохнул. После месяцев бессонницы, жизни в страхе и постоянного вздрагивания от каждого шороха случилось то, чего он так боялся.

— Вы полицейский? — спросил он низким, дрожащим голосом.

— Нет, сейчас я, как и ты, стараюсь держаться от них подальше.

— Что вам нужно?

— Рукописи. Все пять.

— Я понятия не имею, о чем вы.

— Неужели? А я рассчитывал услышать нечто более оригинальное.

— Убирайтесь отсюда! — прошипел Оскар, стараясь звучать как можно решительнее.

— Я ухожу. И вернусь в шесть, когда ты закрываешься. Потом ты запрешь дверь, и мы пройдем в твой кабинет для небольшой беседы. Настоятельно рекомендую не делать глупостей. Бежать тебе некуда и за помощью обратиться не к кому. Мы будем за тобой следить.

Забрав сдачу и книгу, Дэнни вышел из магазина.

2

Час спустя адвокат по имени Рон Джазик вошел в кабину лифта в здании федерального суда в Трентоне, штат Нью-Джерси, и нажал кнопку первого этажа. В последний момент в дверь проскользнул незнакомец и нажал кнопку третьего этажа. Дождавшись, когда двери лифта закроются и они останутся одни, незнакомец спросил:

— Вы представляете Джерри Стингардена, верно? По назначению суда?

— Кто вы такой, черт возьми? — раздраженно отозвался тот.

В мгновение ока незнакомец залепил Джазику пощечину с такой силой, что с того слетели очки. Сдавив адвокату горло железной хваткой, он пригвоздил его к задней стенке лифта.

— Не говори со мной так. Сообщение для твоего клиента. Одно неверное слово агентам ФБР, и кто-то сильно пожалеет. Мы знаем, где живет его мать, и твоя мать тоже.

От нехватки кислорода глаза Джазика уже вылезали из орбит, и он, бросив портфель, схватил незнакомца за руку, но тот сдавил горло еще сильнее. Джазику стукнуло почти шестьдесят, и он находился не в лучшей физической форме. Его противник с железной хваткой был лет на двадцать моложе и казался невероятно сильным.

— Я ясно выразился? — прорычал он. — Ты все понял?

Лифт остановился на третьем этаже, и, когда дверь открылась, незнакомец отпустил Джазика и толкнул в угол, где тот упал на колени. Незнакомец спокойно вышел из лифта, будто ничего не случилось. На этаже никого не было, и Джазик, поднявшись на ноги, отыскал очки, поднял портфель и рассмотрел возможные варианты. Челюсть ныла, в ушах звенело, и первым желанием было вызвать полицию и сообщить о нападении. В фойе дежурили федеральные маршалы, и он мог бы дождаться с ними внизу появления нападавшего. Однако по пути вниз он решил сначала все хорошенько взвесить, тем более что к выходу из лифта на первом этаже уже сумел восстановить дыхание. Зайдя в туалет, Джазик сполоснул лицо и внимательно осмотрел себя в зеркало. Правая сторона лица пунцовая, но не опухла.

Пощечина была шокирующей и болезненной. Почувствовав, что рот наполнен чем-то теплым, он сплюнул в раковину кровь.

Последний раз адвокат общался с Джерри Стингарденом месяц назад. Им просто нечего было обсуждать. Краткость их встреч объяснялась тем, что Джерри всегда отказывался что-либо говорить. Незнакомцу, который только что ударил Джазика и угрожал ему, не о чем было беспокоиться.

3

За несколько минут до шести Дэнни вернулся в книжный магазин, где за передней стойкой его нервно ждал Оскар. Продавщица уже ушла, и покупателей тоже не было. Не говоря ни слова, Дэнни повесил на стеклянной двери табличку «Закрыто», запер дверь и выключил свет. Они поднялись по лестнице в маленький захламленный кабинет, где Оскар любил проводить время, пока внизу не требовалось его присутствия. Сев за стол, он жестом показал Дэнни на единственный стул, не заваленный журналами.

Дэнни сел и начал без предисловий:

— Не будем терять время, Оскар. Я знаю, что ты купил рукописи за полмиллиона долларов. Ты перевел деньги на счет в багамском банке. Оттуда деньги были перечислены в панамский банк, откуда я и снял всю сумму. За минусом комиссионных посреднику, разумеется.

— Значит, кража рукописей — это ваша работа? — поинтересовался Оскар, сумевший немного прийти в себя благодаря успокоительному.

— Я этого не говорил.

— А откуда мне знать, что вы не коп и на вас нет микрофона? — не унимался Оскар.

— Хочешь обыскать меня? Валяй. Только откуда фараоны могут знать цену? И детали денежного перевода?

— Не сомневаюсь, что ФБР может отследить все что угодно.

— Если бы им было известно все, что знаю я, они бы просто арестовали тебя, Оскар. Расслабься, никто тебя не арестует. И меня тоже. Видишь ли, Оскар, мы оба не можем обратиться в полицию, потому что по уши виновны, и нам грозит многолетний срок в федеральной тюрьме. Но этого не случится.

Оскару очень хотелось ему поверить, и он даже почувствовал некоторое облегчение. Однако было очевидно, что до развязки еще далеко. Глубоко вздохнув, он признался:

— У меня нет рукописей.

— Тогда где они?

— А почему вы их продали?

Дэнни положил ногу на ногу и расслабленно откинулся на спинку старого стула.

— Я застремался. ФБР схватило двух моих друзей на следующий день после кражи. Мне пришлось спрятать добычу и покинуть страну. Я выждал сначала один месяц, потом другой. Когда все успокоилось, я вернулся и связался с дилером в Сан-Франциско. Тот сказал, что знает покупателя, какого-то русского, который готов заплатить десять миллионов. Это была ложь. На самом деле он обратился в ФБР. Мы договорились о встрече, на которую я должен был принести одну рукопись в качестве доказательства, но ФБР устроило там засаду.

— А как вы узнали?

— До встречи с дилером мы поставили его телефоны на прослушку. Мы отличные профессионалы, Оскар, умеем ждать и все продумывать. Поскольку ситуация была критической, нам снова пришлось покинуть страну и дождаться, пока все уляжется. Я знал, что ФБР располагает описанием моей внешности, так что мне пришлось отсиживаться за границей.

— Мои телефоны прослушиваются?

Дэнни кивнул и улыбнулся:

— Только стационарные. Мы не могли подключиться к мобильнику.

— И как же вы на меня вышли?

— Я отправился в Джорджтаун, где в конечном итоге связался с твоим старым приятелем по имени Джоэл Рибикофф. Нашим посредником. Я не доверял ему — в таком деле доверять нельзя никому, — но мне позарез требовалось скинуть рукописи.

— Мы же никогда, понимаешь, никогда не должны были встретиться!

— Да, предполагалось именно так. Ты перевел деньги, я доставил товар, после чего снова исчез. Но теперь я вернулся.

Хрустнув костяшками пальцев, Оскар попытался взять себя в руки.

— А что с Джоэлом? Где он сейчас?

— Его больше нет. Он умер жуткой смертью, Оскар, и это было ужасно. Но перед смертью он дал мне то, что я хотел. Тебя.

— У меня нет рукописей.

— Ладно. И что ты с ними сделал?

— Что-что... Продал. Избавился от них как можно быстрее.

— Так где они, Оскар? Я их все равно найду, а путь к ним уже обагрен кровью.

— Я не знаю, где они. Клянусь!

— Тогда у кого они?

— Послушайте, мне надо подумать. Вы сказали, что умеете ждать. Просто дайте мне немного времени.

— Что ж, будь по-твоему, но через сутки я вернусь. И не делай глупостей вроде попытки сбежать. Исчезнуть тебе не удастся, а если попытаешься, то сильно пожалеешь. Мы — профессионалы, Оскар, и не тебе с нами тягаться.

— Я не собираюсь никуда сбегать.

— Через двадцать четыре часа я вернусь за именем. Ты мне его назовешь — и можешь оставить деньги себе и продолжить жить, как прежде. Я никому не скажу. Даю слово.

Дэнни поднялся и вышел из кабинета. Оскар смотрел на дверь, прислушиваясь к удалявшимся по лестнице шагам. Затем послышался звук открывающейся входной двери, звякнул колокольчик, и дверь тихо затворилась.

Закрыв лицо руками, Оскар с трудом удержался от рыданий.

4

Дэнни ел пиццу в баре отеля в двух кварталах от книжной лавки, когда зазвонил его сотовый. Было почти девять вечера, и звонка он ждал давно.

— Слушаю, — сказал он, оглядываясь по сторонам.

В баре почти никого не было.

— Задание выполнено, — доложил Рукер. — Я поймал Джазика в лифте, и мне пришлось его слегка пристукнуть. Вообще-то даже очень прикольно. Доставил ему сообщение, и все прошло просто замечательно. С Петроселли оказалось посложнее, потому что он задержался на работе. Около часа назад я остановил его на парковке возле офиса. Напугал до смерти. Слюнтяй. Сначала отрицал, что был адвокатом Марка Дрисколла, но быстро признался. Применять силу не пришлось, хотя я едва удержался.

— Свидетели?

— Никого. Ушел незамеченным.

— Отличная работа. Где ты сейчас?

— В пути. Буду на месте через пять часов.

— Поторопись. Завтра должно быть весело.

5

Рукер вошел в книжный магазин за пять минут до шести и сделал вид, что копается в книгах. Других клиентов не было. Оскар нервно копошился за прилавком, не спуская глаз с посетителя. Ровно в шесть он сказал:

— Извините, сэр, но мы закрываемся.

В этот момент вошел Дэнни, закрыл за собой дверь и повесил табличку «Закрыто». Взглянув на Оскара, он показал на Рукера:

— Он со мной. — После чего поинтересовался: — Тут есть кто-нибудь еще?

— Нет. Все ушли.

— Отлично. Оставайся на месте!

Дэнни подошел к Оскару и остановился на расстоянии вытянутой руки. Рукер последовал его примеру. Они молча смотрели на него, и никто не двигался. Наконец Дэнни произнес:

— Хорошо, Оскар, у тебя было время подумать. Что ты решил?

— Вы должны пообещать мне, что никому про меня не расскажете.

— Я никому ничего не должен, — рявкнул Дэнни. — Но я уже говорил, что никто никогда не узнает. И какой мне резон выдавать тебя? Мне нужны только рукописи, Оскар, и все. Скажи, кому ты их продал, и мы больше не увидимся. Но если ты соврешь, ты знаешь, что я вернусь.

Оскар знал. Оскар верил. В тот ужасный момент он хотел только одного — навсегда избавиться от этого парня. Закрыв глаза, он признался:

— Я продал их торговцу по имени Брюс Кэйбл, которому принадлежит хороший книжный магазин на острове Камино, штат Флорида.

Улыбнувшись, Дэнни спросил:

— И сколько он заплатил?

— Миллион.

— Отличная работа, Оскар. Неплохой навар.

— А сейчас не могли бы вы уйти?

Дэнни и Рукер смотрели на него, не шевелясь. В течение долгих десяти секунд Оскар не сомневался, что пробил его последний час. Сердце гулко стучало в груди, а в легких не хватало воздуха.

Затем они повернулись и, не говоря ни слова, вышли.

Глава 6
ЛЕГЕНДА

1

Оказаться внутри «Прованс Ноэль» было все равно что попасть на страницу одной из красочных книг Ноэль. Первый зал заставили деревенской мебелью, шкафами, комодами, сервантами и креслами, удобно расположенными на полу, вымощенном старинной каменной плиткой. На приставных столиках у стен были расставлены старые кувшины, горшки и корзины. Гипсовые стены персикового цвета украшены канделябрами, подернутыми дымкой зеркалами и выцветшими портретами давно забытых баронов и членов их семей. Ароматические свечи наполняли помещение густым ароматом ванили. На деревянно-гипсовом потолке висели разные люстры. Откуда-то из скрытых динамиков тихо звучала классическая музыка. В боковой комнате Мерсер восхитил длинный узкий стол для дегустации вин, накрытый для обеда и уставленный тарелками и посудой желтого и оливкового цветов — излюбленной цветовой гаммы деревенской посуды Прованса. На стене возле окна стоял стол для письма — чудесный образец прованского антиквариата, который по плану ей «ужасно захочется приобрести». По словам Элейн, он предлагался за три тысячи долларов и идеально подходил для их целей.

Изучив все четыре книги, написанные Ноэль, Мерсер легко ориентировалась в выставленных на продажу предметах. Она с восхищением разглядывала стол для письма, когда в зале появилась Ноэль.

— Здравствуйте, Мерсер. Какой приятный сюрприз! — Она приветствовала ее, чмокнув в обе щеки, как принято у французов.

— Тут просто восхитительно! — призналась Мерсер почти с благоговением.

— Добро пожаловать в Прованс. Ищете что-то конкретное?

— Да нет, просто зашла посмотреть. Мне ужасно нравится этот стол. — Она, дотронулась до столика. В книгах Ноэль таких было по крайней мере три.

— Я нашла его на рынке в деревне Бонье, неподалеку от Авиньона. Вам обязательно нужно такой иметь. Он отлично подходит для вашей работы.

— Сначала надо, чтобы мои книги покупали.

— Пойдемте, я вам все покажу.

Взяв Мерсер за руку, она провела ее по залам магазина, заполненным мебелью из ее книг. Они поднялись по элегантной лестнице с белыми каменными ступенями и коваными железными перилами на второй этаж, где Ноэль скромно продемонстрировала свои запасы — еще больше шкафов, кроватей, комодов и столов, каждый из которых имел свою историю. Она так любовно рассказывала о своей коллекции, что, похоже, не хотела расставаться ни с одним из ее предметов. Мерсер обратила внимание, что ни на одном из предметов мебели на втором этаже не было ценников.

Маленький кабинет Ноэль располагался внизу в задней части магазина, а рядом с дверью стоял небольшой столик для дегустации вин с откидной торцевой крышкой. Пока она рассказывала о нем, Мерсер задумалась, есть ли во Франции столы, которые *не* использовались для дегустации вин.

— Давайте выпьем чаю, — предложила Ноэль и жестом пригласила сесть.

Мерсер села на стул возле стола, и они болтали, пока Ноэль кипятила воду на маленькой плитке рядом с мраморной раковиной.

— Я буквально влюбилась в стол для письма, — призналась Мерсер, — но боюсь даже спросить, сколько он стоит.

— Для вас, дорогая, специальная цена, — улыбнулась Ноэль. — Для всех он стоит три тысячи, но вам я отдам за половину этой суммы.

— Для меня все равно дороговато. Можно я подумаю?

— А на чем вы пишете сейчас?

— На маленьком столике для завтрака на кухне. За ним открывается вид на океан. Но вдохновения от этого не прибавляется. Не знаю, в столе дело или в океане, однако слова никак не укладываются в строки.

— А о чем роман?

— Пока трудно сказать. Я пытаюсь начать новый, но пока похвастаться нечем.

— Я только что закончила читать «Октябрьский дождь». По-моему, он великолепен.

— Вы очень добры. — Мерсер была искренне тронута. За время пребывания на острове ее первый роман высоко оценили уже трое разных людей, что было больше, чем за все последние пять лет.

Ноэль поставила на столик фарфоровый сервиз и ловко разлила кипяток по чашкам. Обе положили себе по кусочку сахара, но молока добавлять не стали.

Пока они размешивали сахар, Ноэль поинтересовалась:

— А вы обсуждаете свою работу? Я спрашиваю потому, что многие писатели любят поговорить о том, что написали или хотят написать, но есть и такие, кто по какой-то причине этого избегает.

— Я предпочитаю не говорить, особенно о том, чем занята сейчас. Мой первый роман кажется старым и утратившим актуальность, будто был написан много лет назад. Напечататься молодой — это в каком-то смысле своего рода проклятие. От тебя много ждут, ты постоянно ощущаешь давление, литературный мир предвкушает появление шедевра. Потом проходит несколько лет, а книги все нет. Восходящую звезду постепенно забывают. После «Октябрьского дождя» мой первый агент советовала поторопиться с публикацией второго романа. Она сказала, что, раз критики восторженно встретили первый, то второй обязательно разнесут в пух и прах, каким бы он ни оказался, так что надо быть к этому готовым и пережить как болезнь роста. Наверное, это хороший совет, но проблема в том, что у меня не было второго романа. Может, я все еще в поиске.

— В поиске чего?

— Сюжета.

— Большинство писателей утверждают, что главное — это персонажи. Как только с ними появляется ясность, сюжет выстраивается сам собой. А у вас не так?

— Пока не так.

— А что вас вдохновило на написание «Октябрьского дождя»?

— Во время учебы в колледже я прочитала рассказ о пропавшем ребенке, которого так и не нашли, и о том, как это отразилось на семье. Невероятно грустная история, задевавшая за живое, удивительно трогательная и душевная. Я не могла выкинуть ее из головы и в конце концов решила позаимствовать сюжет, многое додумала и меньше чем за год написала роман. Сейчас даже самой не верится, что так быстро. Тогда я с нетерпением ждала наступления каждого утра, чтобы с первой чашкой кофе засесть за работу. Сейчас такого нет.

— Не сомневаюсь, что это придет. Лучшего места для работы над романом просто не найти.

— Посмотрим. Честно говоря, Ноэль, мне очень нужно, чтобы мои книги продавались. Я не хочу преподавать и не хочу искать работу. Я даже подумывала взять псевдоним и начать строчить детективы или что-то, что будет покупаться.

— В этом нет ничего зазорного. Продадите несколько книг, а потом сможете писать о том, о чем действительно хочется.

— Как раз над этим я и работаю.

— А вы не думали поговорить об этом с Брюсом?

— Нет. А зачем?

— Он знает все тонкости этого бизнеса. Он всё читает, знаком с сотнями авторов, агентов и издателей, и они часто спрашивают его мнение, но не обязательно совета. Брюс не дает советов, если их не просят. Вы ему нравитесь, он высоко ценит ваш талант и, возможно, сумеет что-то подсказать.

Мерсер неуверенно пожала плечами, будто не зная, как отнестись к этой идее. Услышав звук открывавшейся входной двери, Ноэль сказала:

— Извините, это может быть клиент.

Она поднялась и вышла. Какое-то время Мерсер потягивала чай, чувствуя себя мошенницей. Она пришла сюда не чтобы подобрать мебель, поболтать о написании романа или просто подружиться, что вполне естественно для одинокой и не очень уверенной в себе писательницы. Нет, она находилась здесь, чтобы собрать информацию для Элейн, которую та могла бы использовать против Ноэль и Брюса. Мерсер почувствовала резь в животе, и ее затошнило. Дождавшись, когда приступ тошноты пройдет, она поднялась и, выпрямившись, прошла к выходу. Ноэль занималась с клиентом, который, похоже, имел серьезные намерения относительно комода.

— Мне пора, — произнесла Мерсер.

— Конечно, — почти шепотом отозвалась Ноэль. — Мы с Брюсом с удовольствием приглашаем вас на ужин.

— Это просто чудесно. Я свободна до конца лета.

— Я вам позвоню.

2

В тот же день после обеда Ноэль расставляла коллекцию небольших керамических ваз, когда в магазине появилась хорошо одетая пара за сорок. Она с первого взгляда поняла, что эти люди намного состоятельнее обычных туристов, заходивших с улицы и долго изучавших ценники, чтобы затем поспешно удалиться, так ничего и не купив.

Они представились как Люк и Кэрол Мэсси из Хьюстона и сообщили, что остановились на несколько дней в «Ритце» и это их первый визит на остров. Они слышали о магазине и даже заходили на его сайт, и их внимание сразу же привлек обеденный стол с керамической плиткой, изготовленный сто лет назад, — на данный момент самый дорогой предмет в магазине. Люк попросил рулетку, и Ноэль протянула ее. Они измерили стол со всех сторон, обсуждая между собой, как идеально он подойдет для столовой их гостевого дома. Люк закатал рукава, и Кэрол спросила, можно ли им сделать фотографии. Ноэль, естественно, разрешила. Они измерили два комода с зеркалами и два больших шкафа, задавая при этом толковые вопросы о дереве, отделке и происхождении.

Люк и Кэрол строили новый дом в Хьюстоне и хотели, чтобы он был похож как снаружи, так и внутри на прованский фермерский дом, в котором они отдыхали в прошлом году возле деревни Руссийон департамента Воклюз. С каждой новой минутой, проведенной в магазине, их интерес ко всему, что предлагала Ноэль, еще больше усиливался. Она пригласила подняться наверх, где была выставлена более дорогая мебель, и та привела их в восторг. Около пяти вечера, то есть через час их пребывания в магазине, Ноэль открыла бутылку шампанского и наполнила три фужера. Пока Люк измерял кожаное кресло, а Кэрол щелкала каме-

рой, Ноэль, извинившись, спустилась вниз проверить, как там дела. Когда два случайных посетителя ушли, она заперла дверь и вернулась к богатым
техасцам.

Обступив старинную барную стойку, они приступили к обсуждению технических деталей. Люк
задал вопросы о доставке и хранении. До завершения строительства их нового дома оставалось
не меньше полугода, и они использовали склад,
куда свозили все для обстановки. Ноэль заверила,
что осуществляет доставку по всей стране, и это не
проблема. Кэрол поставила галочки на предметах,
которые хотела бы купить сразу, и в этом списке
оказался стол для письма. Ноэль объяснила, что
этот стол уже зарезервирован для другого клиента,
но она может легко подыскать ему замену во время
своей предстоящей поездки в Прованс. Затем они
спустились вниз в ее кабинет, где она налила еще
шампанского, и занялись калькуляцией. Общая
сумма составила сто шестьдесят тысяч долларов,
что их ничуть не смутило. Попросить скидку было
в порядке вещей, но чета Мэсси даже не поднима-
ла этот вопрос. Люк вытащил черную кредитную
карту, будто доставал мелочь, и Кэрол подписала
заказ.

На выходе они на прощание обняли ее, будто
старые друзья, и сказали, что могут вернуться завтра.
Когда они ушли, Ноэль попыталась вспомнить продажу такого масштаба. И не смогла.

На следующее утро в пять минут одиннадца-
того Люк и Кэрол снова вошли в магазин, широко улыбаясь и полные энергии. Они сказали, что
полночи разглядывали фотографии, мысленно рас-

ставляя мебель в своем пока недостроенном доме, и решили, что им надо еще. Архитектор отправил по электронной почте чертежи двух первых этажей, и они пометили на планах места, для которых им нужна мебель Ноэль. Она не могла не заметить, что площадь дома составляла девятнадцать тысяч квадратных футов. Они сразу поднялись на второй этаж, где провели все утро, измеряя кровати, столы, стулья и шкафы, и в конечном итоге лишили ее всех запасов. Счет на второй день составил более трехсот тысяч долларов, а Люк снова достал черную кредитку.

На обед Ноэль заперла магазин и пригласила их перекусить в популярное бистро за углом. Пока они ели, ее адвокат проверил платежеспособность кредитной карты и выяснил, что Мэсси могут оплатить все, что только пожелают. Он также постарался узнать о них побольше, но информации было мало. Хотя, какая разница? Если черная карта действует, то кого волнует происхождение денег?

За обедом Кэрол поинтересовалась у Ноэль:

— Не знаешь, когда у вас появится новая партия мебели?

Ноэль, засмеявшись, ответила:

— Ну, скорее раньше, чем позже. Я планировала поехать во Францию в начале августа, но теперь, когда продавать больше нечего, мне придется отправиться туда раньше.

Кэрол взглянула на Люка, который почему-то смутился.

— Я вот что хотел спросить. Мы подумали: а что, если нам встретиться в Провансе и купить все вместе?

— Мы обожаем Прованс, и отправиться на охоту за антиквариатом с таким специалистом, как вы, было бы потрясающим! — добавила Кэрол.

— У нас нет детей, и мы любим путешествовать, особенно во Францию, и по-настоящему любим антиквариат. Мы даже ищем нового дизайнера, который мог бы помочь с полами и обоями, — заметил Люк.

— Ну, в этом бизнесе я знаю всех. А когда вы собираетесь поехать? — уточнила Ноэль.

Мэсси переглянулись, будто вспоминая свой напряженный график, после чего Люк ответил:

— Мы будем в Лондоне по делам через две недели. А потом можем встретиться с вами в Провансе.

— Это слишком скоро? — поинтересовалась Кэрол.

Секунду подумав, Ноэль ответила:

— Думаю, что смогу подстроиться. Я езжу туда несколько раз в год, и в Авиньоне у меня даже есть квартира.

— Потрясающе! — воскликнула Кэрол с волнением. — Это будет настоящее приключение. Я уже сейчас представляю наш дом, заполненный вещами, которые мы сами найдем в Провансе.

Люк поднял бокал и произнес:

— Предлагаю тост за удачную охоту на антиквариат на юге Франции.

3

Через два дня бо́льшая часть закупленной у Ноэль мебели была погружена на первый грузовик. Покинув остров Камино, он направился на большой склад в Хьюстоне, на котором Люк и Кэрол Мэсси арендовали тысячу квадратных футов. Однако счет за аренду в конечном итоге окажется на столе Элейн Шелби.

Через несколько месяцев, когда проект, так или иначе, будет завершен, эти чудесные предметы антиквариата постепенно снова вернутся на рынок для продажи.

4

С наступлением сумерек Мерсер отправилась на пляж, где повернула на юг и пошла вдоль кромки воды. Ее остановили перекинуться парой слов Нельсоны, жившие через три дома от ее коттеджа, и, пока они болтали, их дворняжка с интересом обнюхивала лодыжки Мерсер. Нельсонам было за семьдесят, и, гуляя по пляжу, они всегда держались за руки. Их приветливость и дружелюбие граничили с нездоровым любопытством, и они уже успели выяснить причину приезда Мерсер на остров.

— Желаем успехов на литературном поприще, — сказал мистер Нельсон при прощании.

Через несколько минут ее остановила миссис Олдерман, жившая через несколько домов по другую от Нельсонов сторону. Она гуляла с парой одинаковых пуделей и, страдая от одиночества, всегда искала возможность с кем-то пообщаться. Мерсер же общения не искала и просто наслаждалась прогулкой.

Возле пирса она отошла от воды и зашагала по деревянному настилу. Элейн вернулась в город и хотела встретиться. Она ждала на небольшом внутреннем дворике трехкомнатной квартиры, которую сняла для операции. Мерсер уже была в ней один раз, но никого, кроме Элейн, там не видела. Она не знала, участвовал ли еще кто-то в наблюдении и была ли она сама под присмотром. На вопросы об этом Элейн отвечала уклончиво.

Они прошли на кухню, и Элейн спросила:

— Хотите что-нибудь выпить?

— Вода вполне устроит.

— Вы ужинали?

— Нет.

— Ну, мы можем заказать пиццу, суши или китайскую еду на вынос. Что предпочитаете?

— Я действительно не голодна.

— Я тоже. Давайте устроимся здесь, — предложила Элейн, указывая на маленький столик для завтрака между кухней и гостиной. Открыв холодильник, она достала две бутылки воды. Мерсер села и огляделась.

— Вы здесь побудете? — спросила она.

— Да, пару ночей, — ответила Элейн, усаживаясь напротив.

— Одна?

— Да. В данный момент на острове никого нет. Мы бываем тут наездами.

Мерсер хотела спросить, кто это «мы», но удержалась.

— Итак, вы посетили магазин Ноэль, — сказала Элейн, и Мерсер кивнула.

В своем ежедневном отчете по электронной почте она намеренно не вдавалась в детали.

— Расскажите об этом поподробнее. Как там все внутри.

Мерсер описала все торговые залы и наверху, и внизу, не скупясь на детали. Элейн внимательно слушала, но ничего не записывала. Было видно, что о магазине она уже много знала.

— А подвал там есть? — поинтересовалась Элейн.

— Да, Ноэль упомянула о нем мимоходом. Сказала, что у нее там мастерская, но показывать не стала.

— Стол для письма она придерживает для вас. Мы попытались купить его, однако Ноэль сказала, что он не продается. В какой-то момент вы его купите, но вам, возможно, захочется обновить краску. Не исключено, что она займется этим в подвале, и вы пожелаете взглянуть на образец нового цвета. Нам нужно знать про подвал как можно больше, потому что он примыкает к книжному магазину.

— А кто пытался купить стол?

— Мы. А мы — это хорошие ребята, Мерсер. Вы не действуете в одиночку.

— Почему-то от этого не легче.

— За вами не следят. Как я уже говорила, мы появляемся здесь наездами.

— Ладно. Допустим, я попаду в ее подвал. Тогда что?

— Смотрите. Наблюдайте. Постарайтесь всё запомнить. Если нам повезет, там может оказаться дверь, ведущая в книжный магазин.

— Сомневаюсь.

— Я тоже сомневаюсь, но нам нужно знать наверняка. Является ли стена бетонной, кирпичной или деревянной? Не исключено, что нам придется пройти через нее. Как насчет камер наблюдения в магазине? — поинтересовалась Элейн.

— Две камеры, одна направлена на входную дверь, другая на задней стене над маленькой кухонной зоной, — ответила Мерсер. — Может, есть и другие, но я их не заметила. На втором этаже камер нет. однако вам это наверняка уже известно.

— Да, но в этом бизнесе мы перепроверяем все по нескольку раз и постоянно собираем информацию. А как запирается входная дверь?

— Дверной засов, открываемый ключом. Ничего необычного.

— А заднюю дверь вы видели?

— Нет, но я не была в той части дома. Думаю, там есть еще несколько комнат.

— С восточной стороны располагается книжный магазин. С западной — офис риелтора. Есть ли между ними соединяющие двери?

— Если и есть, то я их не видела.

— Отличная работа, Мерсер. За три недели, что вы пробыли здесь, вам удалось проникнуть в круг их общения, не вызывая подозрений. Вы познакомились с нужными людьми, видели все, что было возможно увидеть, и мы очень довольны. Но нам нужно их как-то подстегнуть.

— Не сомневаюсь, что вы наверняка уже что-то придумали.

— Так и есть.

Элейн подошла к дивану, взяла три книги и положила на столик.

— Идея такая. Тесса покинула Мемфис в 1985 году и переехала сюда. Как мы знаем, она завещала свое имущество трем детям в равных долях. Отдельно было указано, что вы должны получить двадцать тысяч долларов наличными на оплату обучения в колледже. У нее было шесть других внуков — Конни, отпрыски Хольстеда в Калифорнии и Сара, единственный ребенок Джейн. Но вы были единственной, кого она конкретно указала в качестве бенефициара по завещанию.

— Я была единственной, кого она действительно любила.

— Правильно, поэтому наша версия выглядит следующим образом. После кончины Тессы вы с Конни просматривали ее личные вещи, всякую мелочовку, которая не упоминается в завещании, и решили разделить их. Кое-что из одежды, старые фотографии, может, какие-то недорогие предметы искусства, что угодно. Придумайте сами. В результате вам досталась коробка с книгами, большинство из которых Тесса покупала для вас на протяжении многих лет. Внизу, однако, лежали эти три книги из публичной библиотеки Мемфиса, взятые Тессой в 1985 году, причем все — первые издания. Переехав на остров Камино, Тесса случайно или намеренно привезла их с собой. И вот сейчас, спустя тридцать лет, они находятся у вас.

— Они представляют ценность?

— И да и нет. Посмотрите на верхнюю.

Мерсер взяла книгу. «Осужденный» Джеймса Ли Берка. Оказалось, она в отличном состоянии, сохранилась даже суперобложка, покрытая специальной защитной пленкой. Мерсер открыла книгу, нашла оборот титула и увидела слова «Первое издание».

— Как вы, наверное, знаете, — продолжила Элейн, — это сборник коротких рассказов Берка, о котором много говорили в 1985 году. Критикам он понравился, и книга хорошо продавалась.

— И сколько она стоит?

— На прошлой неделе мы купили ее за пять тысяч долларов. Первый тираж был небольшой, и книг из него осталось немного. На обороте суперобложки вы увидите штрихкод. Так в 1985 году помечала свои книги библиотека Мемфиса, так что на самом издании никаких отметок нет. Штрихкод, разумеется, добавили мы, и я не сомневаюсь, что Кэйбл знает людей, которые могут его удалить. Это не так сложно.

— Пять тысяч долларов, — завороженно повторила Мерсер, словно держала золотой кирпич.

— Да, и от уважаемого дилера. План в том, чтобы вы упомянули об этой книге Кэйблу. Расскажите ему свою историю, но не показывайте книгу, по крайней мере сразу. Вы не знаете, как поступить. Очевидно, что книгу взяла Тесса, и она ей не принадлежала. Затем она попала в руки к вам, причем вне официального завещания, так что законно владеть ею вы тоже не можете. Книга принадлежит библиотеке Мемфиса, но прошло уже тридцать лет, так что кого это волнует? И вам, конечно, нужны деньги.

— Мы выставляем Тессу воровкой?

— Это просто легенда, Мерсер.

— Не думаю, что оговорить мою покойную бабушку хорошая идея.

— Ключевое слово тут «покойную». Тесса умерла одиннадцать лет назад, и она ничего не крала. Легенда, которую, кроме Кэйбла, никто больше не услышит.

Мерсер медленно взяла вторую книгу. «Кровавый меридиан» Кормака Маккарти. Первое издание в блестящей суперобложке, выпущенное издательством «Рэндом-Хаус» в 1985 году.

— А сколько стоит эта? — спросила она.

— Пару недель назад мы заплатили четыре тысячи долларов.

Отложив книгу, Мерсер взяла третью. Ею оказался «Одинокий голубь» Ларри Макмертри, выпущенный тоже в 1985 году издательством «Саймон энд Шустер». Было видно, что книгу не раз читали, хотя суперобложка сохранилась в прекрасном состоянии.

— Тут картина несколько другая, — пояснила Элейн. — «Саймон энд Шустер» рассчитывали на большой спрос, и первый тираж был около сорока тысяч, поэтому первых изданий у коллекционеров достаточно много, что, естественно, понижает их стоимость. За эту книгу мы заплатили пятьсот баксов, а затем снабдили новой суперобложкой, чтобы удвоить стоимость.

— Суперобложка тут ненастоящая? — удивилась Мерсер.

— Нет, но такое в этом бизнесе происходит сплошь и рядом, во всяком случае среди мошенников. Искусно изготовленная суперобложка может значительно повысить цену издания. Мы нашли умелого фальсификатора.

Мерсер снова обратила внимание на местоимение «мы» и поразилась размаху операции. Положив книгу, она отпила несколько глотков.

— Предполагается ли, что в конечном итоге я должна продать их Кэйблу? Если да, то мне не нравится идея продажи подделок.

— Идея в том, Мерсер, что эти книги могут помочь подобраться к Кэйблу поближе. Начните с простого разговора о книгах. Вы не знаете, что с ними делать. С точки зрения морали, продавать их нехорошо, потому что они действительно принадлежат не вам. В конце концов, покажите ему одну или две книги и посмотрите на его реакцию. Не исключено, что он покажет вам свою коллекцию в подвале или сейф, или что там у него есть. Кто знает, куда заведет разговор. Нам нужно, Мерсер, чтобы вы попали в его мир. Он может воспользоваться шансом купить «Осужденного» или «Кровавый меридиан», а может, они уже есть в его коллекции. Если наше представление о нем верно, то ему, вероятно, будет даже импонировать, что происхождение книг не совсем законно, и он захочет их приобрести. Заодно проверим, насколько он честен с вами. Мы знаем, сколько стоят книги. Предложит ли он вам за них заведомо меньше? Кто знает? Деньги тут не важны. Самое главное — это стать небольшой частью его теневого бизнеса.

— Мне это не нравится.

— Но от этого никто не пострадает, Мерсер, и вся операция основана на чистом вымысле. Эти книги были приобретены нами законно. Если он их купит, мы вернем свои деньги. Если он перепродаст, то вернет свои. В плане нет ничего стыдного или неэтичного.

— Возможно, но я не уверена, что смогу сыграть свою роль правдоподобно.

— Ну что вы, Мерсер. Вы же писатель и живете в мире, созданном вашим воображением. Так создайте еще один.

— Как раз с воображением у меня сейчас не все в порядке.

— Мне жаль, если это так.

Мерсер пожала плечами и сделала глоток воды. Она смотрела на книги, и в голове крутились разные сценарии. Наконец она поинтересовалась:

— А что может пойти не так?

— По идее Кэйбл может связаться с библиотекой Мемфиса и постараться перепроверить, но это большая структура, и выяснить ему ничего не удастся. Прошло тридцать лет, и всё изменилось. Они ежегодно теряют около тысячи книг, которые читатели просто не возвращают, и, как и любая обычная библиотека, там не видят смысла в их розыске. Кроме того, Тесса действительно брала там много книг.

— Мы ходили в библиотеку каждую неделю.

— Значит, все сходится. У него не будет возможности все перепроверить.

Взяв в руки «Одинокого голубя», Мерсер спросила:

— А что, если Брюс заметит подделку?

— Мы думали об этом и не уверены, стоит ли ее использовать. На прошлой неделе мы показали книгу паре старых дилеров, многое повидавших на своем веку, и ни один не заподозрил подделки. Но вы правы. Рисковать тут действительно не стоит. Начните с двух первых, но не показывайте их сразу. Тяните время, будто сомневаетесь, как поступить правильно. Для вас это вопрос морали, так что посмотрим, какой он вам даст в связи с этим совет.

Убрав книги в холщовую сумку, Мерсер тронулась в обратный путь по пляжу. Было время отлива, и вода казалась неподвижной. На небе ярко светила полная луна, заливая песок романтическим светом. Вскоре она услышала голоса, которые постепенно становились все громче. Наконец на полпути к дюнам она увидела слева молодую пару, занимавшуюся любовью на пляжном полотенце, — их страстный шепот то и дело прерывали вздохи и стоны эротического наслаждения. Мерсер почти остановилась, чтобы дождаться кульминации — последнего решительного толчка, за которым последует бессильное изнеможение, — но заставила себя продолжить путь, стараясь запомнить как можно больше из увиденного и услышанного.

Ее переполняла зависть. Как давно она сама испытывала нечто подобное?

5

После пяти тысяч слов и трех глав второй новый роман внезапно закончился, поскольку Мерсер уже самой осточертели персонажи, а сюжет нагонял тоску даже на нее. Подавленная и злая на себя и эту писанину, она надела самое откровенное бикини из своей растущей коллекции и отправилась на пляж. Было всего десять утра, но она старалась избегать полуденного солнца. С двенадцати до пяти было слишком жарко даже в воде. Мерсер уже неплохо загорела и теперь беспокоилась, как бы не переусердствовать с загаром. В районе десяти по пляжу делал пробежку высокий незнакомец примерно ее возраста. Он бегал босиком по кромке воды, и его худощавое тело блестело от пота. Судя по всему, он был спортсменом, о чем свидетельствовали накачанные бицепсы,

плоский живот и сильные икры. Он бежал с легкой
грацией и, как казалось Мерсер, слегка замедлял бег,
когда она попадала в поле его зрения. На прошлой
неделе они как минимум дважды встретились глазами, и Мерсер была уверена, что они готовы к знакомству.

Установив зонтик и пристроив под ним склад-
ной стул, она намазалась солнцезащитным кремом,
то и дело поглядывая на юг. Бегун всегда появлялся
с южной стороны, где располагались «Ритц» и дорогие кондоминиумы. Постелив пляжное полотенце, Мерсер растянулась на солнце. Потом надела
солнечные очки и соломенную шляпу и принялась
ждать. Как обычно в будни, пляж был практически
безлюден. Ее план состоял в том, чтобы, завидев его
на расстоянии, лениво направиться к воде и оказаться рядом, когда он будет пробегать мимо. Она
скажет ему «Доброе утро», воспользовавшись тем,
что на этом дружелюбном пляже здороваться даже
с незнакомыми людьми было в порядке вещей. Опираясь на локти, Мерсер ждала, стараясь не думать
о себе как о еще одном несостоявшемся писателе.
Пять тысяч слов, которые она недавно удалила, были худшими из всего, что когда-либо выходило из-
под ее пера.

Он жил здесь не меньше десяти дней, что слишком долго для пребывания в гостинице. Не исключено, что он снял квартиру на месяц.

Мерсер понятия не имела, о чем станет дальше
писать.

Он был всегда один, но находился слишком
далеко, чтобы увидеть, есть ли у него обручальное
кольцо.

За пять лет персонажи так и не стали живыми, а изложение легким, да и воображение не рождало идей, которые бы ей самой нравились, и Мерсер понимала, что никогда не закончит роман. Услышав звонок мобильника, она нажала клавишу приема. В трубке послышался голос Брюса:

— Надеюсь, я не отрываю гения от работы.

— Вовсе нет, — заверила Мерсер и подумала, что на самом деле лежит на пляже практически голой, чтобы соблазнить незнакомца. — Сейчас у меня перерыв.

— Отлично. Послушайте, сегодня у нас подписание, и меня слегка беспокоит явка. Писатель — неизвестный парень, и это его первый роман, который не очень хорош.

Как он выглядит? Сколько ему лет? Традиционной ориентации или гей? Но задавать эти вопросы Мерсер не стала, а просто заметила:

— Так вот, значит, как вы продаете книги. Собираете на помощь своих писателей.

— В самую точку! А Ноэль устраивает спонтанный ужин дома в его честь, конечно. Только мы, вы, он и Майра с Ли. Должно быть весело. Так что скажете?

— Позвольте мне свериться со своим расписанием. Да, я свободна. Во сколько?

— В шесть, после чего ужин.

— Одежда повседневная?

— Шутите? Вы же на пляже! Тут все дозволено. Можно прийти даже босиком.

К одиннадцати солнце раскалило песок, а бриз перелетел в другое место. Судя по всему, для пробежки было слишком жарко.

6

Писателя звали Рэндал Залински, и быстрый поиск в Интернете мало что прояснял. Его краткая биография была намеренно туманной, дабы создать впечатление, что опыт в сфере «темного шпионажа» давал автору редкое знание тонкостей всех видов терроризма и киберпреступности. Роман был о футуристическом столкновении между США, Россией и Китаем. Его синопсис в двух параграфах до смешного выпячивал сенсационность, отчего Мерсер даже слегка покоробило. На фотографии был изображен белый мужчина чуть старше сорока. Никакого упоминания о жене или семье. Живет в Мичигане, где, конечно же, работает над новым романом.

Его автограф-сессия будет третьей, которую Мерсер посетит в «Книгах Залива». Первые две вызвали у нее болезненные воспоминания о своем прерванном туре семь лет назад, и она решила больше их не посещать или по крайней мере постараться избежать. Однако следовать подобному решению оказалось непросто. Автограф-сессии давали ей возможность не терять связи с магазином, что было важно и на чем Элейн решительно настаивала. И к тому же сказать Брюсу, будто она слишком занята, чтобы поддержать приехавшего в рамках тура автора, особенно после его звонка с личным приглашением, было практически невозможно.

Майра права: у магазина было много верных друзей, и Брюс Кэйбл умел обеспечить приличную явку. Когда появилась Мерсер, наверху возле кафе уже собралось около сорока человек. По случаю мероприятия столы и стеллажи были отодвинуты назад, чтобы освободить место для расставленных вокруг небольшого подиума стульев.

В шесть часов посетители расселись по местам, оживленно болтая. Большинство из них пили дешевое вино из пластиковых стаканчиков, и все казались довольными своим присутствием. Майра и Ли сели в первом ряду, всего в нескольких дюймах от подиума, как будто лучшие места всегда были зарезервированы для них. Майра смеялась и болтала по меньшей мере с тремя людьми одновременно. Ли тихо сидела рядом и смеялась, если того требовали обстоятельства. Мерсер стояла в стороне, опираясь на стеллаж, словно оказалась тут случайно. Публику в основном составляли люди пожилые, и она снова отметила про себя, что была самой молодой. Любители книг предвкушали общение с новым писателем, и царившая атмосфера отличалась теплом и дружелюбием.

Мерсер призналась себе, что искренне завидует. Если бы она закончила проклятую книгу, то тоже могла бы отправиться в тур и привлечь поклонников. Затем вспомнила свой тур и каким коротким он оказался. Это заставило ее по достоинству оценить и отдать должное таким магазинам, как «Книги Залива», и таким людям, как Брюс Кэйбл, которые не жалели сил для развития читательского интереса. Брюс вышел на подиум, поприветствовал собравшихся и в самом радужном свете представил им Рэнди Залински. Годы, проведенные тем в «разведывательном сообществе», позволили ему приобрести уникальный опыт и стать обладателем редких знаний о невидимых опасностях, подстерегающих за каждым углом. И все в таком роде.

Залински больше походил на шпиона, чем на писателя. Вместо привычных выцветших джинсов и мятой куртки он был в дорогом темном костюме и белой рубашке без галстука. Красивое загорелое лицо гладко выбрито. И нет обручального кольца. Он говорил экспромтом тридцать минут и рассказывал пугающие истории о будущих кибервойнах и о том, как США сдает позиции в противостоянии со своими противниками — русскими и китайцами. Мерсер подумала, что за ужином он будет рассказывать те же страшилки.

Судя по всему, Залински совершал тур в одиночку, и Мерсер, задумавшись о своем, решила, что у парня есть неплохой потенциал, хотя, к сожалению, он проводил в городе всего одну ночь. Она также подумала о слухах, утверждавших, будто Брюс приударял за молоденькими писательницами, а Ноэль делала то же самое с мужчинами. «Спальня писателей» в их башне якобы использовалась для ночных забав. Теперь, после знакомства с ними, Мерсер в это не верилось.

Когда Залински закончил, публика, поаплодировав, выстроилась в очередь перед столом, на котором стояли стопки с экземплярами его книги. Мерсер не хотела покупать книгу и не собиралась ее читать, но выбора у нее не оставалось. Она вспомнила, какой пыткой было сидеть в одиночестве за столом и отчаянно надеяться, что кто-то купит книгу, и к тому же ей предстояло провести следующие три часа в обществе автора. Она чувствовала себя обязанной и терпеливо ждала, пока очередь двигалась вперед.

Заметив ее, Майра завязала беседу. Представившись Залински, они смотрели, как он оставляет автограф на их экземплярах.

Когда они спускались по лестнице, Майра пробормотала, причем довольно громко:

— Тридцать баксов на ветер. Я ни за что не стану ее читать.

Мерсер засмеялась:

— Я тоже, но зато наш книготорговец доволен.

Внизу Брюс шепнул им:

— Ноэль дома. Ступайте прямо туда, хорошо?

Мерсер, Майра и Ли покинули магазин и прошли четыре квартала до нужного особняка.

— Вы уже бывали у них дома? — спросила Майра.

— Нет, но я видела книгу.

— Там есть на что посмотреть, и Ноэль — прекрасная хозяйка.

7

Дом был очень похож на магазин Ноэль, наполненный деревенской деревянной мебелью и богато украшенный. Быстро показав нижнюю часть дома, хозяйка убежала на кухню проверить что-то в духовке. Майра, Ли и Мерсер устроились с напитками на задней веранде, где шаткий вентилятор создавал хоть какую-то прохладу. Вечер был душным, и Ноэль предупредила, что трапеза пройдет в помещении.

Дело приняло неожиданный оборот, когда Брюс прибыл один. Он сказал, что их гость, мистер Залински, страдал от мигрени, приступ которой неожиданно почувствовал. Рэнди приносил свои извинения, но должен отлежаться в темном гостиничном номере. Едва Брюс налил себе выпить и присоединился к ним, как Майра тут же подняла вопрос о книге Залински.

— Я прошу вернуть мне тридцать долларов, — заявила она, и было неясно, говорит ли она всерьез или шутит. — Я не стану читать его книгу даже под угрозой смерти.

— Осторожно! — предупредил Брюс. — Если мой книжный магазин начнет возвращать деньги, то ты окажешься должна мне целое состояние.

— Значит, обратного хода нет? — уточнила Мерсер.

— Именно так, черт возьми.

— Ладно, если ты и впредь намереваешься заставлять нас покупать книги, то приглашай хотя бы приличных авторов, — не унималась Майра.

Брюс улыбнулся и посмотрел на Мерсер.

— Такой разговор у нас происходит по крайней мере три раза в год. Майра — сама королева бульварных романов — не выносит других коммерческих писателей.

— Неправда! — возмутилась Майра. — Я просто терпеть не могу шпионаж и всякое военное дерьмо. Я не притронусь к книге и не хочу, чтобы она загромождала мой дом. Я продам ее тебе за двадцать баксов.

— Как же так, Майра, — вмешалась Ли. — Ты же всегда говоришь, что любишь беспорядок.

К ним на веранду вышла Ноэль с бокалом вина. Она беспокоилась о Залински и спросила, не стоит ли вызвать к нему знакомого врача. Брюс ответил, что не надо: Залински крутой парень, который может сам о себе позаботиться.

— И мне он показался довольно скучным, — признался Брюс.

— А как его книга? — спросила Мерсер.

— Я пропускал целые куски. Слишком много технических деталей и демонстрации, как глубоко автор разбирается в технологиях, гаджетах и «темной Паутине». Я откладывал книгу несколько раз.

— Черта с два ее вообще стоит открывать! — подхватила Майра со смехом. — И, честно говоря, ужинать в его обществе мне не очень улыбалось.

Ли наклонилась и посмотрела на Мерсер.

— Дорогая, никогда не поворачивайтесь спиной к этим людям.

— Ну, раз теперь с ужином все в порядке, давайте к нему приступим, — предложила Ноэль.

Она накрыла темный круглый деревянный стол, смотревшийся удивительно современно, в широком проходе между верандой и кухней. Все было старинным, от кресел с мягкой обивкой до прекрасных французских столовых приборов и больших глиняных тарелок. Опять же все выглядело так, будто перекочевало в жизнь прямо со страниц ее книг, и казалось слишком красивым, чтобы использовать по назначению.

Когда гости расселись и наполнили бокалы, Мерсер обратилась к Ноэль:

— Думаю, я все-таки куплю тот письменный стол.

— Он ваш. Мне пришлось повесить на него бирку «Продано», поскольку он приглянулся другим покупателям.

— Деньги у меня будут чуть позже, но стол обязательно должен стать моим.

— И вы верите, что он поможет преодолеть творческий кризис? — спросила Майра. — Старый стол из Франции?

— А кто сказал, что у меня творческий кризис? — в свою очередь поинтересовалась Мерсер.

— А как называется состояние, когда не знаешь, о чем писать?

— Как насчет «утраты вдохновения»?

— Брюс? Ты же эксперт!

Брюс держал большую салатницу, из которой Ли накладывала себе порцию.

— «Кризис» звучит слишком категорично. Мне больше нравится «утрата вдохновения». Но кого волнует мое мнение? Это вы — художники слова.

Майра вдруг рассмеялась:

— Ли, а помнишь, как мы написали три книги за месяц? У нас был козел-издатель, который отказывался платить, и наш агент предупредил, что мы не можем перейти к другому, поскольку по контракту должны тому сукину сыну еще три книги. И вот мы с Ли придумали три жутких сюжета, действительно полный отстой, и я в течение месяца стучала на пишущей машинке по десять часов в день.

— Однако у нас в загашнике уже была отличная идея, — уточнила Ли, передавая салатницу.

— Что верно, то верно, — подтвердила Майра. — У нас была потрясающая идея для полусерьезного романа, но мы не собирались отдавать ее этому придурку. Нам требовалось закрыть идиотский контракт и найти издателя, который бы по достоинству оценил всю гениальность нашей блестящей идеи. Нам это удалось. Два года спустя три жуткие книги по-прежнему продавались, как горячие пирожки, а великий роман провалился. Вот и думай после этого.

— Думаю, тот стол мне хотелось бы перекрасить, — заметила Мерсер, возвращаясь к прежней теме.

— Мы посмотрим разные цвета и подберем идеальный для коттеджа, — пообещала Ноэль.

— А ты уже видела коттедж? — спросила Майра с насмешливым удивлением. — А мы нет. Когда же мы его увидим?

— Скоро, — заверила Мерсер. — Я устрою ужин.

— Расскажи им хорошие новости, Ноэль, — попросил Брюс.

— Какие хорошие новости?

— Не скромничай. Несколько дней назад богатая пара из Техаса купила всю мебель Ноэль. Магазин практически пуст.

— Жаль, что они не собирают книги, — произнесла Ли.

— Стол для письма я сохранила, — успокоила Ноэль Мерсер.

— И Ноэль собирается закрыть магазин на месяц, чтобы пополнить запасы во Франции.

— Они очень приятные люди и настоящие ценители. Мы договорились встретиться в Провансе и вместе заняться покупками.

— Звучит заманчиво, — заметила Мерсер.

— Не хотите составить мне компанию? — предложила Ноэль.

— Хорошая мысль, — одобрила Майра. — И вряд ли помешает вашему роману.

— Майра! — укоризненно произнесла Ли.

— А вы были в Провансе? — поинтересовалась Ноэль.

— Нет, но мне всегда хотелось. А сколько вы там пробудете?

Ноэль пожала плечами, словно это не важно.

— Думаю, с месяц или около того.

Она переглянулась с Брюсом, будто приглашение Мерсер было спонтанным и не обсуждалось заранее.

Мерсер заметила это и сказала:

— Лучше я приберегу деньги на письменный стол.

— Разумно, — одобрила Майра. — Вам лучше остаться здесь и писать. Хотя моего мнения никто и не спрашивал.

— Вот именно, — тихо согласилась Ли.

Они пустили по кругу большое блюдо с ризотто с креветками и корзину с хлебом, и, немного пожевав, Майра подняла скользкую тему.

— С вашего позволения я внесу кое-какое предложение, — заявила она, не смущаясь, что говорит с набитым ртом. — Это очень необычно, и я никогда не делала ничего подобного раньше, что лишь укрепляет мою решимость, поскольку мы вступаем на неизведанную территорию. Здесь и сейчас, прямо за этим столом мы должны осуществить литературную интервенцию. Мерсер, вы пробыли здесь сколько? — месяц или около того, и не написали ничего, что можно продать. И я, признаться, начинаю уставать от ваших стенаний по поводу отсутствия прогресса с романом. Итак, ни для кого не секрет, что у вас нет сюжета и, поскольку вы не публиковались сколько? — десять лет...

— Точнее, пять.

— Без разницы. Ясно как дважды два, что вам нужна помощь. Поэтому я предлагаю, чтобы мы как ваши новые друзья подставили плечо и помогли с сюжетом. Посмотрите, какие за столом собрались таланты! Нет сомнения, что нам удастся направить вас в нужную сторону.

— Хуже уж точно не будет, — согласно кивнула Мерсер.

— Вот что я имею в виду, — продолжала Майра. — Итак, мы здесь, чтобы помочь. — Она сделала несколько глотков пива прямо из бутылки. — Теперь в целях этой самой интервенции нам нужно установить некоторые параметры. Во-первых, самое главное — решить, хотите ли вы писать высокую литературу, которую никто из издателей не возьмет, да что там, даже Брюс не сможет ее продать, или нечто более легкое. Я читала ваш роман и ваши рассказы и ничуть не удивлена, что их не покупают. Только не обижайтесь, ладно? В конце концов, это же интервенция, и корректности тут не место. Договорились? Без обид за резкость?

— Валяйте! — улыбнулась Мерсер.

Остальные кивнули. Идея всем нравилась.

Набив рот салатом, Майра продолжила:

— Я хочу сказать, подруга, что вы отлично пишете, и от некоторых фраз у меня буквально перехватывало дух, что, наверное, сомнительный комплимент для хорошего стиля, но у вас есть дар, и вы можете творить в любом жанре. Так что это будет — высокая литература или массовая?

— А нельзя ли их совместить? — поинтересовался Брюс, явно получая удовольствие от происходящего.

— Отдельным авторам это удается, — ответила Майра, — но подавляющему большинству — нет. — Взглянув на Мерсер, она пояснила: — Мы об этом спорим уже лет десять, с нашей первой встречи. Как бы то ни было, давайте предположим, что вам вряд ли удастся писать прозу, которая приведет в восторг критиков и принесет внушительные гонорары. Тут, кстати, нет никакой зависти. Я больше не пишу, так что моя литературная карьера завершена. Я не знаю толком, чем сейчас занимается Ли, но она точно не печатается.

— Майра, перестань.

— Поэтому мы можем смело утверждать, что ее карьера тоже в прошлом, поэтому нам все равно. Мы немолоды, у нас полно денег, поэтому мы никакие не конкуренты. Вы молоды и талантливы, и у вас будут перспективы, если вы просто поймете, что именно писать. В этом и заключается цель нашего вмешательства. Мы здесь, чтобы помочь. Кстати, Ноэль, это ризотто просто восхитительно.

— От меня требуется ответ? — спросила Мерсер.

— Нет, это интервенция. Вы должны сидеть и слушать, как мы разбираем вас по косточкам. Брюс, ты пойдешь первым. Что нужно писать Мерсер?

— Сначала я спрошу, что она читает.

— Все, что написал Рэнди Залински, — ответила Мерсер, и это вызвало дружный смех.

— Бедный парень мучается с мигренью, и мы насмехаемся над ним за ужином, — заметила Майра.

— Да поможет нам Бог! — тихо сказала Ли.

— Какие три последних романа вы прочитали? — уточнил Брюс.

Мерсер сделала глоток вина и секунду подумала.

— Мне понравился «Соловей» Кристин Ханны, и, по-моему, он хорошо продавался.

— Так и есть, — согласился Брюс. — Сейчас он выпущен в мягкой обложке и по-прежнему востребован.

— Мне эта книга тоже понравилась, — призналась Майра. — Но вы не можете зарабатывать на жизнь книгами о Холокосте. Кроме того, Мерсер, что вы знаете о Холокосте?

— Я не говорила, что хотела писать о нем. Кристин написала двадцать книг, и все разные.

— Не думаю, что ее можно отнести к высокой литературе, — заявила Майра.

— А ты уверена, что сможешь определить высокую литературу, если она вдруг попадется? — поинтересовалась Ли, усмехнувшись.

— Это ты так шутишь, Ли?

— Да.

Брюс вернул беседу в прежнее русло:

— А два других романа?

— «Катушка синих ниток» Энн Тайлер — одна из моих любимых, и «ЛаРоза» Карен Луизы Эрдрих.

— Все женщины, — отметил Брюс.

— Да, я редко читаю книги, написанные мужчинами.

— Интересно и естественно, поскольку больше двух третей всех романов покупают женщины.

— И все три хорошо продаются, верно? — спросила Ноэль.

— О да, — подтвердил Брюс. — Они пишут отличные книги, которые успешно продаются.

— Бинго! — воскликнула Мерсер. — Это и есть моя цель.

Брюс посмотрел на Майру и сказал:

— Приехали! Вот и весь результат интервенции.

— Не спеши. Как насчет детективов? — осведомилась Майра.

— Не очень, — призналась Мерсер. — Мой мозг недостаточно изворотлив, чтобы сначала разбросать подсказки, а потом их собрать.

— Триллеры?

— Не мое. Я не умею закручивать сюжет.

— Шпионаж?

— Во мне для них слишком много женского.

— Ужасы?

— Шутите? После наступления темноты я пугаюсь собственной тени.

— Любовные романы?

— Я все еще девственница.

— Порнография тоже перестала продаваться, — добавил Брюс. — Все, что надо, можно бесплатно найти в Сети.

Горестно вздохнув, Майра посетовала:

— Да... были деньки! Двадцать лет назад мы с Ли зажигали в романах не по-детски. Научная фантастика? Фэнтези?

— Никогда даже в руки не брала.

— Вестерны?

— Я боюсь лошадей.

— Политическая интрига?

— Я боюсь политиков.

— Ну что ж, — заключила Майра. — Судя по всему, вам суждено писать исторические романы о проблемных семьях. А теперь приступайте к работе. Начиная с этого момента, мы рассчитываем, что дело сдвинется с мертвой точки.

— Я начну прямо с утра, — пообещала Мерсер. — И спасибо.

— Не за что, — отозвалась Майра. — И раз мы занимаемся вмешательством, то кто-нибудь видел Энди Адама? Я спрашиваю потому, что несколько дней назад встретила в продуктовом его бывшую, и она, похоже, считает, что с ним не всё в порядке.

— Давайте прямо скажем, что у него запой, — сказал Брюс.

— Мы можем чем-то ему помочь?

— Не думаю, — ответил Брюс. — Энди сейчас превратился в обычного пьяницу, и пока он не решит протрезветь, он так и будет пьяницей. Издатель, похоже, завернет его последний роман, что только усугубит ситуацию. Я беспокоюсь о нем.

Мерсер смотрела на бокал Брюса. Элейн несколько раз упомянула, что Кэйбл много пил, но Мерсер этого не видела. На ужине у Майры и Ли, а теперь и сегодня вечером он просто потягивал из бокала, редко подливал и был в полном порядке.

Закончив обсуждение Энди, Майра вкратце поведала о жизни других знакомых. Боб Кобб плавал на паруснике вокруг острова Аруба в Карибском море. Джей Арклруд находился в Канаде, где жил в стоящем на отшибе домике друга. Эми Слейтер была занята детьми, один из которых играл в детский бейсбол. Брюс предпочитал помалкивать. Он внимательно слушал все сплетни, но сам не поделился ни одной.

Ноэль, похоже, с нетерпением ждала отъезда из Флориды на месяц. По ее словам, в Провансе тоже было тепло, но не так влажно. После обеда она снова предложила Мерсер поехать с ней, пусть не на месяц, а на неделю или около того. Поблагодарив, Мерсер сказала, что ей нужно работать над романом. К тому же с деньгами обстояло не очень хорошо, и она хотела сэкономить для покупки стола.

— Он никуда не денется, дорогая, — заверила Ноэль. — Я попридержу его для вас.

Майра и Ли ушли в девять и направились домой пешком. Мерсер помогла Брюсу и Ноэль убраться на кухне и попрощалась еще до десяти. Когда она уходила, Брюс потягивал кофе в гостиной, уткнувшись в книгу.

8

Через пару дней Мерсер выбралась в центр города и пообедала в небольшом кафе с затененным двором. Потом прогулялась по Мэйн-стрит и обратила внимание, что магазин Ноэль закрыт. На двери висело рукописное объявление, что владелица уехала во Францию за антиквариатом. Сквозь окно витрины виднелся одинокий стол для письма — больше в зале ничего не было. Мерсер зашла в соседний магазин, поздоровалась с Брюсом и поднялась наверх в кафе, где заказала латте и устроилась на балконе, выходившем на Третью улицу. Как и ожидалось, вскоре Брюс к ней присоединился.

— Что привело вас в центр города? — поинтересовался он.

— Скука. Еще один бесполезный день за машинкой.

— А мне казалось, Майра помогла вам преодолеть творческий тупик.

— Жаль, что это не так просто. У вас найдется несколько минут поговорить?

Брюс улыбнулся и сказал, что конечно. Оглянувшись, он заметил, что для серьезного разговора пара за соседним столиком сидит слишком близко к ним.

— Давайте спустимся вниз, — предложил он.

Мерсер прошла за ним в Зал первых изданий, и Брюс закрыл за собой дверь.

— Наверное, вопрос довольно серьезный, — заметил он с теплой улыбкой.

— Скорее щекотливый, — уточнила она и рассказала о старых книгах Тессы, «позаимствованных» в Публичной библиотеке Мемфиса в 1985 году. Рассказ, отрепетированный с десяток раз, звучал очень правдиво, и было видно, что ее действительно мучили сомнения. Мерсер не удивилась, что история понравилась Брюсу, а книги заинтересовали. По его мнению, связываться с библиотекой в Мемфисе не имело смысла. Конечно, библиотека будет рада получить книги, но она списала их уже несколько десятилетий назад, посчитав утраченными. Кроме того, библиотека понятия не имеет об их реальной ценности.

— Скорее всего, их просто вернут на полки, откуда снова украдут, — добавил он. — Поверьте, ничего хорошего эти книги не ждет. А их следует защитить.

— Но они же не мои, чтобы продать, верно?

Брюс улыбнулся и пожал плечами, будто речь шла о технической мелочи.

— Как гласит старая мудрость? «Владение — это девять десятых закона». У вас эти книги находились более десяти лет. Я бы сказал, что они вам принадлежат.

— Не уверена. Мне почему-то кажется, что это нехорошо.

— А книги в нормальном состоянии?

— Мне кажется, да, хотя я не специалист. Я обращалась с ними бережно. Практически даже редко трогала.

— Могу я их увидеть?

— Ну, не знаю. Это же как первый шаг. Стоит мне их показать, как мы окажемся уже на пути к сделке.

— По крайней мере позвольте мне на них взглянуть.

— Даже не знаю. А в вашей коллекции уже есть эти названия?

— Да. У меня есть все книги Джеймса Ли Берка и все — Кормака.

Мерсер бросила взгляд на стеллажи, будто хотела в этом удостовериться.

— Их здесь нет, — пояснил Брюс. — Они находятся внизу с другими редкими изданиями. Соленый воздух и влажность портят книги, поэтому наиболее ценные я держу в хранилище, где поддерживается нужная температура. Хотите посмотреть?

— Думаю, в другой раз, — небрежно отозвалась Мерсер. На самом деле ей блестяще удалось разыграть безразличие. — А вы не в курсе, сколько эти две книги могут стоить? Хотя бы приблизительно?

— Разумеется, — быстро ответил Брюс, словно ждал этого вопроса.

Он повернулся к компьютеру на столе, нажал несколько клавиш и посмотрел на экран.

— В 1998 году я купил первое издание «Осужденного» за две с половиной тысячи долларов. За это время стоимость, полагаю, выросла в два раза. Все зависит от состояния, которое, конечно, я смогу оценить только когда увижу. Еще один экземпляр я купил в 2003 году уже за три с половиной тысячи.

Брюс продолжил прокрутку файла. Мерсер не могла видеть экран, но, похоже, коллекция была весьма солидной.

— У меня есть один экземпляр «Кровавого меридиана», купленный у дилера в Сан-Франциско примерно десять лет назад. Девять, если быть точным. И заплатил я... давайте посмотрим... две тысячи, но у него был небольшой дефект на суперобложке и легкая потертость. Не в идеальном состоянии.

Тогда стоит купить поддельную суперобложку, подумала Мерсер, теперь знавшая немало тонкостей этого бизнеса. Однако ей удалось изобразить приятное удивление:

— Вы серьезно? Они такие ценные?

— Можете мне поверить, Мерсер, это моя любимая часть бизнеса. Я зарабатываю больше на продаже редких книг, чем новых. Извините за хвастовство, но мне это нравится. Если решите продать книги, буду рад помочь.

— У них на обложке есть штрихкоды библиотеки. Это снижает их ценность?

— В общем, нет. Их можно удалить, и я знаю всех реставраторов в нашем бизнесе.

И наверное, всех фальсификаторов.

— А как мне вам их показать? — спросила Мерсер.

— Положите в сумку и принесите сюда. — Потом, подумав, Брюс повернулся к ней: — Нет, лучше я заеду к вам в коттедж. Мне хочется его посмотреть. Я много лет проезжал мимо и всегда считал его одним из самых красивых на пляже.

— Если честно, мне бы и самой не хотелось расхаживать с такими книгами.

9

После обеда время тянулось медленно, и Мерсер не смогла удержаться от соблазна позвонить Элейн с новостями. Их план продвигался быстрее, чем они предполагали, и теперь Брюс заглотил наживку с книгами. Элейн никак не могла поверить, что Брюс действительно намеревался заехать в коттедж.

— А где сейчас Ноэль? — спросила она.

— Полагаю, во Франции. Ее магазин закрыт на неопределенный срок, пока она закупает антиквариат.

— Отлично! — одобрила Элейн. Она знала, что накануне Ноэль вылетела из Джексонвиля в Атланту, где в 18:10 села на самолет «Эйр Франс», совершавший беспосадочный перелет в Париж. Она прибыла в Орли по расписанию в 07:20 и в 10:40 вылетела в Авиньон. Их человек на месте сопроводил ее до квартиры на Рю д'Альже в старой части города.

Брюс приехал в коттедж в седьмом часу, а Ноэль в это время ужинала с представительным французским господином в знаменитом маленьком ресторанчике «Ля Фуршет» на Рю Расин.

Мерсер наблюдала сквозь закрытые жалюзи, как к дому подкатил «Порше» с откидным верхом, который она видела на стоянке дома Брюса и Ноэль. Брюс переоделся в шорты цвета хаки и тенниску. В сорок три года он был худощавым, стройным и загорелым, и хотя Мерсер не слышала от него о занятиях спортом, за своей формой он явно следил. После двух долгих ужинов она знала, что Брюс мало ел и пил в меру. Как и Ноэль. Они знали толк в хорошей еде, но ели совсем немного.

Брюс нес бутылку шампанского — свидетельство того, что не любил терять время. Стоило его жене/подруге уехать, как он тут же переключился на новую пассию. Во всяком случае, Мерсер так решила.

Она встретила его у двери и показала дом. На столике для завтрака, где она пыталась писать свой роман, лежали две книги.

— Похоже, мы будем пить шампанское, — заметила она.

— Это просто подарок на новоселье, может, и пригодится.

— Я поставлю его в холодильник.

Брюс сел за столик и принялся разглядывать книги, не скрывая волнения.

— Можно?

— Конечно. Это же просто старые библиотечные книги, не так ли? — усмехнулась Мерсер.

— Вот уж нет!

Брюс осторожно взял «Осужденного» и погладил, будто редкую драгоценность. Не открывая книги, он внимательно осмотрел суперобложку, ее лицевую и тыльную стороны, корешок. Потерев обложку, он тихо произнес, будто разговаривая с собой:

— Обложка первого издания, яркая, не выцветшая, никаких сгибов или дефектов. — Брюс медленно раскрыл книгу и стал изучать оборот титула. — Первое издание, выпущено в свет издательством «ЛСЮ-Пресс» в январе 1985 года. — Пролистав несколько страниц, он закрыл книгу.

— Отличный экземпляр! Я впечатлен. А вы ее читали?

— Нет, но читала несколько детективов Берка.

— Мне казалось, вы предпочитаете авторов-женщин.

— Да, но не ограничиваюсь ими. А вы с ним знакомы?

— О да. Берк был в магазине дважды. Отличный парень.

— И у вас два таких экземпляра первого издания?

— Да, но я постоянно ищу новые.

— И что бы вы сделали, купив еще один?

— А он продается?

— Возможно. Я понятия не имела, что эти книги такие дорогие.

— Я бы купил ее за пять тысяч долларов, а затем постарался перепродать вдвое дороже. Среди моих клиентов есть серьезные коллекционеры, и я знаю пару-тройку, которые бы с удовольствием ее приобрели. Несколько недель мы будем торговаться. Я стану скидывать, они добавлять, но для себя я решу, что должен получить семь тысяч. Если это не удастся, я запру книгу в подвале лет на пять. Первые издания — отличные инвестиции, поскольку напечатать их снова невозможно.

— Пять тысяч долларов, — повторила Мерсер ошеломленно.

— Причем деньги сразу.

— А я могу поторговаться?

— Конечно, но шесть — мое последнее предложение.

— И никто никогда не узнает, откуда они? В смысле, их нельзя будет отследить? И выйти на меня или Тессу?

Брюс рассмеялся над вопросом:

— Конечно, нет. Это мой мир, Мерсер, и я играю в эту игру уже двадцать лет. Эти книги исчезли несколько десятилетий назад, и ни у кого не возникнет никаких подозрений. Я выставлю их на продажу своим клиентам в частном порядке, и все будут счастливы.

— И никаких записей?

— А где? Кто может вести учет всех первых изданий в стране? Книги не оставляют следов, Мерсер. Многие из них передаются как драгоценности — не всегда учитываются, если вы понимаете, что я имею в виду.

— Нет, не понимаю.

— Они не фигурируют в завещаниях.

— А-а, поняла. А их крадут для перепродажи?

— Бывает. Я не стану связываться с книгой, если ее происхождение более чем сомнительно, но невозможно посмотреть на книгу и определить, что она украдена. Возьмите, к примеру, «Осужденного». Его первый тираж был маленьким. Со временем большинство книг из него исчезло, что повысило ценность оставшихся, особенно тех, что сохранились в хорошем состоянии. Но на рынке по-прежнему еще много экземпляров, и все они идентичны, во всяком случае, после выхода из типографии. Многие передаются от одного коллекционера другому. Думаю, краденых тоже хватает.

— А могу я проявить бестактность и спросить, какое первое издание является самым ценным в вашей коллекции?

Брюс улыбнулся и на мгновение задумался.

— В этом нет ничего бестактного, но лучше об этом не распространяться. Несколько лет назад я купил идеальный экземпляр «Над пропастью во ржи» за пятьдесят тысяч. Сэлинджер редко подписывал свой шедевр, но эту книгу он подарил своему редактору. Она находилась в его семье много лет, и ее редко брали в руки. Она в отличном состоянии.

— И как вам удалось ее достать? Извините, но это потрясающе интересно.

— Слухи о ней ходили многие годы, и я допускаю, что их источником была сама семья редактора, почувствовавшая запах больших денег. Я разыскал племянника, вылетел в Кливленд и не отставал от него, пока не уговорил продать мне книгу. Она никогда не появлялась на рынке, и, насколько мне известно, о ее нахождении у меня никто даже не подозревает.

— И что вы с ней сделаете?

— Ничего. Буду просто владеть ею.

— А кто ее видел?

— Ноэль и пара друзей. Я с удовольствием покажу вам и ее, и остальную коллекцию.

— Спасибо. Но вернемся к делу. Давайте поговорим о Кормаке.

Брюс улыбнулся и взял «Кровавый меридиан».

— Вы читали его?

— Пыталась, но он слишком жестокий.

— Мне кажется удивительным, что такой человек, как Тесса, могла читать Кормака Маккарти.

— Она читала все время и постоянно брала книги в библиотеке.

Внимательно осмотрев суперобложку, Брюс сказал:

— На корешке есть несколько морщин, возможно, из-за старения, и краски слегка поблекли. В целом, обложка в хорошем состоянии.

Он открыл книгу, осмотрел форзац и шмуцтитул и внимательно изучил оборот титула. Потом медленно, почти читая, полистал несколько страниц. Не поднимая глаз от книги, он тихо произнес:

— Мне она нравится. Это пятый роман Маккарти и первый о Западе.

— Я осилила страниц пятьдесят, — призналась Мерсер. — Жестокость там откровенная и жуткая.

— Да, — согласился Брюс, продолжая переворачивать страницы, будто наслаждаясь сценами насилия. Потом аккуратно закрыл книгу и подвел итог: — Состояние более чем приличное, как принято говорить в наших кругах. Лучше, чем у моего экземпляра.

— И сколько вы за него заплатили?

— Две тысячи девять лет назад. Я готов предложить вам за нее четыре тысячи и, возможно, оставлю в своей коллекции. Четыре тысячи — это максимум.

— Получается десять тысяч за две книги. Я понятия не имела, что они могут столько стоить.

— Я в этом разбираюсь, Мерсер. Десять тысяч — это хорошая цена как для вас, так и для меня. Так вы продадите?

— Даже не знаю. Мне нужно подумать.

— Хорошо. Не буду на вас давить. Но пока вы думаете, пусть они полежат в моем хранилище. Как я уже говорил, соленый воздух для них губителен.

— Конечно. Возьмите их. Дайте мне пару дней, и я приму решение.

— Не торопитесь. Никакой спешки здесь нет. Так что там с шампанским?

— Да, конечно. Как раз пробило семь часов.

— У меня есть идея, — сказал Брюс, поднимаясь и забирая книги. — Давайте выпьем его на пляже и отправимся на прогулку. Работа не позволяет мне часто бывать на пляже. Я люблю океан, но даже просто увидеть его получается редко.

— Хорошо, — согласилась Мерсер, поколебавшись.

Что может быть лучше романтической прогулки по берегу с мужчиной, утверждающим, что он женат. Мерсер вынула из ящика комода маленькую картонную коробку и протянула ему. Брюс убрал в нее книги, пока она доставала из холодильника шампанское.

10

Их прогулка до отеля «Ритц» и обратно заняла час, и, когда они вернулись в коттедж, сумерки уже сгущались. Мерсер еще раз наполнила бокалы. Брюс устроился в плетеном кресле-качалке, а она села рядом.

Во время прогулки он рассказал о своей семье. О внезапной смерти отца и наследстве, позволившем купить книжный магазин; о матери, с которой не виделся почти тридцать лет, и сестре; о том, что он не поддерживает никаких связей с тетушками, дядьями и кузенами; что бабушки и дедушки давно умерли. Мерсер, в свою очередь, поведала о том, какой трагедией стало психическое заболевание матери, и о своих переживаниях. Она никогда и ни с кем этим не делилась, но Брюс располагал к откровенности и вызывал доверие. Поскольку оба выросли в проблемных семьях, что не могло не отразиться на их жизни, они понимали друг друга и не стеснялись делиться своими ощущениями и сравнивать их. Чем больше они откровенничали, тем больше смеялись.

На втором бокале шампанского Брюс заметил:

— Я не согласен с Майрой. Вам не надо писать о семьях. Вы сделали это один раз и сделали блестяще, но одного раза достаточно.

— Не беспокойтесь. Майра точно не тот человек, к кому бы я обратилась за советом.

— Неужели вы от нее не в восторге при всех ее чудачествах?

— Нет, пока нет, но она начинает мне нравиться. Она действительно богата?

— Кто знает? Судя по всему, они с Ли неплохо обеспечены. Они сочинили вместе сотню книг, и, кстати, роль Ли в написании любовных романов куда существеннее, чем она признает. Некоторые из их книг по-прежнему хорошо продаются.

— Это должно быть приятно.

— Мне хорошо известно, как трудно писать, когда нет денег, Мерсер. Я знаком со многими писателями, но лишь единицам из них гонорары позволяют целиком посвятить себя написанию книг.

— И им приходится заниматься преподаванием. Они устраиваются в какой-нибудь университет и получают стабильную зарплату. Я проделывала такое дважды, и, наверное, придется прибегнуть к этому снова. Либо это, либо продать недвижимость.

— Не думаю, что иной альтернативы у вас нет.

— Есть идеи?

— Вообще-то есть одна. Налейте мне еще, и я расскажу вам длинную историю.

Мерсер достала из холодильника бутылку и разлила по бокалам остатки шампанского. Сделав глоток, Брюс вытянул губы, смакуя, и произнес:

— Я мог бы пить это на завтрак.

— Я тоже, но кофе намного дешевле.

— Итак, задолго до встречи с Ноэль у меня была подруга. Ее звали Талия, чудесная девушка, красивая и талантливая, но со странностями. Мы встречались около двух лет, и я видел, как она постепенно теряет контроль над реальностью. Я не мог ей помочь и с болью наблюдал за ухудшением. Но у нее был литературный дар, и она работала над романом, имевшим все основания стать великим. В нем описывалась во многом вымышленная история о Чарльзе Диккенсе и его любовнице — молодой актрисе по имени Эллен Тернан. Диккенс двадцать лет был женат на Кэтрин, типичной представительнице строгой викторианской эпохи. Она родила ему десять детей, что говорило об их физической совместимости, но сам брак оказался на редкость неудачным, о чем все знали. В сорок пять лет, когда Диккенс, возможно, был самым знаменитым человеком Англии, он познакомился с восемнадцатилетней Эллен, мечтавшей об успехе. Они безумно влюбились друг в друга, и он оставил жену и детей, хотя о разводе в те времена не могло быть и речи. Действительно ли Диккенс и Эллен стали жить вместе, не известно, хотя ходили упорные слухи, что она от него даже родила, но ребенок при рождении не выжил. В любом случае они приложили немало усилий, чтобы не афишировать своей связи, и преуспели в этом. Однако в романе Талии об этой бурной любовной связи рассказывалось устами Эллен, причем весьма откровенно и со всеми подробностями. Сюжет закручивался описанием еще одной внебрачной связи, на этот раз между Уильямом Фолкнером и Метой Карпентер. Фолкнер познакомился с ней, когда подрабатывал в Голливуде написанием сценариев, и по всем признакам они стали любовниками. Эту связь Талия тоже беллетризировала, причем очень талантливо. Чтобы сделать роман еще более интригующим, Талия представила третью любовную связь между известным писателем и его знакомой. Ходили слухи, которые ничем не подтверждались и скорей всего не соответствуют действительности, что у Эрнеста Хемингуэя был быстрый роман с Зельдой Фицджеральд, когда они жили в Париже. Как вы сами знаете, факты часто мешают хорошему сюжету, поэтому Талия додумала недостающие факты и написала увлекательную историю о том, как Эрнест и Зельда закрутили роман за спиной у Скотта. Таким образом, в романе имелось три сенсационных литературных любовных дела, конкурирующих между собой увлекательностью, что слишком много для одной книги.

— Она давала вам читать написанное?

— Почти все. Талия постоянно меняла сюжет и переписывала целые главы, и чем больше она писала, тем больше сама запутывалась. Она просила совета, и я их давал, но она всегда делала наоборот. Талия была одержима романом и работала над ним день и ночь целых два года. Когда рукопись перевалила за тысячу страниц, я перестал читать. Тогда мы много ссорились.

— И что с ней случилось?

— Талия сказала, что сожгла ее. Однажды она позвонила в невменяемом состоянии и сообщила, что уничтожила ее и не напишет больше ни единого слова. Через два дня она умерла от передозировки в Саванне, штат Джорджия, где жила в то время.

— Это ужасно.

— Ей было всего двадцать семь лет, и такого таланта я больше не встречал. Примерно через месяц после похорон я написал ее матери и осторожно поинтересовался, не оставила ли Талия каких-нибудь бумаг. Ответа я не получил, и о романе никто ничего не слышал. Не сомневаюсь, что она действительно его сожгла, а потом покончила с собой.

— Просто ужасно.

— Да, настоящая трагедия.

— И у вас не сохранилось копии?

— Нет. Талия привозила рукопись сюда на несколько дней и заставляла меня читать, пока сама продолжала работать. Она панически боялась, что ее шедевр могут украсть, и не спускала с рукописи глаз. Бедная девочка страдала паранойей, и ее пугали многие вещи. В конце концов она перестала принимать лекарства и начала слышать голоса, и я ничего не мог сделать. Честно говоря, к тому времени я уже избегал общения с ней.

Какое-то время они помолчали, медленно потягивая вино и размышляя об этой трагедии. Солнце село, и на террасе стало темно. Об ужине оба молчали, но Мерсер готова была отказаться. Для одного дня они и так провели достаточно времени вместе.

— Потрясающая история, — наконец произнесла она.

— Какая именно? О Диккенсе, Фолкнере, Зельде или Талии? Материал тут очень богатый.

— И вы разрешаете мне им воспользоваться?

Брюс улыбнулся и пожал плечами:

— Делайте с ним что хотите.

— Но истории про Диккенса и Фолкнера соответствуют действительности, верно?

— Да. Однако самая выигрышная — про Хемингуэя и Зельду. Это был Париж 1920-х годов, «потерянное поколение», весь этот красочный фон и история. Они, конечно, знали друг друга. Скотт и Хемингуэй были приятелями и пили вместе, а американцы вообще старались держаться друг друга. Хемингуэй был настоящий ходок — он и женился четыре раза — и отличался редкой эксцентричностью. При правильной подаче роман мог бы получиться настолько бесстыдным, что пришелся бы по вкусу даже Майре.

— Не сомневаюсь.

— Похоже, вас это не прельщает.

— Просто я не знаю, как относиться к исторической беллетристике. Это что — история или вымысел? Мне почему-то кажется, что вмешиваться в жизнь реальных людей и заставлять их делать то, чего они на самом деле не делали, некрасиво и нечестно. Конечно, они уже умерли, но дает ли это право писателям на авторский вымысел об их жизни? Особенно личной?

— Такое происходит сплошь и рядом, и хорошо продается.

— Наверное, просто я не уверена, что это мое.

— А вы их читаете? Фолкнера, Хемингуэя, Фицджеральда?

— Только по необходимости. Я стараюсь не читать умерших белых авторов.

— Я тоже. Я предпочитаю читать авторов, с которыми знаком.

Допив вино, Брюс поставил бокал на столик и поднялся:

— Мне пора. Спасибо за прогулку.

— Спасибо за шампанское, — отозвалась Мерсер. — Я провожу.

— Я знаю, где выход, — сказал он и нежно поцеловал ее в макушку. — До свидания.

— Спокойной ночи.

11

В восемь утра Мерсер сидела за столиком для завтрака, на котором стоял открытый ноутбук, и смотрела на океан, погрузившись в размышления сама не зная о чем. От этого приятного занятия ее оторвал звонок мобильника, зазвеневший так неожиданно, что заставил невольно вздрогнуть.

Звонила Ноэль из Франции, где из-за разницы во времени было на шесть часов больше. Тепло поздоровавшись, она извинилась, что оторвала Мерсер от творческого процесса, но боится закрутиться и не успеть позвонить, а дело срочное. Ноэль объяснила, что на следующий день в ее магазин придет мастер по имени Джейк и сможет встретиться с Мерсер. Джейк был ее любимым реставратором и регулярно приезжал, чтобы привести в порядок привезенную из Франции мебель. Он займется ремонтом шкафа в подвальной мастерской, и лучшего времени обсудить с ним покраску стола просто не найти. Магазин будет закрыт и заперт, но у Джейка имеется свой ключ, и все в таком роде. Мерсер поблагодарила ее, и они немного поболтали о делах у Ноэль во Франции.

Как только они попрощались, Мерсер позвонила Элейн Шелби, которая находилась в Вашингтоне. Накануне вечером Мерсер отправила ей длинное электронное письмо с подробным изложением событий дня и своих бесед, так что Элейн была полностью в курсе происходящего. Неожиданно Мерсер вдруг получила возможность оказаться в обоих подвалах в один и тот же день.

В полдень она позвонила Брюсу и сообщила, что принимает его предложение о приобретении двух книг. На следующий день она приедет в город, чтобы встретиться с Джейком, и зайдет в книжный магазин забрать чек. Кроме того, ей действительно хочется увидеть тот экземпляр «Над пропастью во ржи».

— Отлично, — сказал Брюс. — Пообедаем потом вместе?

— Конечно.

12

Элейн со своей командой прибыли после наступления темноты, и встречаться было поздно. Утром в девять часов Мерсер прошла по пляжу и остановилась у дощатого настила, ведущего к их кондоминиуму. Элейн сидела на ступеньках с чашкой кофе и ворошила песок босыми ногами. Как всегда крепко пожав руку, она произнесла:

— Отличная работа.

— Посмотрим, — отозвалась Мерсер.

Они прошли в дом, где их ожидали двое мужчин — Грэхем и Рик. Они сидели за кухонным столом, на котором находились чашки с кофе и большая коробка или ящик с непонятными предметами. Как Мерсер потом узнала, это были приборы и устройства, являвшиеся неотъемлемой частью их ремесла. Миниатюрные микрофоны, жучки, передатчики и крошечные камеры, непонятно как умудрявшиеся передавать изображение. Грэхем и Рик принялись вытаскивать различные гаджеты и рассказывать о достоинствах, недостатках и возможностях каждого.

Элейн даже не поинтересовалась, согласна ли Мерсер нацепить скрытую камеру. Предполагалось, что это само собой разумеется, и Мерсер это возмутило. Слушая объяснения Грэхема и Рика, она почувствовала, что начинает заводиться. Наконец она не выдержала:

— А это законно?! Снимать кого-то без разрешения?

— Это не противозаконно, — ответила Элейн с уверенной улыбкой. Не смешно! — Это как фотографировать кого-то в общественном месте. Разрешения не требуется, равно как и уведомления.

Рик, старший из двух, добавил:

— Вы не можете записывать телефонный разговор без уведомления собеседника, но правительство еще не приняло закон, запрещающий наблюдение с помощью камеры.

— В любое время и в любом месте, за исключением частного жилья, — уточнил Грэхем. — Взять хотя бы камеры наблюдения за зданиями, тротуарами и парковками. Чтобы снимать, никакого разрешения не требуется.

Возглавлявшая команду Элейн, чей статус в организации был намного выше, чем у этих мужчин, вмешалась:

— Мне нравится этот шарф с пряжкой. Давайте попробуем.

Узорчатый шарф выглядел дорогим. Трижды сложив, Мерсер накинула его себе на шею. Рик протянул ей стяжку — кольцо с золотой застежкой, украшенное крошечными стразами, — и она продела в него концы шарфа. Вооружившись крошечной отверткой, Рик подошел к Мерсер, близко над ней склонился и постучал по застежке.

— Мы установим камеру прямо здесь, и она будет практически незаметна, — сказал он.

— А какого она размера? — поинтересовалась Мерсер.

Грэхем показал ей крошечное устройство меньше изюмины.

— И это — камера? — не поверила она.

— Причем высокого разрешения. Мы покажем вам. Передайте мне кольцо с пряжкой.

Мерсер вытащила его и отдала Рику. Они с Грэхемом надели хирургические увеличительные очки и склонились над пряжкой.

— А вы знаете, где будете обедать? — спросила Элейн.

— Нет, Брюс не говорил. С Джейком я увижусь в магазине Ноэль в одиннадцать, а потом зайду в соседний магазин, чтобы встретиться с Брюсом. Потом мы должны отправиться на обед, но куда — я не знаю. А как пользоваться этой штукой?

— Вам ничего не нужно делать, просто ведите себя естественно. Рик и Грэхем включат камеру удаленно, а сами будут находиться в фургоне рядом с магазином. Звука нет, поскольку камера слишком маленькая, поэтому не беспокойтесь о том, что будет сказано. Мы не знаем, что находится в подвале, поэтому попробуйте просканировать все. Ищите двери, окна, еще камеры.

— И посмотрите, есть ли датчики безопасности на дверях в подвал, — вставил Рик. — Мы почти уверены, что дверей, ведущих наружу, там нет. Судя по всему, с улицы в оба подвала не ведет никаких лестниц.

— Это наша первая возможность заглянуть вниз и, не исключено, единственная, — напомнила Элейн. — Здесь важно все, но наша главная цель — рукописи. Это стопки бумаг размером больше, чем обычная книга.

— Я представляю, как выглядит рукопись.

— Естественно. Ищите ящики, шкафы, любые места, где они могут находиться.

— А что, если Брюс заметит камеру? — спросила Мерсер, явно нервничая.

Оба мужчины иронически хмыкнули, явно не допуская такой возможности.

— Он не заметит, потому что не сможет, — заверила Элейн.

Рик протянул кольцо с пряжкой, и Мерсер снова продела в него концы шарфа.

— Включаю, — сообщил Грэхем, быстро нажимая клавиши на ноутбуке.

— Не могли бы вы встать и медленно повернуться? — попросил Рик.

Она так и сделала, а Элейн и мужчины не сводили глаз с экрана.

— Потрясающе! — заметила Элейн, ни к кому не обращаясь. — Посмотрите сами, Мерсер.

Стоя возле стола лицом ко входной двери, Мерсер взглянула на экран и поразилась четкости изображения. Диван, телевизор, кресло и даже дешевый ковер перед ней были отлично видны.

— И все эта крошечная камера! — Она не верила своим глазам.

— Легко и просто, Мерсер, — сказала Элейн.

— Но шарф не подходит ни к чему, что у меня есть.

— А в чем вы будете? — спросила Элейн. Взяв сумку, она вытащила полдюжины шарфов.

— Думаю, что в простом красном сарафане. Ничего особенного, — ответила Мерсер.

13

Впустив Мерсер в магазин через главный вход, Джейк сразу его запер. Представившись, он сказал, что знал Ноэль много лет. У него были грубые, мозолистые руки и седая борода — типичный мастер, вся жизнь которого связана с молотками и инструментами. Он ворчливо сообщил, что стол для письма уже находится в подвале. Медленно и чуть поотстав, Мерсер спустилась за ним по лестнице, напоминая себе, что вид перед ней снимается камерой и анализируется. Держась за перила, она прошла десять ступенек и оказалась в длинном, захламленном подвальном помещении. Она хорошо знала, что магазин Ноэль — как и книжный по соседству — имел в длину 165 футов и в ширину 42. Потолок низкий, не более восьми футов, пол залит бетоном. Вдоль стен беспорядочно свалены сломанные части разнообразной разобранной на куски мебели. Мерсер с небрежным видом обошла помещение, медленно поворачиваясь, чтобы камера захватила все детали.

— Так вот, значит, где Ноэль хранит самое ценное, — пошутила она, однако у Джейка не было чувства юмора.

Подвал хорошо освещался, и в дальнем его конце располагалась импровизированная мастерская. Но самое главное, что в кирпичной стене между мастерской и соседним подвалом, где, по мнению Элейн Шелби и ее таинственной компании, мистер Кэйбл скрывал свое сокровище, имелась дверь. Старую темно-серую стену много раз красили, однако массивная металлическая дверь выглядела довольно новой. В верхних углах находились два датчика безопасности.

Команда Элейн знала, что оба магазина были практически одинаковыми по ширине, длине, высоте и планировке. Они являлись частями одного здания, построенного сто лет назад и разделенного пополам в 1940 году при открытии книжного магазина.

Сидя в фургоне через улицу, Рик и Грэхем не сводили глаз с экранов своих ноутбуков и при виде двери, соединявшей два подвала, радостно переглянулись. Элейн, сидевшая на диване в арендованной квартире, тоже довольно улыбнулась. Молодчина, Мерсер!

Стол для письма находился посередине мастерской, а под ним расстелены газеты, хотя пол уже был заляпан старыми и полустершимися от времени пятнами краски. Мерсер внимательно осмотрела стол, будто он являлся ценным приобретением, а не просто пешкой в их игре. Джейк достал лист с образцами красок, и они долго выбирали, чтобы Мерсер наконец осталась довольна. В итоге она выбрала мягкую пастельную синеву, поверх которой Джейку предстояло наложить тонкий слой специального покрытия, чтобы придать столу вид благородной старины. Краски именно этого цвета у Джейка в грузовике не было, и он обещал достать ее через несколько дней.

Отлично! Мерсер всегда может прийти снова, чтобы посмотреть, как продвигаются дела. И кто знает? Может, в следующий раз в арсенале Рика и Грэхема найдутся камеры, встроенные в серьги.

Мерсер спросила, есть ли внизу туалет, и Джейк кивком указал, в какой стороне. Она, не торопясь, отыскала уборную, провела там некоторое время, и медленно вернулась назад, где мастер уже зашкуривал поверхность стола. Дождавшись, когда он склонится над столом, Мерсер встала прямо перед металлической дверью, чтобы камера могла получше передать все детали. А что, если тут установлена скрытая камера, которая может за ней наблюдать? Мерсер отступила, сама удивляясь, как быстро набирается опыта и учится осмотрительности. Не исключено, что из нее могла бы получиться неплохая шпионка.

Попрощавшись с Джейком у входной двери, она прошла квартал до небольшого кубинского кафе, где села за столик и заказала чай со льдом. Через минуту появился Рик, взял лимонад и занял место напротив. Улыбаясь, он почти шепотом произнес:

— Отличная работа!

— Наверное, у меня это просто в крови, — заметила Мерсер, чувствуя, что вдруг совсем перестала нервничать и переживать. — А сейчас камера включена?

— Нет, я ее отключил. И снова включу, как только вы окажетесь в книжном магазине. Ведите себя точно так же и ничего не меняйте. Камера работает отлично, и у нас полно отснятого материала. Нас очень впечатлило, что есть дверь, соединяющая два подвала. Теперь постарайтесь подойти к ней поближе с другой стороны.

— Легко! Полагаю, что после магазина мы пойдем обедать. Камера по-прежнему будет работать?

— Нет.

— И я буду сидеть через стол от Кэйбла не меньше часа. Вас не беспокоит, что он может что-то заметить?

— После подвала зайдите в туалет наверху на первом этаже. Снимите шарф и кольцо с пряжкой и уберите в сумку. Если Кэйбл спросит, скажите, что в шарфе слишком жарко.

— Отличная идея! Трудно получать удовольствие от еды, зная, что у меня камера смотрит ему прямо в лицо.

— Само собой. А сейчас вам пора, а я выйду за вами.

Мерсер вошла в книжный магазин в 11:50 и увидела, что Брюс перекладывает журналы на стойке рядом с прилавком. Сегодня на нем был костюм в светло-голубую полоску. Костюмов разных оттенков Мерсер уже насчитала не меньше шести и не сомневалась, что на самом деле их у него больше. Ярко-желтый галстук с набивным рисунком. Неизменные замшевые мокасины на босу ногу. Как всегда. Брюс улыбнулся, чмокнул ее в щеку и сказал, что она отлично выглядит. Мерсер прошла за ним в Зал первых изданий, где он взял со стола конверт. И произнес:

— Десять штук за две книги, взятые Тессой тридцать лет назад. Что бы она сказала?

— Она бы сказала: «А где моя доля прибыли?»

— Вся прибыль наша, — засмеялся Брюс. — У меня есть два клиента, которые хотят заполучить «Осужденного», поэтому я устрою между ними аукцион и с помощью нескольких телефонных звонков заработаю две с половиной тысячи.

— Так просто?

— Нет, так получается не всегда, сегодня просто повезло. В этом вся прелесть данного бизнеса, за что я его и люблю.

— Вопрос. А тот идеальный экземпляр «Над пропастью во ржи», о котором вы говорили. Если бы вы решили его продать, то за сколько?

— Выходит, вас этот бизнес тоже заинтересовал?

— Нет, отнюдь. У меня нет коммерческой жилки. Просто любопытно, вот и все.

— В прошлом году я отказался уступить его за восемьдесят тысяч. Он не продается, но если бы обстоятельства заставили меня выставить книгу на продажу, я бы назначил сотню.

— Неплохая сделка.

— Вы сказали, что хотели увидеть книгу.

Пожав плечами, будто ей не было особенно интересно, Мерсер вежливо отозвалась:

— Конечно, если у вас есть время.

Было видно, что Брюсу хотелось похвастаться своей коллекцией.

— Для вас у меня всегда найдется время. Пойдемте.

Миновав лестницу на второй этаж, они прошли через отдел детской литературы в заднюю часть магазина. Лестница, ведущая вниз, находилась за закрытой дверью в стороне от прохода. Дверь выглядела так, будто ею пользовались крайне редко. Под потолком в углу напротив висела камера, направленная на дверь, оборудованную датчиком безопасности. Брюс открыл ключом дверной засов и повернул шарообразную ручку, оказавшуюся незапертой. Открыв дверь, он включил свет.

— Осторожно, — предупредил он и начал спускаться.

Мерсер держалась сзади, ступая осторожно, как он и просил. Внизу Брюс щелкнул другим выключателем и зажег свет.

Подвал был разделен как минимум на две секции. В первой — большой — была лестница и металлическая дверь, соединявшая с подвалом под магазином Ноэль, а также ряды старых деревянных стеллажей. Полки на них прогибались под тяжестью тысяч ненужных книг, гранок и рекламных ознакомительных изданий.

— Это называется «кладбищем», — пояснил Брюс, обводя их рукой. — В каждом магазине есть помещение для макулатуры.

Пройдя к задней части подвала, они остановились у стены из шлакобетонных блоков — было видно, что ее возвели значительно позже самого здания. Она шла от пола до потолка и имела металлическую дверь с клавишной кодонаборной панелью. Пока Брюс набирал код, Мерсер огляделась и заметила направленную на дверь камеру, висевшую на старой балке. Затем раздалось жужжание и щелчок, замок открылся, и они вошли внутрь, где было заметно прохладнее. Брюс включил свет.

Комната оказалась полностью изолированной, вдоль стен из шлакобетона стояли ряды стеллажей, бетонный пол был тщательно выровнен и низкий потолок обит каким-то волокнистым материалом, который Мерсер видела впервые. Но с этим наверняка разберутся эксперты, получавшие изображение с ее камеры. За час они определили, что помещение имело сорок футов в длину и примерно столько же в ширину, высота потолка — восемь футов, герметичные соединения; все указывало на то, что комната воздухонепроницаема, пожаробезопасна и надежно защищена от проникновения.

— Свет, тепло и влажность оказывают на книги негативное воздействие, поэтому все эти три параметра должны контролироваться. Здесь почти нет влажности, а температура всегда составляет около тринадцати градусов Цельсия. И естественно, нет никакого солнечного света.

Шкафы были изготовлены из массивных металлических листов, а стеклянные дверцы позволяли видеть корешки книг. Каждый шкаф имел шесть полок: нижняя располагалась примерно в двух футах от пола, а верхняя — на несколько дюймов выше головы Мерсер, то есть примерно на высоте шести футов. Рик и Грэхем согласились бы с ее оценкой.

— А где тут книги Тессы? — поинтересовалась она.

Брюс подошел к задней стене и, вставив ключ в узкую боковую панель рядом с полками, повернул его. Что-то щелкнуло, и стеклянные дверцы всех шести полок разблокировались. Он открыл дверцу второй полки сверху.

— Вот здесь, — ответил он, вытаскивая экземпляры «Осужденного» и «Кровавого меридиана». — Целы и невредимы в своем новом доме.

— И даже очень, — согласилась Мерсер. — Это весьма впечатляет, Брюс. И сколько тут всего книг?

— Несколько сотен, но они не все мои. — Брюс показал на стену у двери и пояснил: — Тут я храню книги клиентов и друзей. Кое-какие — на своего рода консигнации. У меня есть один клиент, который сейчас разводится, и здесь он прячет свои книги. Не исключено, что я получу повестку и меня вызовут в суд, но такое уже случалось. Я всегда лгу, чтобы защитить своего клиента.

— А это что? — осведомилась она, указывая на высокий громоздкий шкаф в углу.

— Это сейф, и в нем я держу особо ценные экспонаты.

Брюс стал набирать код на встроенной панели, и Мерсер тут же вежливо отвернулась. Когда замок щелкнул, Брюс открыл массивную дверцу. На трех полках наверху и в центре стояли корешками вперед похожие на муляжи книги — названия некоторых были вытеснены золотом. Брюс осторожно вытащил одну со средней полки и спросил:

— Вы знаете, что такое двустворчатое зажимное устройство?

— Нет.

— Это защитный футляр, изготовленный специально для каждой книги. Понятно, что книги печатаются в разных форматах, поэтому и футляры тоже разных размеров. Пойдемте туда.

Они подошли к маленькому столику в центре комнаты. Брюс положил на него футляр и, открыв, осторожно извлек книгу. Ее суперобложка была заключена в прозрачную ламинированную пленку.

— Это мой первый экземпляр «Над пропастью во ржи». Достался мне в наследство от отца двадцать лет назад.

— Выходит, у вас есть два экземпляра?

— Нет, у меня их четыре. — Открыв книгу, он показал на небольшое обесцвечивание форзаца. — Тут немного поблекло, и на обложке есть пара маленьких дефектов, а так состояние хорошее, почти идеальное.

Оставив книгу и футляр на столе, Брюс снова направился к сейфу. Мерсер повернулась в его сторону, чтобы Рик и Грэхем имели возможность рассмотреть сейф спереди целиком. Внизу, под полками с редчайшими книгами располагались четыре выдвижных ящика. Все они были закрыты.

Если рукописи действительно находились у Брюса, то они точно были здесь. Во всяком случае, Мерсер так решила.

Положив на стол еще один футляр, Брюс сказал:

— Это четвертый мой экземпляр, приобретенный последним и действительно подписанный Сэлинджером. — Он раскрыл футляр, извлек книгу и открыл на титульной странице. — Тут нет ни посвящения, ни даты, только его автограф, который, как я уже говорил, является большой редкостью. Он просто отказывался подписывать свои книги. У него и в самом деле были не все дома, правда?

— Во всяком случае, так говорят, — согласилась Мерсер. — Но эти книги прекрасны.

— Еще бы! — кивнул Брюс, благоговейно проводя по книге рукой. — В дни, когда все идет наперекосяк или валится из рук, я пробираюсь сюда, запираюсь в этой комнате и вытаскиваю книги. Я пытаюсь представить, каково это — быть Дж. Д. Сэлинджером в тысяча девятьсот пятьдесят первом году, когда опубликовали его первый роман. Он напечатал несколько коротких рассказов, пару — в еженедельнике «Нью-Йоркер», но был малоизвестен. Первый тираж был скромный, «Браун» напечатал всего десять тысяч, а теперь книга продается на шестидесяти пяти языках тиражом в миллион экземпляров в год. Он понятия не имел, какой успех его ждет. Но, став богатым и знаменитым, не смог вынести всеобщего внимания. Большинство исследователей считают, что он сломался.

— Я вела курс о нем два года назад.

— Значит, вам это хорошо известно?

— Он не относится к моим любимым писателям. Опять же, я предпочитаю женщин-писателей, желательно тех, кто все еще жив.

— А вам бы хотелось увидеть самую редкую книгу в моей коллекции, написанную женщиной, и не важно, жива она или нет, верно?

— Конечно.

Брюс вернулся к сейфу, а Мерсер снимала каждый его шаг и даже подошла чуть ближе, чтобы зафиксировать маленькой камерой вид сейфа спереди.

Он нашел нужную книгу и вернулся к столу.

— Как насчет эссе «Своя комната» Вирджинии Вулф? — Он открыл футляр и вынул книгу. — Выпущено в тысяча девятьсот двадцать девятом году. Первое издание, почти идеальное состояние. Я нашел его двенадцать лет назад.

— Мне нравится эта книга. Я прочитала ее в старших классах, и она вдохновила меня стать писателем, или хотя бы попытаться.

— Это — большая редкость.

— Предлагаю за нее десять тысяч!

Они оба рассмеялись, и Брюс вежливо ответил:

— Прошу меня извинить, но она не продается.

Он передал книгу ей, и Мерсер осторожно ее открыла со словами:

— Она была удивительно смелой! Чего стоит ее знаменитый афоризм: «У каждой женщины, если она собирается писать, должны быть средства и своя комната».

— У нее была истерзанная душа.

— Абсолютно! Она убила себя. Почему писатели так страдают, Брюс? — Мерсер закрыла книгу и передала ему. — Почему разрушают свою жизнь и даже сводят с ней счеты?

— Я не могу понять самоубийство, но пристрастие к спиртному и дурные привычки отчасти объяснимы. Наш друг Энди просветил меня много лет назад. По его словам, это потому, что в жизни писателя нет никаких сдерживающих факторов. Нет начальства, нет часов работы, нет никакого режима. Пишешь, когда хочешь — хоть днем, хоть ночью. Пьешь, когда хочешь. Энди считает, что с похмелья он пишет лучше, но я в этом не уверен.

Уложив книги обратно в футляры, Брюс убрал их в сейф.

Поддавшись порыву, Мерсер вдруг спросила:

— А что в этих ящиках?

— Старые рукописи, но они не такие дорогие по сравнению с книгами, — ответил Брюс без запинки. — Джон Д. Макдональд — мой любимый писатель, особенно его серия о Трэвисе Макги, и несколько лет назад мне удалось купить у другого коллекционера две его оригинальные рукописи.

Рассказывая, он закрыл дверцу сейфа. Судя по всему, содержимое ящиков было не для показа.

— Увидели все, что хотели? — поинтересовался он.

— Да. Это просто потрясающе, Брюс! Совершенно иной мир, о котором я и понятия не имела.

— Я нечасто хвастаюсь своими книгами. Торговля редкими изданиями не любит шума. О том, что у меня есть целых четыре экземпляра «Над пропастью во ржи», никто не знает, и мне бы не хотелось, чтобы кто-то узнал. Никаких реестров не ведется, вопросов не задается, и многие транзакции совершаются скрытно.

— Ваши секреты в полной безопасности. Я даже представить не могу, с кем бы могла ими поделиться.

— Поймите меня правильно, Мерсер. Всё это абсолютно законно. Я декларирую доходы и плачу налоги, а если вдруг скончаюсь, то эти активы будут включены в мое имущество.

— Все без исключения? — уточнила она с улыбкой.

Улыбнувшись в ответ, Брюс признался:

— Скажем, основная их часть.

— Понятно.

— Так как насчет делового обеда?

— Я умираю с голоду.

14

Члены команды перекусывали привезенной по заказу пиццей и запивали ее лимонадом. О еде сейчас никто не думал. Рик, Грэхем и Элейн сидели за обеденным столом в арендованной квартире и изучали десятки фотографий, сделанных с записи визитов Мерсер. Восемнадцать минут — в магазине Ноэль, и двадцать две — Брюса. Целых сорок минут драгоценной информации, о которой можно только мечтать. Они изучили ее сами, но главное — ее анализом сейчас занималась их лаборатория в Бетесде, штат Мэриленд. Удалось выяснить размеры хранилища и сейфа, наличие и расположение камер наблюдения и датчиков безопасности, то, что замки на дверцах открывались поворотным ключом и что имелись клавишные кодонаборные панели. Стальной сейф весил восемьсот фунтов, был изготовлен пятнадцать лет назад на предприятии в Огайо, куплен через Интернет и установлен подрядчиком из Джексонвилла. Дверца запиралась пятью свинцовыми штырями, которые фиксировались с помощью гидравлики. Сейф мог выдерживать температуру в 850 градусов по Цельсию в течение двух часов. В принципе вскрыть такой сейф особой проблемы не представляло, но как это сделать, не подняв тревоги?

Они провели за жарким обсуждением весь день, нередко связываясь по телефону с коллегами в Бетесде и общаясь с ними по громкой связи. Возглавляя расследование, Элейн приветствовала любую возможную помощь. Она внимательно выслушивала и брала на заметку мнения специалистов и предложения экспертов. Немало времени ушло на обсуждение целесообразности подключения ФБР. Настало ли время привлекать федералов? Поделиться с ними всем, что удалось узнать о Брюсе Кэйбле? Элейн считала, что нет, во всяком случае не сейчас. И у нее имелись на то основания: доказательств, достаточных для убеждения федерального судьи, что рукописи находятся у Кэйбла в подвале, у них не было. На данный момент они располагали только «наводкой» от источника в Бостоне, сорокаминутным видеороликом о помещениях и сделанных с него фотографий. По мнению двух вашингтонских адвокатов, для получения ордера на обыск этого было мало.

Кроме того, если федералы подключатся, то они, как всегда, замкнут все на себя и будут действовать по собственному разумению. На данный момент они ничего не знали о Брюсе Кэйбле и понятия не имели, что Элейн удалось внедрить к нему своего «крота». Элейн хотела, чтобы так и продолжалось как можно дольше.

Рик предложил, правда, сам не особо веря в перспективность идеи, организовать отвлекающий поджог. Устроить ночью небольшой пожар на первом этаже книжного магазина, и, когда завоют сирены противопожарной сигнализации и сработают датчики безопасности, проникнуть в подвал со стороны Ноэль и захватить сейф. Однако минусы от реализации такого плана намного перевешивали плюсы. Прежде всего пришлось бы совершить целый ряд противозаконных действий. А что, если «Гэтсби» и других рукописей там не окажется? Что, если они спрятаны в другом месте? Кэйбл запаникует и рассеет их по всему миру, если уже этого не сделал.

Элейн отвергла предложение Рика почти сразу после того, как выслушала. Время у них еще было, и Мерсер уже удалось добиться потрясающих результатов. Менее чем за месяц она расположила к себе Кэйбла и проникла в его круг. Она заслужила его доверие и добыла целых сорок минут бесценной записи, с которой сделаны сотни фотографий. Кольцо смыкалось все теснее и теснее, во всяком случае, они так считали. Им следовало проявить терпение и ждать дальнейшего развития событий.

На один важный вопрос ответ был получен. Им не давало покоя, почему простой мелкий книготорговец, работающий в старом здании, уделяет такое большое внимание вопросам безопасности. И, поскольку он являлся их главным подозреваемым, все его действия лишь усиливали подозрения. Разве не для хранения незаконно добытых ценностей Кэйбл превратил свой подвал в настоящую крепость? Теперь они знали, что не обязательно. Там он держал много ценных книг. После обеда Мерсер сообщила, что помимо четырех экземпляров «Над пропастью во ржи» и «Своей комнаты», в сейфе находится около пятидесяти других книг в защитных футлярах, аккуратно расставленных на полках. А в самом хранилище имелось несколько сотен книг.

Элейн занималась этим бизнесом уже более двадцати лет и была поражена размахом, с которым действовал Кэйбл. Она не раз имела дело с известными фирмами, занимавшимися торговлей редкими книгами, и хорошо их знала. Их бизнес заключался в покупке и продаже библиографических редкостей, и для расширения своей деятельности они постоянно использовали каталоги, веб-сайты и все виды маркетинга. Их коллекции были обширными и хорошо рекламировались. Элейн со своими помощниками часто задавалась вопросом, мог ли такой мелкий бизнесмен, как Кэйбл, заплатить миллион долларов за рукописи Фицджеральда. Теперь они знали ответ. Деньги у него имелись.

Глава 7
ДЕВУШКА НА ВЫХОДНЫЕ

1

Приглашение было на ужин, причем без спиртного. Причина заключалась в том, что среди приглашенных был Энди Адам, и Брюс заранее всех предупредил, чтобы никто не заказывал себе выпить. К тому же в город на автограф-сессию приехала некая Салли Аранка, которая несколько лет назад бросила пить и старалась избегать компаний, где будет спиртное, чтобы не сорваться.

Брюс сказал Мерсер по телефону, что Энди собирался пройти очередной курс лечения от алкоголизма и отчаянно старался вести трезвый образ жизни еще до клиники. Мерсер, от всего сердца желавшая ему помочь, с готовностью поддержала эту идею.

На автограф-сессии Салли Аранка очаровала аудиторию — а собралось человек пятьдесят — рассказом о своей работе и прочитала небольшой отрывок из последнего романа. Она создавала себе имя в детективном жанре продолжением серии о частном детективе-женщине из Сан-Франциско, ее родного города. Накануне Мерсер пролистала книгу и сейчас, слушая выступление Салли, вдруг подумала, что ее главная героиня очень похожа на свою создательницу: ей тоже за сорок, бывшая алкоголичка, разведена, детей нет, сообразительна, остроумна, не размазня и, конечно же, довольно привлекательна. Продолжение серии выходило раз в год, и Салли много ездила по стране с турами, всегда включая «Книги Залива» в свой маршрут, причем обычно на то время, когда Ноэль в городе отсутствовала.

После подписания все четверо направились пешком в «Ле Роше» — маленький французский ресторан, славившийся своей кухней. Быстро заказав две бутылки минеральной воды, Брюс вернул официантке винную карту. Энди несколько раз посмотрел на другие столы и, казалось, боролся с искушением выпить бокал вина, но удержался и, бросив в свой стакан ломтик лимона, успокоился. Он воевал со своим издателем из-за условий последнего контракта, предусматривавшего меньший аванс, чем предыдущий. С присущим ему юмором и самоиронией Энди поведал, как метался от издателя к издателю, пока от него не взвыл весь Нью-Йорк. Он достал их всех. За закусками Салли рассказала, как переживала в начале своей писательской карьеры, что ее отказывались печатать. Ее первый роман был отвергнут десятком агентов и еще большим количеством издателей, но она продолжала писать. И пить. Ее первый брак рухнул, когда она поймала мужа на измене, и ее жизнь превратилась в кошмар. Второй и третий романы постигла участь первого. К счастью, при поддержке друзей Салли сумела взять себя в руки и бросила пить. В четвертом романе она обратилась к детективному жанру, придумала главную героиню, и вдруг агенты сами стали обрывать ее телефон. Были запрошены права на экранизацию, и Салли неожиданно оказалась не просто на плаву, а весьма успешной. Сейчас серия включает уже восемь романов и продолжает завоевывать популярность.

Хотя она рассказывала вовсе не для того, чтобы произвести впечатление, Мерсер не могла не почувствовать зависть. Салли занималась только писательским трудом. Ей больше не приходилось ни работать за гроши, ни занимать деньги у родителей, и она выпускала по книге в год. Было чему позавидовать! Мерсер вдруг подумала, что чувство зависти присуще всем писателям, с которыми ей доводилось встречаться, — такова уж их природа.

Когда подали главное блюдо, беседа внезапно переключилась на обсуждение проблем с алкоголем, и Энди признался, что тоже страдает от пьянства. Салли отнеслась к его словам с пониманием и дала совет. Уже семь лет, как она сама бросила пить, и это спасло ей жизнь. Ее пример воодушевлял, и Энди поблагодарил Салли за откровенность и прямоту. Мерсер даже стало казаться, будто она присутствует на собрании Общества анонимных алкоголиков.

Брюсу миссис Аранка явно очень нравилась, и к концу ужина Мерсер заметила, что он уже не уделяет ей столько внимания, как вначале. Она напомнила себе, что Брюс и Салли знакомы много лет, поэтому удивляться тут нечему. Правда, эта мысль ее не успокоила, а, наоборот, заставила наблюдать за ними с особым вниманием. Брюс несколько раз коснулся плеча Салли и нежно погладил.

От десерта все отказались, и Брюс оплатил счет. Оказавшись на Мэйн-стрит, он сказал, что ему нужно зайти в книжный магазин проверить, все ли в порядке. Салли вызвалась составить ему компанию. Все пожелали друг другу спокойной ночи, и Салли обещала написать Мерсер по электронной почте и оставаться на связи. Мерсер направилась в сторону дома, но ее догнал Энди и предложил:

— Может, зайдем выпить?

Она остановилась и посмотрела ему в глаза.

— Нет, Энди, это плохая мысль. Тем более после такого ужина.

— Я о кофе, а не о спиртном.

Часы показывали всего начало десятого, и никаких дел дома у Мерсер не было. Может, чашка кофе в ее компании поможет Энди отвлечься от мыслей о выпивке. Они перешли улицу и вошли в пустую кофейню. Бариста сразу предупредил, что через полчаса они закрываются. Заказав две чашки кофе без кофеина, они устроились за столиком на улице напротив книжного магазина через дорогу. Через несколько минут Брюс и Салли вышли из него и исчезли в направлении дома Брюса.

— Эту ночь она проведет у него, — заметил Энди. — Обычная история.

Приняв это к сведению, Мерсер спросила:

— А как же Ноэль?

— А никак. У Брюса свои симпатии, у Ноэль свои. Наверху башни у них есть круглая комната, известная как «Спальня писателей». Она многое повидала.

— Боюсь, что не понимаю, — сказала Мерсер, хотя отлично все понимала.

— У них открытый брак, Мерсер, и спать с другими не только не возбраняется, но и, возможно, даже поощряется. Я думаю, что они любят друг друга, но не требуют верности.

— Это очень странно.

— Не для них. Судя по всему, они счастливы вместе.

Наконец-то один из слухов Элейн нашел подтверждение.

— Ноэль проводит так много времени во Франции в том числе и потому, что у нее там есть давний любовник. Думаю, он тоже женат.

— Понятное дело. Само собой.

— А вы никогда не были замужем, верно?

— Верно.

— Я был женат два раза и не очень высокого мнения о браке. А вы с кем-нибудь встречаетесь?

— Нет. Мой последний парень сбежал год назад.

— А тут встретили кого-нибудь интересного?

— Конечно. Вас, Брюса, Ноэль, Майру, Ли, Боба Кобба. Здесь много интересных людей.

— А с кем-нибудь хотели бы встречаться?

Энди был старше ее лет на пятнадцать, горьким пьяницей, драчуном и дебоширом и не вызывал у нее никакого чувственного интереса.

— Пытаетесь меня закадрить, Энди?

— Нет. Просто я подумал, что мы можем поужинать вместе.

— А разве вы не ложитесь в «чистилище», как выразилась Майра?

— Ложусь через три дня и пытаюсь изо всех сил не сорваться до этого. Ох, как это трудно! Если честно, я потягиваю этот теплый кофе без кофеина и представляю, что это двойная порция водки со льдом. Я почти чувствую ее вкус. И убиваю время, потому что не хочу идти домой, хотя в доме нет ни капли спиртного. По дороге есть два винных магазина, которые еще работают, и мне приходится прикладывать все силы, чтобы не остановить машину возле одного из них. — Его голос задрожал.

— Мне очень жаль, Энди.

— Жалеть не надо. Просто никогда не доводите себя до такого. Это просто ужасно!

— Мне жаль, что я ничем не могу помочь.

— Можете. Помолитесь за меня, ладно? Ненавижу себя за слабость.

Энди вдруг резко поднялся и решительно зашагал прочь, будто желая оказаться подальше и от кофе, и от разговоров. Мерсер попыталась что-то сказать, но не нашла слов. Она смотрела ему вслед, пока он не свернул за угол, а потом отнесла чашки в кофейню и тоже тронулась в путь. На улице было тихо: работали только книжный магазин и закусочная, да и кофейня еще не закрылась. Ее машина была припаркована на Третьей улице, но Мерсер почему-то прошла мимо. Миновав квартал, она продолжила прогулку, пока не оказалась возле дома Брюса и Ноэль. В «Спальне писателей» наверху башни горел свет. Она замедлила шаг, и, будто по сигналу, свет погас.

Мерсер говорила себе, что оказалась здесь из чистого любопытства. Однако не была уверена, что к этому не примешивалась ревность...

2

После пяти недель, проведенных в коттедже, настало время сделать перерыв на несколько дней. Конни с мужем и двумя дочерьми-подростками собиралась приехать на две недели, как и делали ежегодно в отпуск. Конни из вежливости пригласила Мерсер составить им компанию, но та, естественно, отказалась. Мерсер знала, что девочки днями напролет будут сидеть, уткнувшись в свои смартфоны, а зять может разговаривать только о своих кафетериях с мягким мороженым. Успешно раскрутив бизнес, он не почивал на лаврах, а постоянно работал, стараясь держать руку на пульсе. Мерсер знала, что он будет на ногах уже в пять утра и, глотая кофе, начнет лихорадочно строчить электронные письма, проверять поставки, и все такое. Наверное, он так и не окунет ноги в океан. Конни шутила, что ему просто не суждено провести с семьей все две недели. Обязательно случится какой-нибудь форс-мажор, и он помчится обратно в Нашвилл спасать свою компанию.

О работе над романом не могло быть и речи, хотя при ее нынешнем темпе Мерсер бы и так все равно не продвинулась.

Конни была старше ее на девять лет, но близостью их отношения никогда не отличались. Оставшись без матери и с отцом, занятым только собой, девочки рано научились самостоятельности. Уехав из дома в восемнадцать лет учиться в колледже, Конни в него так и не вернулась. Одно лето она провела с Тессой и Мерсер на острове, но тогда ее интересовали только мальчики, а гуляние по пляжу, наблюдение за черепахами и постоянное чтение нагоняли на нее смертную тоску. Когда Тесса застала ее за курением травки, ей пришлось уехать.

Теперь сестры раз в неделю обменивались электронными письмами и раз в месяц созванивались, считая поддержание отношений своим долгом. Оказываясь неподалеку от Нашвилла, Мерсер заезжала к сестре в гости, причем часто уже по новому адресу. Ее семья часто переезжала, каждый раз в дом побольше и квартал получше. Казалось, они постоянно за чем-то гонятся, за какой-то смутной мечтой, и Мерсер часто задавалась вопросом, что они станут делать, когда наконец она осуществится. Чем больше денег они зарабатывали, тем больше тратили, и жившую в бедности Мерсер просто поражал уровень их потребления.

Однако в их отношениях был момент, который они никогда не обсуждали, прежде всего потому, что ничем хорошим такой бы разговор не закончился. Конни повезло, что за четыре года обучения в колледже ей не пришлось заплатить ни цента и влезать в долги, поскольку все расходы оплачивались их отцом Гербертом, чей бизнес с машинами тогда процветал. Однако к тому времени, когда Мерсер поступила в Южный университет Севани, штат Теннесси, отец успел разориться и потерять последнее. Боль от такой несправедливости мучила Мерсер на протяжении многих лет, тем более что Конни никогда не предлагала ей ни цента, дабы поддержать. Теперь же, когда ее студенческий долг чудесным образом испарился, Мерсер была настроена забыть обиду. Правда, сделать это будет не так-то просто, потому что с годами дом Конни становился все шикарнее, а Мерсер по-прежнему не знала, где будет жить через несколько месяцев.

Правда заключалась в том, что Мерсер не хотела проводить время со своей сестрой. Они жили в разных мирах и все больше отдалялись друг от друга.

Вот почему она поблагодарила Конни за приглашение пожить с ними, и обе почувствовали облегчение, когда Мерсер отказалась. Она сказала, что, наверное, уедет с острова на несколько дней, ей нужен перерыв, и все такое, что хочет проведать друзей. Поскольку на самом деле Мерсер никуда не собиралась уезжать, Элейн сняла ей небольшой номер с завтраком в гостинице в двух милях к северу от коттеджа. Следующий шаг был за Кэйблом, и Мерсер не могла позволить себе покинуть остров.

В пятницу накануне Дня независимости Мерсер навела порядок в коттедже и собрала две сумки с одеждой, туалетными принадлежностями и несколькими книгами. Выключая в комнатах свет, она думала о Тессе и о том, как много изменилось в ней самой за прошедшие пять недель. Она не приезжала сюда целых одиннадцать лет, потому что боялась бередить раны и заново переживать потерю. Однако за короткое время ей удалось при мысли о Тессе воскрешать в памяти не ее ужасную смерть, а то, как чудесно они проводили время вместе. Сейчас Мерсер по понятным причинам уедет, но через две недели вернется и снова поселится в коттедже. На какой период, никто знать не мог. Это зависело от мистера Кэйбла.

За пять минут она доехала по Фернандо-стрит до своей гостиницы, которая называлась «Маяк». В центре двора там стоял высокий макет маяка, хорошо знакомый ей с детства. Гостиница представляла собой разросшееся одноэтажное здание под щипцовой крышей с двадцатью номерами и завтраком «шведский стол». На остров уже высадился десант приехавших на праздничные выходные туристов.

Табличка «Свободных мест нет» предупреждала, что
она полностью заполнена.

С крышей над головой и кое-какими деньгами
в кармане, Мерсер, возможно, удастся удобно устроиться на новом месте и что-то написать.

3

Ближе к обеду в субботу, когда на Мэйн-стрит
открылся рынок выходного дня, а толпы отдыхающих заполнили тротуары в поисках булочек, моро-
женого, а может, и места, где поесть пооснователь-
ней, Дэнни в третий раз за неделю зашел в «Книги
Залива» и принялся копаться на полках с детекти-
вами. В шлепанцах, бейсболке камуфляжного цвета, бриджах и поношенной футболке он выглядел
как самый обычный неряшливо одетый и ничем
не примечательный посетитель. Они с Рукером находились в городе уже неделю, изучая обстановку
и наблюдая за Кэйблом, что не представляло ни
малейшей трудности, учитывая его образ жизни.
Кэйбл покидал магазин только пообедать где-ни-
будь в центре города или с кем-то встретиться, или
же проводил время у себя дома, как правило, в одиночестве. Однако они старались соблюдать максимальную осторожность, поскольку Кэйбл уделял
вопросам безопасности повышенное внимание.
Магазин и дом были буквально напичканы камера-
ми и датчиками, и кто знает, чем еще. Один невер-
ный ход, и все могло рухнуть.

Они продолжали ждать и следить, постоянно напоминая себе о необходимости проявлять терпение,
хотя оно уже было на исходе. Выбить информацию

пыткой у Джоэла Рибикоффа и угрозами у Оскара Стайна в Бостоне было сущим пустяком по сравнению с тем, с чем они столкнулись сейчас. Для достижения своей цели они больше не могли полагаться на одно лишь насилие, которое так эффективно сработало раньше. Тогда им требовалось узнать всего пару имен. Теперь же они хотели получить добычу. Нападение на Кэйбла, его жену или кого-то близкого могло вызвать непредсказуемую реакцию и все испортить.

4

Вторник, 5 июля. Толпы исчезли, пляжи снова опустели. Остров медленно просыпался и под лучами яркого солнца пытался поскорее преодолеть похмелье после долгих праздничных выходных. Мерсер лежала на узком диване и читала роман Полы Маклейн «Парижская жена», когда послышался сигнал поступившей электронной почты. Письмо оказалось от Брюса, и в нем говорилось: «Загляните в магазин, когда будете в городе в следующий раз».

Мерсер ответила: «Хорошо. Что-то случилось?» «Что-то случается всегда, — написал он. — У меня для вас кое-что есть. Маленький подарок». «Я сейчас все равно скучаю, — призналась она, — так что буду примерно через час».

Когда она вошла в книжный магазин, посетителей в нем не было. Продавщица у передней стойки ей кивнула, но казалась слишком сонной для разговоров. Мерсер поднялась наверх, заказала латте и взяла газету. Через несколько минут она услышала шаги на лестнице и поняла, что это поднимался Брюс. На нем сегодня был костюм в желтую полоску и маленький сине-зеленый галстук-бабочка. Как всегда, он выглядел безупречно. Брюс взял себе кофе, и они вышли на балкон, нависавший над тротуаром вдоль Третьей улицы. Больше никого на нем не было. Устроившись в тени за столиком под потолочным вентилятором, они сделали по глотку, и Брюс протянул свой подарок. Это явно была книга, обернутая в фирменную белую с синим бумагу магазина. Мерсер сорвала бумагу и посмотрела. «Клуб радости и удачи» Эми Тан.

— Это первое издание, причем с автографом, — пояснил он. — Вы говорили, что она одна из ваших любимых современных писательниц, поэтому я ее разыскал.

Мерсер потеряла дар речи. Она понятия не имела, сколько стоила книга, и не собиралась спрашивать, однако это было ценное первое издание.

— Я даже не знаю, что сказать, Брюс.

— Можете сказать спасибо.

— Но этого явно недостаточно. Я не могу принять такой дорогой подарок.

— Слишком поздно. Я уже купил его и подарил вам. Считайте это подарком по случаю вашего приезда на остров.

— Тогда, наверное, спасибо.

— Всегда рад. Тираж первого издания был тридцать тысяч, так что это не такая уж и редкость. А совокупные продажи в твердом переплете составили полмиллиона долларов.

— Она была здесь, в магазине?

— Нет, она вообще редко ездит с туром.

— Это просто невероятно, Брюс. Вам не следовало этого делать.

— Но я сделал и положил начало вашей коллекции.

Мерсер засмеялась и отложила книгу в сторону.

— Я вообще-то не мечтаю собирать первые издания. Они мне не по карману.

— Ну, я тоже не мечтал стать коллекционером. Просто так вышло. — Взглянув на часы, Брюс поинтересовался: — Вы спешите?

— Я — писатель, которого никто не подгоняет.

— Отлично. Тогда я расскажу вам историю, которой давно не рассказывал. О том, как я начал собирать свою коллекцию.

Он сделал глоток, откинулся на спинку стула и, положив ногу на ногу, рассказал, как обнаружил после смерти отца редкие книги и тайком прибрал немалую их часть к своим рукам.

5

После кофе последовало приглашение на обед, и они пешком направились в ресторан в гавани и заняли столик внутри, где было значительно прохладнее. Как и принято для бизнес-ланчей, Брюс заказал бутылку вина, на этот раз шабли. Мерсер одобрила выбор, и они взяли только салаты. Брюс заговорил о Ноэль и рассказал, что она звонит через день и поиск антиквариата идет хорошо.

Мерсер подумала, не спросить ли, как дела у ее французского бойфренда. Она никак не могла поверить в то, что они совсем не скрывали друг от друга своих связей на стороне. Может, во Франции это и считалось в порядке вещей, но Мерсер никогда не встречала пару, столь терпимо относившуюся к изменам друг друга. Конечно, она знала людей, имевших связи на стороне, но если их уличали в интрижках, их партнеры отнюдь не собирались с этим мириться. С одной стороны, ее почти восхищала их способность любить так, чтобы позволять друг другу открыто изменять, но с другой, ее воспитание южанки осуждало подобную аморальность.

— У меня есть вопрос, — решила Мерсер сменить тему. — Как начинала Талия свой рассказ о Зельде Фицджеральд и Хемингуэе? С чего именно начиналось описание?

Брюс широко улыбнулся и вытер салфеткой губы.

— Так-так, наконец-то есть подвижки. Вас действительно увлекла идея?

— Возможно. Я прочитала две книги о Фицджеральдах и Хемингуэе в Париже и заказала еще несколько.

— Заказали?

— Да, электронные версии через «Амазон». Они намного дешевле.

— Я в курсе. Закажите через меня, и я дам вам скидку в тридцать процентов.

— Но мне нравится читать электронные книги.

— Молодое поколение! — Брюс улыбнулся и сделал глоток вина. — Дайте вспомнить. Это же было давно, лет двенадцать-тринадцать назад. И потом Талия так часто переписывала книгу, что у меня часто голова шла кругом.

— Из всего, что я прочитала, выходит, что Зельда терпеть не могла Хемингуэя, считала его невоспитанным грубияном, который плохо влиял на ее мужа.

— Это, наверное, правда. Кажется, в романе Талии была сцена, когда они трое находились на юге Франции. Хедли, жена Хемингуэя, по какой-то причине вернулась в США, и Эрнест со Скоттом действительно серьезно бухали. Вообще-то Хемингуэй и в самом деле не раз жаловался, что Скотт совсем не умеет пить. Всего полбутылки вина, и он уже мертвецки пьяный под столом. Хемингуэй же был бездонной бочкой и мог перепить любого. Скотт уже в двадцать лет был законченным алкоголиком и не мог остановиться. Он был готов нализаться и утром, и днем, и вечером. Зельда и Хемингуэй флиртовали и наконец получили свой шанс после обеда, когда Скотт отрубился в гамаке. Их соитие произошло в комнате для гостей практически под боком от храпящего мужа. Что-то в этом роде, но опять же это просто авторская фантазия, поэтому пишите так, как считаете нужным. Их связь набирала обороты, Эрнест стал пить еще больше, а Скотт пытался не отставать. Когда он отключался, его приятель Эрни и жена Зельда спешили в ближайшую постель для быстрого секса. Зельда была без ума от Эрнеста. Эрнест делал вид, что тоже безмерно увлечен ею, но исключительно для достижения своей очевидной цели. Он уже тогда слыл известным волокитой и не пропускал ни одной юбки. После возвращения в Париж и приезда Хедли из Штатов Зельда хотела продолжить их связь, но Эрнест уже устал от нее. Он не раз говорил, что у нее не все дома. Хемингуэй начал избегать ее и в конце концов бросил, после чего Зельда его возненавидела. Вот, дорогая, и весь сюжет в двух словах.

— И вы считаете, что это будет продаваться?

Засмеявшись, Брюс ответил:

— Ну и ну, за последний месяц в вас вдруг проснулась корысть. Вы приехали сюда, преисполненная литературных амбиций, а теперь думаете о гонорарах.

— Я не хочу возвращаться к преподаванию, Брюс, и к тому же что-то не видно очереди из колледжей, желающих меня заполучить. У меня ничего нет, кроме тех десяти тысяч долларов, которыми я обязана вашей доброте и забывчивости моей дорогой Тессы. Мне нужно либо продать свои книги, либо бросить писать.

— Да, это будет продаваться. Вы упомянули «Парижскую жену» — чудесную историю о Хедли и Хемингуэе в те дни, и она отлично продавалась. Вы очень хорошо пишете, Мерсер, и у вас наверняка получится.

Мерсер улыбнулась, сделала глоток вина и сказала:

— Спасибо. Мне нужна поддержка.

— Она всем нужна.

Какое-то время они ели молча, а потом Брюс поднял бокал и посмотрел на вино.

— Вам нравится шабли?

— Оно превосходно.

— Я люблю вино, может, даже слишком. Однако пить его в обед не стоит. После него ничего не хочется делать.

— Поэтому и изобрели сиесту, — подсказала она, облегчая ему задачу.

— Именно! У меня на втором этаже за кафе есть маленькая квартирка. Идеальное место, где можно вздремнуть после обеда.

— Это что — предложение, Брюс?

— Возможно.

— А самый безотказный способ подцепить девушку — это сказать ей: «Послушай, малышка, не хочешь составить мне компанию и немного вздремнуть?

— Раньше срабатывало.

— Но не теперь. — Мерсер огляделась и вытерла салфеткой уголки губ. — Я не сплю с женатыми мужчинами, Брюс. Вернее, я спала два раза, и оба раза об этом пожалела. У женатых мужчин есть обязательства, до которых мне нет дела. К тому же я знаю Ноэль, и она мне очень нравится.

— Уверяю тебя, ей все равно.

— Мне трудно в это поверить.

Брюс улыбнулся, будто Мерсер понятия не имела, о чем говорит, и он с удовольствием ее просветит. Он тоже огляделся и, удостоверившись, что их никто не слышит, наклонился к ней и заговорил, понизив голос:

— Ноэль сейчас находится во Франции, в Авиньоне, и когда она туда ездит, то останавливается в своей квартире, которой владеет уже много лет. На той же улице есть еще одна квартира, но уже гораздо больше, и в ней живет ее друг Жан-Люк. Жан-Люк женат на женщине много старше себя и очень богатой. Жан-Люк и Ноэль стали любовниками не менее десяти лет назад. Фактически, они начали встречаться еще до ее знакомства со мной. Они вместе обедают, потом отдыхают, вместе развлекаются и даже путешествуют, когда его старая жена не возражает.

— Значит, его жена одобряет?!

— Ну, конечно! Они же французы! Все делается тихо, очень культурно и цивилизованно.

— И ты не возражаешь? Это действительно странно.

— Нет, я совсем не против. Что есть, то есть. Понимаешь, Мерсер, много лет назад я понял, что просто не создан для моногамии. Не уверен, что однолюбы вообще существуют, но спорить об этом не буду. Когда я поступил в колледж и увидел, как много там красивых девушек, то осознал, что не смогу быть счастлив только с одной. Раз пять или шесть я пытался встречаться только с одной, но ничего путного из этого не выходило, потому что при виде красивой женщины, независимо от ее возраста, я ничего не мог с собой поделать. К счастью, я встретил Ноэль, которая чувствует то же самое. Ее брак лопнул много лет назад, потому что у нее был парень на стороне, и она спала со своим доктором.

— Значит, вы заключили сделку?

— Мы не скрепляли это рукопожатием, но к тому времени, как решили пожениться, знали правила. Дверь широко открыта, только не надо это афишировать.

Мерсер покачала головой и отвернулась.

— Прости, но мне никогда не встречалась пара с подобными отношениями.

— Не думаю, что это такая уж редкость.

— Еще какая, уж поверь мне на слово! Ты считаешь, что это нормально, поскольку сам так поступаешь. Послушай, однажды я поймала парня, с которым встречалась, на измене, и мне потребовался год, чтобы пережить это. Я до сих пор ненавижу его.

— Мне нечего добавить. Ты воспринимаешь это слишком серьезно. Что ужасного в маленькой интрижке, завести которую человек изредка себе позволяет?

— «Интрижке»? Твоя жена спит со своим французским приятелем целых десять лет! И ты называешь это «интрижкой»?!

— Нет, это больше, чем интрижка, но Ноэль не любит его. Это просто своего рода дружеское общение.

— Ясное дело! А та ночь, что Салли Аранка провела в городе, была интрижкой или дружеским общением?

— Ни тем ни другим, или и тем и другим, какая разница? Салли приезжает сюда раз в год, и для нас это просто развлечение.

— А если бы здесь была Ноэль?

— Она бы не возражала. Послушай, Мерсер. Если ты прямо сейчас позвонишь Ноэль, расскажешь, что мы обедаем и обсуждаем послеобеденный отдых, и спросишь ее мнение по этому поводу, то, уверяю, она рассмеется и скажет: «Меня нет уже две недели, а вы все тянете?» Хочешь позвонить?

— Нет.

Брюс засмеялся и заметил:

— Ты слишком зажата.

Мерсер никогда не считала себя зажатой — напротив, она гордилась своей раскованностью и способностью многое принять. Но в тот момент она ощущала себя ханжой и злилась.

— Нет.

— Так давай расслабимся.

— Извини, но я не могу относиться к этому легкомысленно.

— Ладно. Я не настаиваю. Я просто предложил немного отдохнуть, вот и все.

Они засмеялись, но оба чувствовали напряженность. И знали, что разговор еще не закончен.

6

Они встретились на пляже в конце настила напротив коттеджа, когда уже совсем стемнело. Настало время отлива, и на широком пляже было безлюдно. На водной глади мерцало отражение яркой луны. Элейн была босиком, и Мерсер тоже скинула сандалии. Они подошли к воде и неспешно направились вдоль берега — обычные подруги просто гуляют и делятся новостями.

Следуя инструкциям, Мерсер каждый вечер отправляла по электронной почте подробные отчеты о прошедшем дне, вплоть до названия книг, которые читала, и своих попыток творчества. Элейн знала почти все, правда, Мерсер не стала информировать ее о попытке Кэйбла затащить ее в постель. Может, потом, в зависимости от развития событий.

— Когда вы приехали на остров? — спросила Мерсер.

— Сегодня днем. Последние два дня мы провели в офисе, где собрались все члены нашей команды, технические эксперты, специалисты по планированию операций и даже мой начальник, владелец компании.

— У вас есть начальник?

— О да. Я руковожу данным проектом, но окончательное решение будет принимать мой босс, когда мы определимся.

— Определитесь с чем?

— Как быть дальше. Сейчас пошла шестая неделя, и, признаться, мы не знаем, как следует поступить. Вы были великолепны, Мерсер, и ваши успехи за первые пять недель просто поразительны! Мы очень довольны. Но теперь, когда у нас есть фотографии и видео, когда вам удалось войти в круг Кэйбла, мы обсуждаем следующие шаги. Наш уровень уверенности довольно высок, но дел у нас еще невпроворот.

— Мы точно добьемся успеха!

— Мне очень нравится ваш настрой.

— Спасибо, — поблагодарила Мерсер, уже устав от похвал. — Вопрос. Я не уверена, что разумно продолжать этот ход с романом о Зельде и Хемингуэе. Уж слишком он вызывающий, если рукописи Фицджеральда действительно у Кэйбла. Мы точно на правильном пути?

— Но роман был его идеей.

— А может, это наживка, чтобы проверить меня.

— Есть основания полагать, что Кэйбл вас подозревает?

— В общем, нет. Я провела много времени в обществе Брюса, и думаю, что узнала его. Он очень умен, харизматичен и схватывает все на лету, но он также честен, и с ним легко разговаривать. Возможно, Брюс способен на определенное лукавство в отдельных сферах своего бизнеса, но с друзьями он, безусловно, честен. Честен до неприличия. Он терпеть не может дураков, и в нем есть изюминка. Он мне нравится, Элейн, и я ему тоже нравлюсь, и он хочет сблизиться. Если бы Брюс меня подозревал, думаю, я бы это почувствовала.

— А вы планируете сблизиться?

— Там будет видно.

— Он лжет о своем браке.

— Верно. Он всегда говорит о Ноэль как своей жене. Думаю, вы правы в том, что они не расписаны.

— Я рассказала вам все, что мы знаем. Ни здесь, ни во Франции нет никаких записей о регистрации их брака или желании его зарегистрировать. По идее они могли расписаться и в какой-то другой стране, но с ними это как-то не вяжется.

— Не знаю, как близко нам удастся подобраться к нему, — заметила Мерсер, — и сомневаюсь, что это можно планировать. Я просто хочу сказать, что знаю его достаточно хорошо, чтобы обнаружить подозрительность.

— Тогда воспользуйтесь его романом. Это даст вам возможность поговорить о Фицджеральде. А еще лучше — написать первую главу и дать ему ее прочитать. Вы можете это сделать?

— Конечно. Это же всё вымысел. А в моей жизни сейчас вообще нет ничего реального.

7

Следующая попытка Брюса была такой же незатейливой, как и предыдущая, но она сработала. Он позвонил Мерсер в четверг днем и сообщил, что в городе остановился проездом легендарный издатель «Рипли Пресс» Морт Гаспер со своей последней женой. Гаспер приезжал на остров почти каждое лето и останавливался у Брюса и Ноэль. Брюс устраивал поздний ужин в пятницу, на котором будут только они четверо. Так они смогут приятно завершить рабочую неделю.

После нескольких дней в четырех стенах номера у Мерсер развилась клаустрофобия, и она была готова на все, лишь бы сменить обстановку. Она с нетерпением ждала, когда сможет снова вернуться в свой коттедж, и считала дни до отбытия Конни со своей оравой домой. С целью отвлечься от работы над романом, Мерсер гуляла по пляжу, стараясь держаться подальше от коттеджа, и следила за тем, как бы не столкнуться с кем-то из знакомых.

А встреча с Мортом Гаспером могла оказаться полезной и вдохнуть новую жизнь в ее затухающую карьеру. Тридцать лет назад он купил «Рипли» по дешевке и превратил убыточное и дышавшее на ладан маленькое издательство в крупный и независимый издательский дом. Обладая тонким чутьем на талант, он собрал и раскрутил целую плеяду писателей разных жанров, чьи книги успешно раскупались. Возродив традиции золотого века книгопечатания, Морт устраивал трехчасовые ужины и вечерние презентации у себя дома в Верхнем Уэст-Сайде. Он был, без сомнения, самой колоритной фигурой в издательском бизнесе и на седьмом десятке оставался столь же деятельным, что и много лет назад.

В пятницу днем Мерсер провела два часа в Интернете, читая старые журнальные статьи о Морте, и все они были интересны. В одной из них, двухлетней давности, рассказывалось, как Морт заплатил аванс в миллион долларов неизвестному автору за его дебютный роман, продажи которого составили всего десять тысяч экземпляров. Он не жалел о содеянном и считал это «выгодной сделкой». В другой рассказывалось о его последнем браке с женщиной, которая была примерно одного возраста с Мерсер. Ее звали Фиби, и в «Рипли» она работала редактором.

В восемь вечера в пятницу Фиби встретила ее у входной двери дома Брюса и после дружеского приветствия предупредила, что «мальчики» уже пьют. Проследовав за ней на кухню, Мерсер услышала жужжание блендера. Брюс, одетый в шорты и тенниску, смешивал на заднем крыльце коктейль из рома с лимонным соком и сахаром. Чмокнув Мерсер в обе щеки, он представил ее Морту, который приветствовал ее медвежьим объятием и заразительной улыбкой. Он был босиком и в рубашке до колен. Брюс протянул ей бокал с дайкири и подлил остальным, после чего все расселись в плетеных креслах вокруг небольшого столика, заваленного книгами и журналами.

Не вызывало сомнения, что в подобных ситуациях, как, наверное, и во всех других, говорить должен был Морт, а остальным надлежало слушать. Мерсер это полностью устраивало. После третьего глотка она почувствовала гул в голове и задумалась, сколько же рома добавил Брюс в коктейль. Морт метал громы и молнии по поводу президентской гонки и плачевного состояния американской политики, в чем Мерсер совсем не ориентировалась. Но зато Брюс и Фиби слушали с интересом и вставляли ремарки, помогавшие Морту делиться своими соображениями и дальше.

— Не против, если я закурю? — спросил он, не обращаясь ни к кому конкретно, и потянулся к шкатулке на столе. Они с Брюсом раскурили черные сигары, и вскоре над ними повисло облако синего дыма. Брюс принес кувшин и налил всем по новой порции. Воспользовавшись редкой паузой в монологе Морта, Фиби обратилась к Мерсер:

— По словам Брюса, вы здесь работаете над романом.

Мерсер знала, что в какой-то момент речь обязательно зайдет об этом.

— Брюс преувеличивает. Сейчас я больше размышляю, чем пишу, — улыбнулась она.

Морт выпустил облако дыма и произнес:

— «Октябрьский дождь» был прекрасным дебютом. Очень впечатляющим. Кто его опубликовал? Я не могу вспомнить.

— Ну, «Рипли» же не захотел его выпускать, — с великодушной улыбкой заметила Мерсер.

— Верно, мы сглупили, но ведь это бизнес. С какими-то книгами мы угадываем, а с какими-то промахиваемся, но от этого никто не застрахован.

— Его опубликовал «Ньюкомб», но потом у нас появились разногласия.

Неодобрительно фыркнув, он сказал:

— Шайка клоунов. Вы ушли от них?

— Да. Мой текущий контракт с «Викингом», если он еще в силе. В последний раз, когда мне звонила редактор, она сообщила, что я просрочила сдачу рукописи на целых три года.

Морт взревел от смеха:

— Всего три года! Везет некоторым! На прошлой неделе я наорал на Дага Танненбаума, потому что он должен был сдать рукопись восемь лет назад. Писатели!

— А ваш новый роман обсуждается? — успела вставить Фиби.

Мерсер улыбнулась и покачала головой:

— Пока его нет.

— А кто ваш агент? — поинтересовался Морт.

— Гильда Савич.

— Мне она нравится. В прошлом месяце мы с ней обедали.

Ром делал свое дело, и Мерсер едва удержалась, чтобы не сказать, что рада этому.

— Она обо мне ничего не говорила?

— Я не помню. Это был долгий обед, — громогласно признался Морт и залпом осушил свой бокал.

Фиби спросила о Ноэль, и несколько минут разговор шел о ней. Мерсер обратила внимание, что на кухне тихо и приготовлением пищи никто не занимается. Когда Морт, извинившись, вышел в туалет, Брюс отправился к блендеру, чтобы смешать новую порцию дайкири. Девушки поболтали о лете, отпуске и тому подобном. Фиби с Мортом уезжали завтра на острова Флорида-Кис, где проведут месяц. В июле издательская деятельность стихала, а в августе вообще замирала, а поскольку он был боссом, то они могли покинуть Нью-Йорк на целых шесть недель.

Едва Морт вернулся и устроился в кресле с новым бокалом и сигарой, как раздался звонок в дверь, и Брюс исчез. Он вернулся с большой коробкой еды на вынос и поставил ее на стол.

— Лучшие на острове маисовые лепешки тако с рыбной начинкой. Морской окунь на гриле, выловленный сегодня утром.

— Ты угощаешь нас тако на вынос? — осведомился Морт, явно не веря своим ушам. — Этого просто не может быть! Я угощаю тебя в лучших ресторанах Нью-Йорка — и что получаю в ответ?! — возмутился он, набрасываясь на тако.

— В прошлый раз в Нью-Йорке ты водил меня обедать в какую-то жуткую забегаловку за углом от офиса, и от тех жареных бутербродов с мясом и сыром меня чуть не вырвало. К тому же счет оплатил я.

— Ты всего лишь продавец книг, Брюс, — объяснил Морт, засовывая в рот половину лепешки. — Это писателей ублажают изысканной кухней. Мерсер, когда вы будете в Нью-Йорке, я отведу вас в самый шикарный ресторан.

— Договорились, — отозвалась она, зная, что этого никогда не случится. Учитывая скорость, с которой Морт опорожнял свой бокал, наутро он мало что вспомнит. Брюс тоже не отставал и пил куда решительнее, чем ей доводилось видеть до сих пор. Куда только делись его неспешное потягивание вина, неторопливое наполнение бокалов, рассуждения о винтаже и производителях и полный самоконтроль. Теперь, скинув туфли и с растрепанными волосами, он расслаблялся по полной после долгой трудовой недели, а компанию ему составлял подельник по ремеслу.

Потягивая ледяной напиток, Мерсер пыталась сообразить, сколько она уже выпила. Брюс постоянно подливал ей, так что подсчитать не получалось. В голове у нее уже давно гудело, и она чувствовала, что пора сбавить обороты. Мерсер съела тако и огляделась, нет ли бутылки с водой или хотя бы вина, но на крыльце красовался лишь очередной кувшин с дайкири.

Разлив по бокалам новую порцию коктейля, Брюс начал рассказывать историю о дайкири — своем любимом летнем напитке. В 1948 году американский писатель по имени А. Е. Хотчнер отправился на Кубу, чтобы встретиться с Эрнестом Хемингуэем, который жил там в конце 1940-х и начале 1950-х годов. Они быстро подружились, а спустя несколько лет после смерти Хемингуэя, а именно в 1966 году, Хотчнер опубликовал ставшую знаменитой книгу «Папа Хемингуэй».

Морт, естественно, не мог оставить это без комментариев.

— Я знаком с Хотчнером, думаю, он все еще жив. Наверное, ему уже лет сто.

— Что ты знаком со всеми, ни для кого не секрет, Морт, — отозвался Брюс.

Как бы то ни было, история гласила, что встречаться с Хотчнером, собиравшимся взять у него интервью, Хемингуэй не желал. Хотчнер проявил настойчивость, и они наконец встретились в баре недалеко от дома Эрнеста. По телефону Хемингуэй сказал, что тот бар славится своим дайкири. Он, естественно, не явился вовремя, и в ожидании Хотчнер заказал дайкири. Напиток оказался вкусным и крепким, а поскольку Хотчнер вообще пил мало, он потягивал его целый час. Чувствуя, что в баре жарко и душно, он заказал вторую порцию. Выпив ее половину, Хотчнер вдруг заметил, что у него двоится в глазах. Когда Хемингуэй наконец прибыл, его приветствовали как настоящую звезду. Не вызывало сомнений, что он был там завсегдатаем.

Обменявшись рукопожатием, они нашли столик, и Эрнест заказал дайкири. Хотчнер пригубил принесенный коктейль, а Эрнест выпил свой залпом. Затем разделался со вторым. А во время третьего заметил, что его новый собутыльник не пьет. И тогда он бросил Хотчнеру вызов и заявил, что если тот хочет общаться с великим Эрнестом Хемингуэем, то должен научиться пить как мужчина. Хотчнер вызов принял, стал пить наравне, и вскоре у него перед глазами все поплыло и закружилось. Видя его отчаянные, но безуспешные попытки сидеть прямо, Эрнест потерял интерес к общению и со свежим дайкири отправился играть в домино с местными жителями. В какой-то момент — Хотчнер потерял всякое представление о времени — Эрнест поднялся и сказал, что пришло время обеда. Хотчнер должен был идти вместе с ним и на пути к выходу поинтересовался у бармена:

— А сколько дайкири мы выпили?

Бармен подумал секунду и ответил по-английски:

— Четыре вы и семь Папа.

— Вы выпили семь дайкири? — переспросил Хотчнер у Эрнеста, не поверив бармену.

Тот рассмеялся, и местные тоже:

— Семь — это сущая ерунда, приятель. Местный рекорд — это шестнадцать, и установил его, конечно, я. А потом отправился пешком домой.

Мерсер чувствовала себя так, будто допивала шестнадцатый.

— Я помню, что читал «Папу», когда работал в экспедиции издательства «Рэндом Хаус», — вставил Морт. Наевшись тако, он раскурил сигару. — А у тебя есть первое издание «Папы», Брюс?

— У меня есть два экземпляра, один в отличном состоянии, другой — в среднем. Сейчас их трудно достать.

— А есть интересные приобретения за последнее время? — осведомилась Фиби.

За исключением рукописей Фицджеральда, украденных из Принстона, подумала Мерсер, но ни за что бы не сказала это вслух, как бы ни напилась. Ее веки наливались тяжестью.

— Ничего особенного, — ответил Брюс. — Недавно приобрел экземпляр «Осужденного» Джеймса Ли Берка.

Чтобы последнее слово осталось за ним, Морт — а в издательском бизнесе Нью-Йорка никто не мог с ним сравниться по количеству историй с выпивкой, которые он наблюдал лично или знал из надежных источников, — поведал о пьяной выходке, устроенной Норманом Мейлером в его квартире в два часа ночи, когда тот не мог найти больше рома и принялся швыряться пустыми бутылками в Джорджа Плимптона. Поверить в эту историю было трудно, но из уст такого опытного рассказчика, как Морт, она звучала очень правдоподобно.

Мерсер поймала себя на том, что начала клевать носом. Последним звуком, который она запомнила, было жужжание блендера, сбивавшего новую порцию коктейля.

8

Мерсер проснулась в незнакомой кровати в круглой комнате и несколько секунд боялась пошевелиться, потому что любое движение отзывалось болью в голове. Чувствуя жжение в глазах, она их закрыла. Во рту и горле пересохло. Урчание в животе предупреждало, что ситуация может усугубиться еще больше. Ладно, это похмелье. Такое случалось и раньше, но никто от него не умирал, хотя прожить предстоящий день будет непросто, но, эй, какого черта? Никто не заставлял пить так много. За все надо платить, подруга. Да, права старая поговорка: «Что посеешь, то и пожнешь».

Мерсер лежала как будто на облаке — на высокой мягкой перине с тонким бельем. Тут явно чувствовалась рука Ноэль. Когда на Мерсер неожиданно свалились деньги, она не удержалась и купила красивое нижнее белье, и от того, что сейчас была в нем, ей даже в этот ужасный момент стало легче. Она надеялась, что Брюс оценил. Мерсер снова открыла глаза, несколько раз моргнула и, сумев сфокусировать взгляд, увидела, что ее шорты и блузка аккуратно сложены на соседнем стуле — тем самым он хотел показать, что раздевание было цивилизованным, а не стремительным срыванием одежды перед сексом. Ее глаза опять закрылись, и она натянула на себя одеяло.

В памяти остались только затухающие звуки блендера, а после них — ничего. Так сколько же Мерсер проспала в кресле на крыльце, пока остальные продолжали общаться, пить и с улыбкой переглядываться, глядя на нее? Ушла ли сама, пусть пошатываясь и даже опираясь на кого-то, или Брюсу пришлось тащить ее на себе до третьего этажа башни? Неужели она действительно отключилась, будто студентка на пьяной вечеринке, или просто заснула, и ее уложили спать?

В животе снова заурчало. А вдруг Мерсер испортила им весь вечер, и ее вырвало прямо на веранде, о чем ни Брюс, ни другие, конечно, никогда не расскажут? От этой жуткой мысли ее затошнило еще больше. Она снова посмотрела на свои шорты и блузку. Похоже, на них не было никаких пятен и следов конфуза.

Потом ей пришла в голову мысль, от которой сразу стало легче. Морт был на сорок лет старше, и всю карьеру его сопровождали скандалы. Он перетаскал на себе больше пьяниц и мучился от похмелья чаще, чем все его авторы, вместе взятые, так что этим его точно не удивить. А позабавить может. Фиби в расчет можно не принимать. Мерсер ее больше никогда не увидит. Кроме того, живя с Мортом, она наверняка не раз сталкивалась с подобным. Про Брюса и говорить нечего — он такого точно повидал немало.

В дверь тихо постучали, и в комнату скользнул Брюс. На нем был белый махровый халат, а в руках — бутылка воды и два маленьких стакана.

— Ну что ж, доброе утро, — негромко произнес он и присел на край кровати.

— Доброе утро, — ответила Мерсер и добавила: — Очень хочется пить.

— Мне тоже, — признался он и наполнил стаканы.

Они их тут же осушили, и Брюс налил по новой. И спросил:

— Как самочувствие?

— Не очень. А у тебя?

— Не выспался — засиделись допоздна.

— Как я здесь оказалась?

— Ты заснула на веранде, и я помог тебе лечь. Фиби тоже скоро ушла, мы с Мортом раскурили еще по сигаре и продолжили пить.

— Побили рекорд Хемингуэя?

— Нет, но, похоже, подобрались к нему вплотную.

— Скажи, Брюс, я что — выставила себя полной дурой?

— Отнюдь. Ты просто задремала. А сесть за руль, понятно, не могла, поэтому я и уложил тебя в постель.

— Спасибо. Я мало что помню.

— Там и помнить особо нечего. Все основательно нализались.

Мерсер допила воду, и Брюс снова наполнил ее стакан. Кивнув на шорты и блузку, она поинтересовалась:

— А кто их снял?

— Я. И мне очень понравилось.

— Приставал?

— Нет, но хотелось.

— Настоящий джентльмен.

— Всегда. Послушай, тут есть большая ванна на львиных лапах. Думаю, тебе стоит полежать в горячей воде, продолжая пить воду, а я пока займусь завтраком. Я бы не отказался от яичницы с ветчиной, и ты, наверное, тоже. Чувствуй себя как дома. Морт и Фиби уже подают признаки жизни и скоро уедут. А когда их не будет, я принесу тебе завтрак в постель. Что скажешь?

Мерсер улыбнулась и ответила:

— Звучит заманчиво. Спасибо.

Брюс ушел, закрыв за собой дверь. У нее было два варианта. Во-первых, она могла одеться, спуститься вниз, постаравшись избежать встречи с Мортом и Фиби, сказать Брюсу, что ей пора, и уехать. Но двигаться быстро не было сил. Ей нужно время, чтобы прийти в себя, убедиться, что с животом все в порядке, отдохнуть и, возможно, даже поспать. К тому же Мерсер сомневалась, что может вести машину. Да и перспектива возвращения в маленький гостиничный номер тоже не прельщала, а вот горячая ванна была искушением, противиться которому она не могла.

Второй вариант состоял в том, чтобы действовать по плану Брюса и в конечном итоге оказаться с ним в постели. Мерсер решила, что это уже стало неизбежным.

Налив еще воды, она вылезла из кровати. Потом потянулась, сделала глубокий вдох и почувствовала себя гораздо лучше. Тошнота прошла. Мерсер направилась в ванную, включила воду и нашла душистую пену для ванны. Цифровые часы на туалетном столике показывали 08:20. Несмотря на понятное недомогание, она проспала почти десять часов.

Конечно, Брюс должен был зайти ее проведать и посмотреть, как принимается ванна. Он вошел, по-прежнему в халате, и поставил еще одну бутылку минеральной воды возле ванны.

— Ну, как ты? — спросил он.

— Гораздо лучше, — ответила Мерсер.

Пена скрывала большую часть ее наготы, но не всю. Окинув ее долгим одобрительным взглядом, Брюс улыбнулся.

— Что-нибудь еще нужно?

— Нет, все отлично.

— Я занимаюсь завтраком. Не торопись.

С этими словами он ушел.

9

Пронежившись в ванне целый час, Мерсер вылезла и вытерлась. На дверце висел подходящий по размеру халат, и она его надела. В ящике нашлась целая упаковка новых зубных щеток. Достав одну, она почистила зубы и сразу почувствовала себя намного лучше. Потом взяла со стула нижнее белье и увидела рядом с шортами и блузкой свою сумку. Мерсер достала планшет, взбила подушки, залезла в кровать и, устроив себе уютное гнездышко, снова оказалась на «облаке».

Она читала, когда за дверью послышался шум и в спальню вошел Брюс с подносом для завтрака, который поставил на кровать возле Мерсер.

— Бекон, омлет, кексы с джемом, крепкий кофе, и в качестве бонуса шампанское с апельсиновым соком.

— Не думаю, что алкоголь мне сейчас показан, — с сомнением произнесла она. Еда выглядела аппетитно и вкусно пахла.

— Это для поправки. Точно поможет.

Брюс вышел и тут же вернулся с подносом для себя, который поставил рядом с ее и уселся на кровать. На обоих были одинаковые халаты. Подняв свой фужер, он произнес:

— Твое здоровье!

Сделав по глотку, они принялись за еду.

— Так вот, значит, как выглядит пресловутая «Спальня писателей», — заметила Мерсер.

— Ты о ней слышала?

— Место падения многих бедных девушек.

— Все они сами этого хотели.

— Значит, это правда. Ты приводишь сюда женщин, а Ноэль мужчин?

— Да. А кто тебе рассказал об этом?

— С каких пор писатели хранят секреты?

Брюс засмеялся и сунул ломтик бекона в рот. После двух глотков шампанского в голове у Мерсер снова звенело, да и остатки вчерашнего рома, смешавшись с игристым вином, тоже давали о себе знать. К счастью, продолжительная ванна успокоила желудок, да и еда была вкусной. Кинув взгляд на длинную изогнутую стену, сплошь заставленную книжными полками от пола до потолка, она поинтересовалась:

— А что тут? Другие экземпляры первых тиражей?

— Сборная солянка, ничего особо ценного. Всякая всячина.

— Это чудесная комната, видна рука Ноэль.

— Давай пока о ней забудем. У нее, наверное, поздний ужин с Жан-Люком.

— И это тебя совершенно не волнует?

— Ничуть. Перестань, Мерсер, мы уже это обсуждали.

Несколько минут они ели в молчании. Кофе оба игнорировали, чего нельзя сказать о шампанском. Под одеялом Брюс начал нежно поглаживать ее бедро.

— Даже не могу вспомнить, когда в последний раз занималась любовью в похмелье.

— О, а я это делаю постоянно. На самом деле это лучшее лекарство.

— Кому знать, как не тебе!

Брюс поднялся с кровати и поставил свой поднос на пол.

— Допивай свой фужер, — сказал он, и Мерсер послушно выпила.

Брюс убрал с кровати ее поднос, скинул халат и отбросил его в сторону. Затем помог ей снять ее, и они, оставшись восхитительно нагими, зарылись под одеяло.

10

В субботу утром Элейн Шелби работала у себя дома в кабинете, когда раздался звонок Грэхема с острова Камино.

— Случилось! — объявил он. — Похоже, наша девушка провела ночь в большом доме.

— Рассказывай! — оживилась Элейн.

— Она припарковалась через улицу около восьми вчера вечером, и ее машина до сих пор там. Другая пара уехала сегодня утром, кто они, я не знаю. Мерсер и Кэйбл находятся в доме. Сейчас здесь льет как из ведра, идеальное утро, чтобы переспать. Молодец девчонка!

— Наконец-то! Держи меня в курсе.

— Обязательно.

— Я приеду в понедельник.

Дэнни и Рукер тоже вели наблюдение. «Пробив» машину Мерсер по номерным знакам Северной Каролины, они выяснили все что можно про ее владелицу. Узнали ее имя, что в настоящее время она живет в гостинице «Маяк», что владеет долей коттеджа на пляже, изучили ее издательское резюме и послужной список. Они знали, что Ноэль Боннет

находилась в отъезде, и ее магазин закрыт. Они знали все, что только можно, кроме одного — что им
делать дальше.

11

Затянувшийся дождь послужил лишним пред-
логом не вылезать из постели. Мерсер, которая уже
несколько месяцев не занималась сексом, никак
не могла насытиться. Будучи опытным мастером,
Брюс обладал таким драйвом и выносливостью, что
Мерсер искренне поражалась. По прошествии часа — а может, и двух? — они наконец в изнеможе-
нии оторвались друг от друга и заснули. Когда она
проснулась, его рядом не было. Мерсер надела халат,
спустилась вниз и нашла его на кухне, уже одетого
в привычный легкий костюм в полоску и в кожаных
туфлях на босу ногу. Брюс выглядел свежим и отдох-
нувшим и был полностью готов к новому дню бой-
кой торговли в своем магазине. Они поцеловались,
и он, распахнув халат Мерсер, крепко прижал ее
к себе за ягодицы. И сказал:

— У тебя потрясающее тело.

— Ты оставляешь меня одну?

Они снова поцеловались, и после долгого и страстного объятия Брюс слегка отстранился
и объяснил:

— Мне нужно проверить магазин. Торговля
в розницу — капризная дама и требует постоянного
внимания.

— Когда ты вернешься?

— Скоро. Я принесу обед, и мы поедим на веранде.

— Мне тоже нужно идти, — проговорила Мерсер неуверенно.

— Идти куда? Обратно в «Маяк»? Брось, Мерсер, побудь здесь, и я вернусь прежде, чем ты успеешь соскучиться. На улице льет как из ведра, воет ветер, и я думаю, что за нами следит торнадо. Черт, выходить из дома опасно! А мы заберемся в постель и будем читать весь день.

— Уверена, что на уме у тебя не только чтение.

— Оставайся в халате, и я вернусь.

Они снова поцеловались, тесно прижавшись друг к другу, и ему наконец удалось отстраниться. Чмокнув ее в щеку, Брюс попрощался и ушел. Мерсер налила себе чашку кофе и отнесла на веранду, где устроилась в кресле-качалке и стала смотреть на дождь. Она подумала, что ничем не отличается от шлюхи — безнравственной женщины, которой платят за использование тела для обмана, но в глубине души так не считала. Брюс Кэйбл был законченным бабником и спал с кем угодно, независимо от их мотивов. Сейчас пришла ее очередь. На следующей неделе настанет очередь другой. Понятия «преданность» и «доверие» были для него пустым звуком. Так почему она должна испытывать неловкость и стыд? Брюс ничего не требовал, ни на что не рассчитывал, ничего не отдавал сам. Для него все сводилось исключительно к физическому удовольствию, и для нее сейчас тоже.

Отбросив все сомнения и не испытывая больше никаких угрызений совести, Мерсер улыбнулась мысли о предстоящих бурных выходных в его постели.

Брюс отсутствовал недолго. На обед он привез салат и вино и, перекусив, они отправились в башню, чтобы снова заняться любовью. Во время перерыва Брюс достал бутылку шардоне и толстый роман. Они решили читать под звуки дождя на веранде в плетеных креслах-качалках. У него был свой роман, у нее — планшет.

— Неужели ты действительно можешь получать удовольствие от книги, читая ее на этой штуке? — спросил Брюс.

— Конечно. Слова-то одинаковы. Ты когда-нибудь пробовал?

— Несколько лет назад «Амазон» мне прислал свой ридер. Но с ним у меня не получалось сосредоточиться. Наверное, я просто предвзят.

— Наверняка. Интересно, почему?

— А что ты читаешь?

— «По ком звонит колокол». Я читаю попеременно то Хемингуэя, то Фицджеральда и хочу прочитать все их книги. Вчера я закончила «Последнего магната».

— И что скажешь?

— Очень сильно, особенно учитывая, что писал он его в Голливуде, пытаясь заработать немного денег, и к тому же страдая как физически, так и эмоционально. Он же был очень молод. Настоящая трагедия.

— Это его последний роман? Который он не закончил?

— Так говорят. Обидное растрачивание таланта!

— Проделываешь подготовительную работу для своего романа?

— Возможно. Я все еще никак не могу определиться. А ты что читаешь?

— Называется «Мой любимый цунами», дебютный роман неважно пишущего парня.

— Какое жуткое название.

— Да и роман не лучше. Я еле продрался через первые пятьдесят страниц из шестисот. В издательском деле нужно ввести ограничение на объем дебютного романа — он не должен превышать трехсот страниц. Согласна?

— Наверное. В моем было всего двести восемьдесят.

— Твой был совершенным.

— Спасибо. Так ты будешь читать до конца?

— Сомневаюсь. Я прочитываю первые сто страниц каждой книги, и если писателю не удается меня заинтересовать, откладываю ее. Есть слишком много хороших книг, которые я хочу прочитать, чтобы тратить время на плохие.

— Я тоже так делаю, только мой лимит — пятьдесят страниц. Никогда не понимала людей, которые продираются через книгу, которая им не нравится, решив во что бы то ни стало дочитать до конца. Такой была Тесса. Она бросала книгу после первой главы, затем возвращалась к ней и, ворча и скрепя зубами, заставляла себя дочитать до конца, который оказывался ничем не лучше начала. Никогда не понимала этого.

— Я тоже. — Брюс сделал глоток вина, окинул взглядом веранду и взял роман.

Дождавшись, когда он перевернет страницу, Мерсер спросила:

— А у тебя есть еще правила?

Он улыбнулся и отложил роман.

— Мерсер, милая, у меня их целый список. Он называется «Десять правил Кэйбла по написанию беллетристики» — блестящее руководство, составленное экспертом, прочитавшим свыше четырех тысяч книг.

— А ты ими делишься?

— Иногда. Я пришлю их тебе по электронной почте, но тебе они точно не понадобятся.

— А мóжет, понадобятся. Мне нужно что-то. Назови какие-нибудь для примера.

— Ладно. Я терпеть не могу прологи. Я только что закончил роман одного парня, который будет у нас на следующей неделе. Все его книги начинаются с драматичного пролога, типа убийца гонится за женщиной или находят мертвое тело. Затем он заставляет заинтригованного читателя перейти к главе первой, которая, конечно, не имеет ничего общего с прологом, потом к главе второй, которая, разумеется, не имеет ничего общего ни с главой первой, ни с прологом, а страниц через тридцать возвращает к действию в прологе, о котором читатель к тому времени успел благополучно забыть.

— Мне нравится. Продолжай.

— Еще одна ошибка, характерная для новичков, — это ввести двадцать персонажей в первой главе. Пяти вполне достаточно, чтобы не запутать и не отпугнуть читателя. Затем, если есть необходимость подобрать нужное слово с помощью словаря, то выбирать следует из слов, в которых не больше, а лучше меньше, трех слогов. У меня неплохой словарный запас, и никто так не действует мне на нервы, как писатели, демонстрирующие свою ученость использованием редких слов, которых я никогда не встречал. Затем, при написании диалогов будьте добры пользоваться кавычками, иначе трудно понять, кому принадлежат слова. Правило номер пять: большинство писателей слишком растекаются по древу, поэтому всегда ищите то, что можно выкинуть, например, не несущие смысловой нагрузки предложения и ненужные сцены. Я могу продолжать.

— Будь добр. Мне надо было записывать.

— Нет, не надо было. Тебе не нужны эти советы. Ты отлично пишешь, Мерсер, тебе просто необходим хороший сюжет.

— Спасибо, Брюс. Мне нужна поддержка.

— Я говорю на полном серьезе, и вовсе не пытаюсь польстить, поскольку мы участвуем в небольшой оргии выходного дня.

— Так вот как это называется? А я думала просто «интрижка».

Они рассмеялись и сделали по глотку вина. Дождь перестал, и начал сгущаться туман.

— А ты сам когда-нибудь пробовал писать? — спросила Мерсер.

Брюс пожал плечами и отвернулся.

— Я пытался, причем несколько раз, но потом бросал. Это не мое. Вот почему я уважаю писателей, во всяком случае хороших. Я радушно принимаю их всех, мне нравится продвигать книги, но на рынке много мусора. И меня огорчают люди, подобные Энди Адаму, у которых есть талант, но они безрассудно растрачивают его, принося в жертву вредным привычкам.

— От него есть новости?

— Пока нет. Он заперт в клинике и не имеет связи с внешним миром. Наверное, объявится через неделю или около того. Это его третья или четвертая попытка избавиться от зависимости, но не думаю, что у него получится. Глубоко внутри Энди сам не хочет меняться.

— Печально.

— Ты выглядишь сонной.

— Наверное, из-за вина.

— Давай попробуем вздремнуть.

С трудом забравшись в гамак, они прильнули друг к другу в тесном объятии и затихли, убаюканные его мерным качанием.

— Есть планы на сегодня? — поинтересовалась Мерсер.

— Я думал, что мы продолжим начатое.

— Это понятно, но я начинаю уставать от этого места.

— Само собой, что вкусный ужин вне дома является обязательным.

— Но ты же женатый мужчина, Брюс, и я просто твоя девушка на выходные. А что, если нас кто-нибудь увидит?

— Мне все равно, Мерсер, и Ноэль тоже. Так почему это смущает тебя?

— Не знаю. Как-то странно ужинать в субботу вечером с женатым мужчиной в приличном месте.

— А кто сказал, что это приличное место? Это настоящая дыра у реки, где подают морепродукты, но кухня там бесподобная, и уверяю, что никто из тамошних посетителей книг не покупает.

Мерсер его поцеловала и положила голову ему на грудь.

12

Воскресенье началось почти так же, как и суббота, без похмелья. Брюс подал завтрак в постель, на этот раз блинчики и сосиски, и потом пару часов они читали свежую прессу. Ближе к полудню Мерсер понадобился перерыв. Она уже собиралась попрощаться, когда Брюс сказал:

— Послушай, после обеда у меня в магазине будет настоящее столпотворение, а сотрудников не хватает. Мне нужно пойти на работу.

— Вот и славно! Теперь, когда я знаю, как правильно писать роман, мне нужно тоже поработать.

— Всегда рад прийти на помощь, — отозвался он с улыбкой и чмокнул ее в щеку.

Они отнесли подносы на кухню и загрузили в посудомоечную машину. Брюс исчез в хозяйской спальне на втором этаже, а Мерсер вернулась в башню, где быстро оделась и ушла, не попрощавшись.

Если за выходные ей что-то и удалось, то похвастаться особо было нечем. Кувырканья в спальне, безусловно, доставили массу удовольствия, и Мерсер узнала Брюса намного лучше, чем раньше, но ее целью был не секс и не написание романа. Ей заплатили кучу денег, чтобы собрать улики и, возможно, раскрыть преступление. Она чувствовала, что в этом плане гордиться нечем.

Оказавшись в своем номере, она переоделась в бикини и полюбовалась на себя в зеркало, вспоминая, как Брюс восторгался ее телом. Оно было худощавым и загорелым, и Мерсер порадовалась, что наконец-то использовала его по назначению. Накинув белую хлопчатобумажную рубашку, она схватила сандалии и долго гуляла по пляжу.

13

Брюс позвонил в семь вечера, сказал, что ужасно соскучился и не представляет, как проведет ночь без нее. Не могла бы она зайти в магазин и выпить с ним, когда он закроется?

Конечно! Что ей оставалось делать? Стены ее жуткого маленького номера давили, и она написала меньше ста слов.

Мерсер вошла в магазин за несколько минут до девяти. Брюс обслуживал последнего посетителя и, казалось, работал один. Когда клиент ушел, он быстро запер дверь и выключил свет.

— Ступай за мной, — сказал он, поднялся по лестнице наверх и прошел через кафе, выключая по дороге везде свет. Потом отпер дверь, которой Мерсер прежде не замечала, и они вошли в его квартиру.

— Моя мужская берлога, — пояснил Брюс, включив свет. — Я прожил здесь первые десять лет после покупки магазина. Тогда она занимала весь второй этаж, но потом появилось кафе. Присядь.

Он жестом показал на тянувшийся вдоль всей стены огромный кожаный диван с подушками и пледами. Напротив него на приземистом столике стоял большой телевизор с плоским экраном, а вокруг, конечно, полки с книгами.

— Шампанского? — предложил он, открывая холодильник.

— С удовольствием.

Брюс достал бутылку, быстро открыл и, налив шампанское в два фужера, произнес:

— Будем здоровы!

Они чокнулись, и он отпил больше половины.

— Мне действительно требовалось выпить, — объяснил он, вытирая рот тыльной стороной ладони.

— Это видно. У тебя все в порядке?

— Тяжелый день. Один из моих продавцов позвонил и сказал, что заболел, поэтому мне пришлось работать в зале. Хороших помощников трудно найти.

Брюс допил свой фужер и снова его наполнил. Потом снял пиджак, развязал галстук-бабочку, выдернул из брюк рубашку и скинул туфли. Они подошли к дивану и устроились на нем.

— А как прошел твой день? — спросил он, снова отпив несколько глотков.

— Как обычно. Погуляла по пляжу, позагорала, попыталась что-то написать, вернулась на пляж, попыталась написать что-то еще, потом вздремнула.

— Вот она, писательская жизнь! Завидую.

— Мне удалось выкинуть пролог, взять в кавычки диалоги, убрать все длинные слова, и я бы сократила еще, но пока больше нечего.

Брюс засмеялся и снова выпил.

— Я тебя обожаю!

— А ты Брюс, настоящий сердцеед. Соблазнил меня вчера утром и...

— Вообще-то утром, днем и вечером.

— Тем более. Ты всегда был таким дамским угодником?

— О да. Всегда. Я же говорил тебе, Мерсер, у меня роковая слабость к женщинам. При виде краси-

вой женщины у меня на уме только одно. Так было
с колледжа. Когда я в нем оказался и увидел вокруг
тысячи симпатичных девчонок, у меня просто снесло крышу.

— Это ненормально. Ты не пробовал обращаться
к врачу?

— Что? Зачем? Для меня это просто игра, и ты
должна признать, что играю в нее я прилично.

Мерсер кивнула и сделала третий глоток. Его
фужер уже опять был пуст, и Брюс снова наполнил
его.

— Ты не частишь? — спросила она, на что он отрицательно мотнул головой и вернулся на диван. —
А ты вообще когда-нибудь любил?

— Я люблю Ноэль. Она любит меня. Мы оба
очень счастливы.

— Но любовь это верность, преданность, готовность делиться всем и во всем.

— О, мы делимся, да еще как, поверь мне.

— Ты безнадежен.

— Не глупи, Мерсер. Мы говорим не о любви,
а о сексе. О чисто физическом удовольствии. Ты не
заводишь связи с женатым мужчиной, а я не строю
отношений. Мы будем продолжать, сколько ты пожелаешь, а можем остановиться прямо сейчас. Мы
останемся друзьями без каких бы то ни было обязательств и условий.

— «Друзьями»? И сколько же у тебя друзей-женщин?

— Вообще-то ни одной. А хороших приятельниц
много. Послушай, если бы я знал, что ты будешь
подвергать меня допросу, я бы не позвонил.

— А зачем ты позвонил?

— Подумал, что ты по мне соскучилась.

Они оба рассмеялись. Неожиданно Брюс поставил свой фужер, забрал у Мерсер ее, после чего схватил ее за руку и сказал:

— Пойдем! Я тебе кое-что покажу.

— Что?

— Сюрприз. Пошли! Это внизу.

Не став надевать туфли, он вывел ее из квартиры и провел через кафе сначала на первый этаж, а потом к двери в подвал. Брюс отпер ее, щелкнул выключателем, и они спустились по деревянным ступеням вниз. Там он тоже включил свет и, набрав код, разблокировал вход в хранилище.

— Надеюсь, оно того стоит, — пробормотала Мерсер негромко.

— Ты не поверишь!

Он распахнул толстую металлическую дверь в хранилище, вошел внутрь и включил другой свет. Затем подошел к сейфу, набрал еще один код и подождал, пока пять гидравлических штырей не убрались внутрь. С громким щелчком замок открылся, и Брюс осторожно открыл дверцу. Мерсер стояла совсем близко и внимательно наблюдала, зная, что ей придется описать все Элейн и членам ее команды самым подробным образом. И в самом хранилище, и внутри сейфа все оказалось точно таким же, как она запомнила, когда была тут в последний раз. Выдвинув один из четырех ящиков, Брюс открыл его. Внутри лежали два одинаковых деревянных футляра; позже Мерсер описала их как квадратные ящики со стороной в четырнадцать дюймов, скорее всего из кедра. Взяв один, Брюс подошел к маленькому столику в центре хранилища. Потом улыбнулся, словно собираясь показать редкое сокровище.

Брюс осторожно поднял крышку футляра с тремя маленькими застежками. Внутри лежала похожая на картонную коробка серого цвета. Он бережно вытащил ее и положил на стол.

— Это называется архивным ящиком для хранения, изготовленным из специальной бескислотной древесины. Такими широко пользуются многие библиотеки и серьезные коллекционеры. Вот этот находился в Принстоне. — Брюс открыл коробку и с гордостью объявил:

— Оригинал рукописи «Последнего магната»!

От изумления у Мерсер буквально отвисла челюсть. Она попыталась что-то сказать, но не смогла найти слов.

Внутри коробки лежала стопка выцветших листов стандартного размера толщиной порядка четырех дюймов. Пожелтевшая от времени бумага была явно из другой эпохи. Титульная страница отсутствовала — казалось, что Фицджеральд сразу погрузился в написание первой главы, а оформление рукописи отложил на потом. Его скоропись была небрежной и трудночитаемой, а заметки на полях он начал делать уже с первой страницы.

Дотронувшись до края рукописи, Брюс продолжил:

— Когда он внезапно скончался в 1940 году, роман был далек от завершения, но Фицджеральд работал по заранее составленному плану и оставил много заметок и набросков. Его близкий друг, редактор и критик Эдмунд Уилсон собрал воедино все черновики и наброски Фицджеральда, привел книгу в «читабельный» вид и опубликовал через год. Многие критики считают, что это его лучший роман, хотя и написан, как ты правильно заметила, когда Фицджеральд уже был серьезно болен.

— Ты шутишь, правда? — наконец ей удалось выдавить из себя.

— Ты про что?

— Про рукопись. Это та самая, что украли?

— Да, но не я.

— А что она делает здесь?

— Это длинная история, и я не хочу утомлять тебя подробностями, тем более что я и сам многого не знаю. Все пять были украдены прошлой осенью из Библиотеки Файрстоуна в Принстоне. Ограбление совершила банда воров, а, когда ФБР двоих практически сразу арестовало, остальные испугались, скинули добычу и исчезли. Рукописи тихо появились на черном рынке и распродавались отдельно. Я не знаю, где остальные четыре, но, думаю, уже за пределами страны.

— А как ты оказался к этому причастен, Брюс?

— Тут все непросто, но в действительности я не так уж и причастен. Хочешь прикоснуться к страницам?

— Нет. Мне не нравится быть здесь. И заставляет нервничать.

— Расслабься. Я просто держу рукопись у себя по просьбе друга.

— Должно быть, непростого друга.

— Так и есть. Мы с ним уже давно поддерживаем деловые связи, и я полностью ему доверяю. Он сейчас выступает посредником и ведет переговоры с коллекционером из Лондона.

— А в чем твой интерес?

— Мелочь. Заработаю на хранении пару баксов.

Мерсер перешла на другую сторону стола.

— За пару баксов ты, похоже, подвергаешь себя огромному риску. У тебя же находится главная украденная ценность! Это уголовное преступление, за которое могут надолго отправить за решетку.

— Это преступление, только если поймают.

— А теперь ты и меня сделал соучастницей, Брюс. Я хочу уйти.

— Брось, Мерсер, ты просто слишком мнительна. Кто не рискует, тот не пьет шампанское. И никакая ты не соучастница, потому что никто никогда ничего не узнает. Как можно доказать, что ты вообще видела эту рукопись?

— Не знаю. А кто еще ее видел?

— Только мы двое.

— И Ноэль ничего не знает.

— Конечно, нет! Ей нет до этого дела. У нее свой бизнес, у меня — свой.

— И торговля крадеными книгами и рукописями — часть твоего бизнеса?

— Такое случается.

Закрыв архивную коробку для хранения, Брюс положил ее обратно в деревянный футляр, потом осторожно поместил в ящик в сейфе и задвинул его.

— Я действительно хочу уйти, — повторила Мерсер.

— Ладно-ладно. Не думал, что ты так отреагируешь. Ты сказала, что только что закончила читать «Последнего магната», и я подумал, рукопись тебя впечатлит.

— «Впечатлит»?! Да это меня ошеломило, огорошило, напугало до смерти, еще много чего, но только не впечатлило, Брюс. Это безумие какое-то!

Брюс запер сейф, затем хранилище, и, когда они поднялись по лестнице, выключил свет. На первом этаже Мерсер направилась к входной двери.

— Ты куда? — спросил он.

— Я ухожу. Открой дверь.

Брюс схватил ее, повернул к себе, крепко сжал и сказал:

— Слушай, извини, ладно?

Мерсер резко отстранилась.

— Я хочу уйти. Я не останусь в этом магазине.

— Да ну же, Мерсер, ты слишком близко принимаешь все к сердцу. Пойдем наверх и допьем шампанское.

— Нет, Брюс, я сейчас не в настроении. Я не могу в это поверить.

— Мне правда жаль, что так вышло.

— Ты уже это говорил, а теперь открой дверь.

Брюс нашел ключ и отпер замок. Мерсер быстро вышла, не говоря ни слова, и направилась за угол к своей машине.

14

Весь план строился на догадках и предположениях и в немалой степени на надежде, что они верны, — и вот теперь их усилия увенчались полным успехом. У них имелось доказательство, ответ, который они так отчаянно хотели получить, но могла ли она сделать следующий важный шаг? Решится ли сделать звонок, который отправит Брюса за решетку на десять лет? Мерсер представила его падение, бесчестье и унижение, какой ужас он испытает при задержании с поличным, аресте, суде и заключении. А что станет с его чудесным книжным магазином? Домом? Друзьями? Коллекцией редких книг, столь дорогих его сердцу? Его деньгами? Ее предательство обернется настоящим потрясением и несчастьем для многих, а не только для него... Возможно, сам Кэйбл и заслуживал такой участи, но точно не его работники, друзья и даже Ноэль.

В полночь Мерсер продолжала сидеть на пляже, завернувшись в шаль и зарывшись ногами в песок, и глядела на залитый лунным светом океан. Как она могла поддаться на уговоры Элейн Шелби? Мерсер, конечно, знала причину, но сейчас деньги казались сущим пустяком по сравнению с той жуткой катастрофой для Брюса и его близких, к которой приведет ее звонок. Мало того, Брюс Кэйбл ей нравился, нравились его чудесная улыбка и обходительность, привлекательная внешность, манера одеваться, остроумие и интеллект, его восхищение писателями, опытность в постели, отношение к друзьям и окружающим вообще, его репутация и полная магнетизма харизма. Мерсер дорожила и втайне гордилась их общением, своим вхождением в его ближний круг, да что там — даже тем, что пополнила внушительный список его побед на любовном фронте. Благодаря ему за последние полтора месяца в ее жизни было больше радости и удовольствия, чем за предыдущие шесть лет.

Один из вариантов на данный момент состоял в том, чтобы просто промолчать, и пусть все идет своим чередом. Пусть Элейн со своей командой и, не исключено, ФБР по-прежнему делают свою работу. Мерсер может притвориться, что действует с ними заодно и сама сильно огорчена, что не получается добиться большего. Она добралась до подвального хранилища и передала множество данных. Черт, она даже переспала с Брюсом и могла снова на это пойти. До сих пор Мерсер делала все, что было в ее силах, и может «продолжить» вовсю стараться. А Брюс тем временем, как и собирался, успеет избавиться от «Магната», не оставляя никаких следов. Рукопись исчезнет в недрах черного рынка, в хранилище нагрянут федералы, но ничего там не найдут. Ее шесть месяцев закончатся, и она покинет остров с самыми лучшими воспоминаниями. Мерсер может даже вернуться для летнего отдыха в своем коттедже или, еще лучше, в ходе тура с хорошим новым романом. А потом и еще с одним.

Их договор никак не зависел от успеха операции. Ей должны заплатить в любом случае. Студенческие кредиты уже погашены. Половина оплаты уже переведена на счет в банке. Мерсер не сомневалась, что вторую половину тоже получит, как и было обещано.

Той ночью она долго уговаривала себя молчать и ничего не предпринимать, и пусть летние дни лениво идут своим чередом. Скоро наступит осень, и она уже окажется в другом месте.

Но насколько такое поведение сообразуется с принципами нравственности и морали? Мерсер согласилась принять участие в плане, конечной целью которого являлось вхождение в ближний круг Кэйбла и обнаружение рукописей. Ей это действительно удалось, правда, благодаря невероятному промаху с его стороны. Операция с Мерсер в главной роли увенчалась успехом. Разве она имела право ставить под сомнение ее целесообразность? Брюс сознательно пошел на участие в преступном сговоре с целью реализовать рукописи, продать их ради наживы и лишить собственности законного владельца. Брюс Кэйбл отнюдь не отличался высокими моральными устоями. Он не просто подозревался в торговле крадеными книгами, но сам признался ей в этом. Он отдавал себе отчет в том, чем рискует, и осознанно пошел на этот риск. Рано или поздно его обязательно поймают либо за это преступление, либо за другое.

Мерсер побрела по кромке воды, глядя, как тихие волны выталкивают на песок морскую пену. При безоблачном небе белый песок было видно на несколько километров вдаль. На морской глади у горизонта мерцали огни дюжины лодок, с которых ловили креветок. Она вдруг сообразила, что оказалась у Северного пирса — длинного деревянного настила, уходившего далеко в воду. После возвращения на остров она сюда никогда не приходила, потому что тут нашли выброшенное волнами тело Тессы. Почему здесь вдруг оказалась ее внучка?

Поднявшись по ступенькам, Мерсер дошла до конца пирса, взялась за перила и долго смотрела на горизонт. Как бы поступила Тесса? Ну, для начала, Тесса бы никогда не оказалась в таком положении. Она бы никогда не пошла на сделку с совестью. Ни за какие деньги. Для Тессы правильное было правильным, а неправильное неправильным, и ничего посередине. Ложь — это грех; данное слово нужно сдержать; договор был договором независимо от последствий.

Мерсер раздирали противоречивые чувства, и она вся измучилась, не в силах определиться. Наконец, уже глубокой ночью, она решила, что единственный способ обрести покой, — это вернуть деньги и уйти. Правда, тогда она все равно утаит то, о чем по праву должны узнать другие — хорошие парни. Если теперь она пойдет на попятную, Тесса бы ее точно осудила.

Мерсер легла в три ночи, понимая, что все равно не сможет заснуть. Ровно в пять она позвонила.

15

Элейн не спала и тихо потягивала в темноте кофе из первой на сегодня чашки, а лежавший рядом муж продолжал спать. По плану ей предстояла очередная поездка на остров Камино — уже десятая или одиннадцатая. Она отправится тем же рейсом из вашингтонского национального аэропорта имени Рейгана в Джексонвилл, штат Флорида, где ее встретит Рик или Грэхем. Они собирались в снятой под операцию квартире на пляже и оценивали обстановку. Все чувствовали волнение — как-никак их девушка провела выходные с «объектом». Наверняка ей удалось что-то узнать. Они позвонят ей, назначат встречу после обеда, и та поделится с ними какими-нибудь жареными фактами.

Однако в 05:01 все планы рухнули.

Услышав вибрацию телефона, Элейн посмотрела, кто звонит, вылезла из кровати и прошла на кухню.

— Немного рано для вас.

— Он оказался не таким ушлым, как мы считали, — сказала Мерсер. — У него есть рукопись «Последнего магната», и он показал мне ее вчера вечером. Она у него в сейфе, как мы и думали.

Закрыв глаза, Элейн с трудом переваривала услышанное.

— Вы уверены?

— Да. Вы мне показывали снимки, так что я точно уверена.

Элейн опустилась на табурет рядом с барной стойкой и попросила:

— Расскажите мне все.

16

В 6:00 утра Элейн позвонила Ламару Брэдшоу, руководителю Отдела ФБР по возврату редких ценностей, и разбудила его. Ему тоже пришлось изменить все свои планы. Через два часа они встретились в его кабинете в штаб-квартире ФБР на Пенсильвания-авеню для проведения установочного совещания. Как и ожидалось, Брэдшоу и его сотрудникам не понравилось, что Элейн со своей командой самостоятельно осуществили столь сложную операцию по разработке Брюса Кэйбла — одного из многих подозреваемых, чье имя было упомянуто вскользь на их встрече несколько месяцев назад. Кэйбл находился в списке ФБР вместе с десятком других подозреваемых, но оказался в нем исключительно из-за своей репутации. Брэдшоу не считал его разработку перспективной. ФБР терпеть не могло параллельные частные расследования, но в настоящий момент выяснять отношения было явно некстати. Брэдшоу пришлось умерить пыл и проглотить унижение, поскольку Элейн Шелби снова удалось найти похищенное. Заключив перемирие, стороны сразу приступили к разработке совместных планов.

17

В 6:00 утра Брюс Кэйбл проснулся в квартире над магазином. Он выпил кофе, около часа почитал, а потом спустился вниз в кабинет в Зале первых изданий. Включив компьютер, он занялся инвентаризацией. Самым неприятным для него в работе было определение наименований, которые он не сможет продать и должен вернуть издателям, предоставившим книги на реализацию. Каждую возвращенную книгу он считал своей недоработкой и воспринимал очень болезненно, но за двадцать лет научился относиться к этому как к неизбежному злу. Почти час Брюс бродил по темному магазину, забирая книги с полок и со столов, и собирал их в грустные маленькие стопки в кладовой.

В 8:45 он, как всегда, вернулся в квартиру, быстро принял душ, переоделся в привычный легкий костюм в полоску, выключил свет и ровно в девять открыл магазин. Дав задание двум сотрудникам, которые явились первыми, он спустился вниз и отпер металлическую дверь в подвал Ноэль. Там уже трудился Джейк, забивавший маленькие гвоздики в спинку старинного кресла. Письменный стол Мерсер был уже готов и стоял у стены.

После обмена приветствиями Брюс сказал:

— Наша знакомая мисс Манн передумала покупать этот стол. Ноэль хочет, чтобы его доставили по определенному адресу в Форт-Лодердейл. Пожалуйста, снимите с него ножки и найдите для перевозки подходящий контейнер.

— Сделаю, — пообещал Джейк. — Надо сегодня?

— Да, это срочно. В самую первую очередь.

— Как скажете, сэр.

18

В 11:06 из вашингтонского аэропорта имени Даллеса вылетел зафрахтованный самолет. На борту находились Элейн Шелби с двумя коллегами, а также Ламар Брэдшоу и четыре специальных агента. По пути Брэдшоу снова поговорил с федеральным прокурором штата Флорида, а Элейн позвонила Мерсер, которая находилась в городской библиотеке и пыталась поработать над романом. Она сказала, что в гостиничном номере невозможно сосредоточиться. Элейн считала, что несколько дней лучше держаться от книжного магазина подальше, и Мерсер заверила, что так и будет. Она достаточно наобщалась с Брюсом за последние дни и нуждалась в перерыве. В 11:20 напротив книжного магазина на Мэйн-стрит припарковался обычный грузовой фургон. Внутри находились три оперативных сотрудника джексонвилльского отделения ФБР. Направив видеокамеру на входную дверь «Книг Залива», они стали снимать каждого входящего и выходящего человека. Еще один фургон припарковался на Третьей улице, и два находившихся в нем сотрудника начали вести наблюдение. Их задача заключалась в съемке на камеру каждой поставки в магазин и отправке из него.

В 11:40 агент, одетый в шорты и сандалии, вошел в магазин и провел в нем несколько минут. Кэйбла он не увидел. Купив за наличные аудиокнигу «Одинокий голубь» Лари Макмертри, он вышел из магазина. В первом фургоне техник вскрыл коробку, вынул все восемь компакт-дисков и установил на их месте крошечную видеокамеру с аккумулятором.

В 12:15 Кэйбл вышел с неопознанным мужчиной и отправился на обед. Пять минут спустя другой агент, уже женщина, но тоже в шортах и сандалиях, вошла в магазин с коробкой от «Одинокого голубя». Купив наверху кофе, она немного посидела в кафе, затем спустилась на первый этаж и выбрала две книги в мягких обложках. Дождавшись, когда сотрудник магазина отойдет в другой конец магазина, она ловко вернула коробку с «Голубем» на стойку с аудиокнигами и взяла стоявший рядом «Последний киносеанс» того же автора. Заплатив за все книги, она спросила, где поблизости можно прилично пообедать. В первом фургоне агенты не сводили глаз с экрана ноутбука. Теперь, изнутри магазина, они могли отлично разглядеть всех, кого они видели только со спины при входе. Им оставалось только надеяться, что в ближайшее время никому не захочется слушать «Одинокого голубя».

В 12:31 зафрахтованный самолет приземлился в небольшом аэропорту острова Камино, расположенного в десяти минутах езды от центра Санта-Розы. Рик и Грэхем встречали Элейн с двумя помощниками. Брэдшоу и его команда загрузились в два внедорожника. Сегодня был понедельник, а по будням в гостиницах имелись свободные номера, так что высадившийся десант разместился в отеле рядом с гаванью, менее чем в пяти минутах ходьбы от книжного магазина. Заняв самый большой номер,

Брэдшоу устроил в нем командный пункт. На столе установили несколько ноутбуков, на экраны которых постоянно подавались изображения со всех камер наблюдения.

Все быстро перекусили, и вскоре в номере появилась Мерсер, которой представили всех присутствующих. Она поразилась размаху задействованных сил, и от мысли, что это она натравила их всех на ничего не подозревавшего Брюса Кэйбла, ей стало не по себе.

Элейн держалась в тени, и Мерсер допрашивали Брэдшоу и еще один специальный агент по имени Ванноу. Она все подробно рассказала, опустив лишь интимные подробности продолжительного уик-энда — это весьма романтическое приключение теперь казалось ностальгическим воспоминанием из далекого прошлого. Брэдшоу показал ей фотографии высокого разрешения, сделанные Принстоном с рукописей Фицджеральда несколько лет назад. У Элейн имелся такой же набор, и Мерсер его видела раньше. Да и еще раз да — по ее мнению, то, что она видела прошлой ночью в подвальном хранилище, было оригиналом рукописи «Последнего магната».

Да, это могло оказаться подделкой. Исключать ничего нельзя, но Мерсер так не думала. Зачем Брюсу принимать такие меры предосторожности и держать рукопись за семью печатями, если она поддельная?

Когда Брэдшоу повторил вопрос в третий раз и уже не скрывал скепсиса, Мерсер вспылила:

— Разве мы тут не в одной команде?

— Конечно, Мерсер, мы в одной команде, нам просто нужно иметь ясность, — мягко попытался успокоить ее Ванноу.

— У меня лично ясность имеется, это понятно?

После часа общения с фэбээровцами Мерсер поняла, насколько Элейн Шелби была умнее и тоньше, чем Брэдшоу и Ванноу. Однако Элейн передала ее ФБР, и командовать парадом, несомненно, теперь будут именно они. Во время перерыва Брэдшоу позвонил помощнику прокурора в Джексонвилле и узнал о возникших осложнениях. Как выяснилось, федеральный судья настаивал на проведении закрытого заседания с присутствием «свидетеля» и отказался вынести запрашиваемое решение на основе представленных в записи «свидетельских» показаний. У Брэдшоу и Ванноу вытянулись лица, но делать было нечего.

В 14:15 Мерсер посадили в машину. За рулем находился Рик, Грэхем занял переднее пассажирское кресло, а Мерсер с Элейн устроились сзади. Впереди поехал внедорожник с агентами ФБР с острова, и машины направились в сторону Джексонвилла. На мосту через реку Камино Мерсер прервала молчание и раздраженно поинтересовалась:

— Выкладывайте, что происходит?

Рик и Грэхем отвели глаза и промолчали. Элейн, откашлявшись, объяснила:

— Это все федеральные игры в действии, оплаченные вашими налогами. Федеральный агент Брэдшоу лезет на стенку от прокурора в этом округе, тоже федерального, и всех бесит федеральный судья, который выдает ордера на обыск. Они рассчитывали, что вы можете остаться на острове и дать показания,

которые будут предоставлены судье в записи. Брэдшоу говорит, что это обычная практика, но на этот
раз федеральный судья почему-то хочет услышать
вас лично. Итак, мы направляемся в суд.

— В суд?! Вы никогда не говорили ни о каких
показаниях в суде!

— Мы просто едем в здание федерального суда.
Скорей всего мы встретимся с судьей с глазу на глаз,
в его кабинете или еще где. Не волнуйтесь.

— Легко сказать! У меня вопрос. Если Кэйбла
арестуют, он может сам потребовать судебного раз-
бирательства, даже если будет пойман с поличным,
то есть с украденной рукописью?

Элейн подняла голову и сказала:

— Грэхем, это ты у нас юрист.

Грэхем фыркнул, словно это была шутка.

— Да, диплом у меня есть, но я никогда не работал по специальности. А ответ на ваш вопрос — нет,
обвиняемый не может быть принужден признать
себя виновным. Поэтому любое лицо, обвиняемое
в совершении преступления, может настаивать на
судебном разбирательстве. Но в нашем случае это
исключено.

— Это почему?

— Если рукопись окажется у Кэйбла, то на него станут оказывать немыслимое давление, чтобы он
раскололся. Возвращение всех пяти рукописей гораздо важнее наказания воров и мошенников. Кэйблу
начнут предлагать самые заманчивые сделки, чтобы
заставить его расколоться и вывести на остальные.
Мы понятия не имеем, насколько он в курсе, но готов поспорить, что он выложит все без утайки, лишь
бы спасти свою задницу.

— Но если он все-таки предстанет перед судом, меня же не будут вызывать в качестве свидетеля? — Так и не дождавшись ответа, Мерсер после затянувшейся неловкой паузы произнесла: — Послушайте, Элейн, вы никогда не говорили ни о каком суде. Черт возьми, не было ни слова о том, что мне, возможно, придется давать показания против Кэйбла. Я этого не стану делать!

Элейн попыталась ее успокоить:

— Вам не придется давать никаких показаний, Мерсер, поверьте. Вы просто молодчина, и мы очень гордимся вами.

— Перестаньте держать меня за дуру, Элейн! — не сдержалась Мерсер, хотя и не хотела реагировать так резко.

Долгое время все молчали, чувствуя повисшее в машине напряжение. Они находились на федеральной автостраде 95 и уже въезжали в пригороды Джексонвилла.

Здание федерального суда представляло собой высокое современное строение со множеством этажей и обилием стекла. Их пропустили через боковой вход, и они припарковались на маленькой служебной стоянке. Агенты ФБР тут же обступили Мерсер со всех сторон, будто ей требовалась защита. Лифт еле вместил всех сопровождавших ее лиц. Через несколько минут они оказались на этаже прокуратуры Среднего федерального судебного округа штата Флорида и были препровождены в конференц-зал, где их просили подождать. Брэдшоу и Ванноу достали свои мобильники и с кем-то приглушенно разговаривали. Элейн связалась со штаб-квартирой в Бетесде. У Рика и Грэхема тоже были важные звонки.

Мерсер сидела в одиночестве за огромным столом, и пообщаться ей было не с кем.

Примерно через двадцать минут появился серьезный молодой человек в темном костюме — черт возьми, тут все были в темных костюмах! — и представился помощником федерального прокурора Джейнуэем. Он объяснил, что судья Филби в настоящий момент проводит слушание по делу, где на кону стоит жизнь обвиняемого, и им придется немного подождать. А пока, если Мерсер не против, Джейнуэй хотел бы прояснить кое-какие детали показаний.

Мерсер пожала плечами. Разве у нее был выбор?

Джейнуэй ушел и вернулся с двумя сотрудниками тоже в темных костюмах, которые ей представились. Мерсер пожала им руки. Очень рада знакомству!

Они достали блокноты и устроились за столом напротив нее. Джейнуэй начал задавать вопросы, и стало сразу понятно, как мало он знал об этом деле. Медленно и не сразу Мерсер удалось заполнить все пробелы и ввести его в курс дела.

19

В 16:50 Мерсер, Брэдшоу и Ванноу проследовали за Джейнуэем в кабинет судьи Артура Филби, который поздоровался с таким видом, будто они вторглись незваными. После тяжелого дня он выглядел раздраженным и хмурым. Мерсер села на торце длинного стола рядом с судебным секретарем, который попросил ее поднять правую руку и поклясться говорить правду. Видеокамера на штативе была нацелена на свидетеля. Судья Филби, уже без черной мантии, восседал на другом конце, словно король на троне.

В течение часа Джейнуэй и Брэдшоу задавали ей вопросы, и она пересказала ту же историю уже в третий раз за день. Брэдшоу показал большие фотографии подвала, хранилища и открытого сейфа. Филби неоднократно прерывал ее своими вопросами, и многое из ее показаний повторялось больше двух раз. Однако ей удавалось сохранять выдержку, и ее не раз посещала забавная мысль, что Брюс Кэйбл был куда привлекательнее этих ребят, считавшихся хорошими.

Когда она закончила давать показания, все собрали вещи и поблагодарили за сотрудничество. Мерсер с трудом удержалась, чтобы не сказать: «Не за что. Мне платят за то, что я здесь». Ее отпустили, и она поспешно покинула здание вместе с Элейн, Риком и Грэхемом. Когда они отъехали, Мерсер спросила:

— И что будет дальше?

— Сейчас они готовят ордер на обыск, — ответила Элейн. — Ваши показания были идеальными, и у судьи не осталось никаких сомнений.

— И когда в книжном магазине произойдет обыск?

— Скоро.

Глава 8

РАЗВЯЗКА

1

Дэнни находился на острове уже десять дней и начинал терять терпение. Выследить Кэйбла, узнать его распорядок дня и где он бывает, для них с Рукером не представляло никакого труда. Они проследили и за Мерсер и знали все ее привычки — тоже элементарная, рутинная работа.

Запугивание сработало с Оскаром Стайном в Бостоне и, возможно, было их единственным надежным инструментом. Прямое столкновение с угрозой насилия. Как и Стайн, Кэйбл точно не мог обратиться в полицию. Если рукописи у него, то его можно силой принудить к заключению сделки. Если не у него, он почти наверняка знает, где они находятся.

Обычно Кэйбл уходил с работы около шести вечера и возвращался домой. В полшестого в понедельник Дэнни вошел в магазин и сделал вид, что выбирает книгу. По счастливой — для Кэйбла — случайности он в это время находился в подвале, а сотрудники знали, что рассказывать о подвале никому не следует.

А вот Дэнни удача изменила. После нескольких месяцев постоянных перелетов с измененной внешностью, беспрепятственного прохождения таможни и контрольно-пропускных пунктов по поддельным документам и паспортам, оплаты наличными за временное жилье он считал себя не только очень умным, но и неуловимым. Однако даже самые изворотливые преступники оказываются за решеткой, стоит им расслабиться и утратить бдительность.

На протяжении многих лет ФБР совершенствовало технологию распознавания лиц под названием «Тепловой отпечаток лица». В ее основе лежал алгоритм определения расстояния между глазами, носом и ушами человека, и за доли секунды изображение сравнивалось с фотографиями в банке данных применительно к конкретному расследованию. В «деле Гэтсби», как в ФБР именовалось расследование украденных рукописей, банк данных был сравнительно небольшим. Он включал десяток фотографий трех воров на стойке регистрации Библиотеки Файрстоуна, хотя Джерри Стингарден и Марк Дрисколл уже находились под стражей, а также несколько сотен фотографий людей, причастных или подозреваемых в причастности к миру краденых предметов искусства, артефактов и книг. Когда Дэнни вошел в магазин, камера, спрятанная в коробке из-под «Одинокого голубя», запечатлела его лицо, как и лица всех других посетителей «Книг Залива», начиная с полудня того дня. Изображение было отправлено на ноутбук в фургоне через дорогу и, что даже важнее, в криминалистическую лабораторию ФБР в Квантико, штат Вирджиния. Программа зафиксировала совпадение и тут же оповестила сотрудника сигналом. Уже через несколько секунд после входа в магазин Дэнни был опознан как третий вор в «деле Гэтсби».

Двое уже были пойманы. Трэй, четвертый, покоился на дне пруда в Поконосе, и его тело никогда не найдут и не свяжут с ограблением. Ахмед, пятый, по-прежнему скрывался в Европе.

Через пятнадцать минут Дэнни вышел из магазина, повернул за угол и сел в «Хонду-Аккорд» 2011 года выпуска. Второй фургон последовал за ним, стараясь держаться на расстоянии, и сначала потерял его, а затем обнаружил «Хонду» на парковке мотеля «Морской бриз», располагавшегося у пляжа в ста ярдах от гостиницы «Маяк». Было установлено наблюдение.

«Хонду-Аккорд» арендовали у фирмы в Джексонвилле, занимавшейся прокатом автомобилей, в том числе за наличные. Аренда была оформлена на некоего Уилбера Шиффлета, и менеджер признался ФБР, что водительские права штата Мэн выглядели подозрительными. Шиффлет заплатил за двухнедельную аренду тысячу долларов наличными и отказался от страховки.

ФБР не могло поверить в столь невероятную удачу. Но зачем одному из грабителей болтаться возле книжного магазина через восемь месяцев после кражи? Он что — следил и за Мерсер тоже? Был ли он связан с Кэйблом? Набралось много вопросов, которые требовали обсуждения и анализа, но на данном этапе сведения Мерсер убедительно подтверждались. По крайней мере одна из рукописей находилась в подвале.

Вечером Дэнни вышел из своего номера 18, а Рукер — из соседнего. Они направились в популярный гриль-бар «Прибой» на открытом воздухе, который располагался в сотне ярдов от их мотеля, и заказали сандвичи и пиво. Пока они ели, четыре агента ФБР прошли в кабинет управляющего мотеля «Морской бриз» и вручили ему ордер на обыск. В номере Дэнни они нашли под кроватью спортивную сумку с девятимиллиметровым пистолетом, шестью тысячами долларов наличными и поддельными водительскими правами штатов Теннесси и Вайоминг. Однако никаких зацепок, которые позволили бы установить личность «Уилбера», отыскать не удалось. В соседнем номере агенты не нашли ничего полезного.

Когда Дэнни и Рукер вернулись в «Морской бриз», их арестовали, посадили в разные машины и доставили в офис ФБР в Джексонвилле. Там их допросили и сняли отпечатки пальцев. Оба набора отпечатков загрузили в банк данных и к десяти утра установили личности. В военных архивах с отпечатками Дэнни имелось его имя: Деннис Аллен Дэрбан, тридцать три года, родился в Сакраменто. Рукера выдало его криминальное прошлое: Брайан Байер, тридцать девять лет, родился в Грин-Бей, штат Висконсин. Оба отказались сотрудничать и были заключены под стражу. Ламар Брэдшоу решил выждать несколько дней, ничего не предпринимая, и посмотреть, не будет ли какой реакции на новость об их арестах.

Мерсер находилась с Элейн, Риком и Грэхемом на конспиративной квартире и играла с ними в карты, чтобы убить время. Им сообщили об арестах, но без подробностей. Брэдшоу позвонил в одиннадцать, поговорил с Элейн и восполнил большую часть имевшихся пробелов. События развивались очень быстро. Накопилось много нерешенных вопросов. Все должно было решиться завтра. Что касается Мерсер, Брэдшоу распорядился убрать ее с острова.

2

Весь вторник магазин находился под неусыпным контролем, но ничего подозрительного замечено не было. Никаких воров, болтающихся поблизости, никаких сомнительных пакетов не отправлялось. В 10:50 грузовик привез шесть коробок с книгами и уехал, ничего не забрав. Кэйбл находился то наверху, то внизу, помогал клиентам, читал, как всегда, на своем любимом месте. И конечно же, как обычно, ушел на обед в 12:15 и через час вернулся.

В 17:00 Ламар Брэдшоу и Дерри Ванноу вошли в магазин и спросили у Кэйбла, где бы они могли поговорить. Брэдшоу тихо представился, произнеся лишь одно слово: «ФБР». Они проследовали за Брюсом в Зал первых изданий, и он закрыл за ними дверь. Потом попросил показать удостоверения, и те предъявили свои жетоны. Вручив Кэйблу ордер на обыск, Ванноу сообщил:

— Мы здесь, чтобы обыскать подвал.

Продолжая стоять, Брюс поинтересовался:

— Ладно, и что вы хотите там найти?

— Украденную коллекцию рукописей Фрэнсиса Скотта Фицджеральда, принадлежащую Библиотеке Принстона, — ответил Брэдшоу.

Ничуть не смутившись, Брюс засмеялся и спросил:

— Вы это серьезно?

— А как вы думаете?

— Похоже, что да. Не возражаете, если я прочитаю это? — Он показал на ордер.

— Валяйте. Сейчас в магазине находятся пять агентов, включая нас.

— Ладно, чувствуйте себя как дома. Наверху есть кофе.

— Мы знаем.

Брюс сел за стол и внимательно ознакомился с текстом ордера. Он не торопился, медленно переворачивал страницы, всем своим видом демонстрируя безмятежность. Закончив, он заметил:

— Да, тут все достаточно конкретно.

Затем встал, потянулся и подумал, что делать дальше.

— В нем указано только хранилище в подвале, так?

— Так, — подтвердил Брэдшоу.

— Там очень много ценных вещей, а ваши ребята известны тем, что после обыска с ордером оставляют после себя полный разгром.

— Вы слишком много насмотрелись телевидения, — возразил Ванноу. — Мы знаем, что делаем, а если станете с нами сотрудничать, никто в магазине даже не узнает, что мы здесь были.

— Сомневаюсь.

— Пойдемте.

Прихватив с собой ордер, Брюс отвел их к задней части магазина, где уже поджидали три других агента, одетые как обычные туристы. Брюс сделал вид, что не замечает их, и отпер дверь в подвал. Щелкнув выключателем, он предупредил:

— Осторожно, здесь ступеньки.

В подвале он включил другой свет и остановился у двери в хранилище, где набрал код. Потом открыл хранилище, снова зажег свет, и когда все пять агентов оказались внутри, пояснил, показывая рукой на стены:

— Все это редкие первые издания. Вряд ли они вас заинтересуют.

Один агент достал небольшую видеокамеру и начал снимать интерьер хранилища.

— Откройте сейф! — скомандовал Брэдшоу, и Брюс подчинился. Распахнув дверцу, он указал на верхние полки:

— Тут самые редкие книги. Хотите посмотреть?

— Возможно, позже, — ответил Брэдшоу. — Начнем с этих четырех ящиков.

Он точно знал, где искать.

Брюс вытащил первый. В нем лежали два кедровых футляра, как и говорила Мерсер. Взяв один, он положил его на стол и открыл крышку.

— Это оригинальная рукопись романа Джона Данна Макдональда «Темнее, чем янтарь», опубликованного в 1966 году. Я купил ее около десяти лет назад, и у меня есть счет, чтобы доказать это.

Брэдшоу и Ванноу склонились над рукописью.

— Не возражаете, если мы посмотрим ее? — спросил Ванноу. Оба были опытными сотрудниками и знали, как следует действовать.

— Извольте.

Рукопись была напечатана, и страницы сохранились в отличном состоянии и почти не выцвели. Полистав, они потеряли к ней интерес.

— А другая? — поинтересовался Брэдшоу.

Вытащив второй кедровый футляр, Брюс положил его на стол рядом с первым и поднял крышку.

— Еще одна рукопись Макдональда, «Одинокий серебряный дождь», опубликованная в 1985 году. Счет на нее также имеется.

Она тоже была аккуратной, с заметками на полях, и напечатана на машинке. Чтобы снять возможные вопросы, Брюс добавил:

— Макдональд жил на судне, где имелся генератор, вырабатывавший электричество. Печатал он на старой механической пишущей машинке «Андервуд» и в работе был настоящим педантом. Его рукописи удивительно опрятные.

Эта рукопись их явно не интересовала, но несколько страниц они все равно перевернули.

Брюс не отказал себе в удовольствии съязвить:

— Я, конечно, не могу утверждать точно, но разве Фицджеральд не писал свои романы от руки?

Ответа он не дождался.

Брэдшоу повернулся к сейфу и распорядился:

— Теперь второй ящик.

Брюс его выдвинул, и фэбээровцы нетерпеливо в него заглянули. В ящике ничего не было. В третьем и четвертом тоже. Ошеломленный Брэдшоу посмотрел на Ванноу, тупо разглядывавшего пустые ящики и не верившего своим глазам.

Не в силах оправиться от шока, Брэдшоу скомандовал:

— Выньте из сейфа все!

— Нет проблем, — отозвался Брюс. — Однако ясно, во всяком случае для меня, что вам, парни, слили какую-то дезу. Я не торгую крадеными вещами и ни за что бы не стал связываться с рукописями Фицджеральда.

— Выньте из сейфа все! — повторил Брэдшоу, не удостоив его ответом.

Брюс положил две рукописи Макдональда в верхний ящик, а затем вынул с верхней полки футляр с первым изданием «Над пропастью во ржи».

— Желаете посмотреть?

— Да, — ответил Брэдшоу.

Брюс осторожно открыл футляр и достал книгу. Он поднял ее, чтобы показать и заснять на видео, а затем вернул на место.

— Вы хотите все проверить?

— Именно так, — подтвердил Брэдшоу.

— Пустая трата времени. Здесь хранятся опубликованные романы, а не рукописи.

— Мы в курсе.

— Эти футляры изготовлены на заказ для каждой книги и слишком малы для хранения рукописей.

Это было и так понятно, но они никуда не торопились и должны были произвести тщательный досмотр.

— Дальше! — велел Брэдшоу, кивая на полки в сейфе.

Брюс методично вынимал книги по одной, открывал футляры, показывал содержимое, а затем откладывал в сторону. Видя, как он с готовностью все демонстрирует, Брэдшоу и Ванноу переглядывались, качая головами и закатывая глаза, и выглядели абсолютно сбитыми с толку, понимая, что их ловко обвели вокруг пальца.

Когда все сорок восемь книг из сейфа оказались на столе, в нем остались только две рукописи Макдональда в верхнем ящике. Брэдшоу подошел к сейфу, словно хотел найти потайные отделения, но было очевидно, что места для них там просто нет. Почесав подбородок, он провел рукой по редеющим волосам.

— А что насчет этих? — поинтересовался Ванноу, показывая на книжные полки вдоль стен.

— Это редкие первые издания, книги, изданные давно. Они составляют коллекцию, которую я собирал двадцать лет. Опять же это романы, а не рукописи. Полагаю, вы хотите посмотреть на них тоже.

— Само собой, — подтвердил Ванноу.

Брюс достал ключи и разблокировал дверцы книжных полок. Агенты рассеялись по хранилищу и стали осматривать ряды заполнявших полки книг, но в шкафах не было вообще ничего размером с объемную рукопись. Брюс внимательно наблюдал за ними, готовый сразу вмешаться, если книгу попытаются вынуть. Но осмотр проводился аккуратно и очень профессионально, и через час поиски в хранилище закончились, так и не дав никаких результатов. Был осмотрен каждый дюйм. Когда фэбээровцы покинули хранилище, Брюс закрыл в него дверь, но не запер ее.

Брэдшоу окинул взглядом подвал, заставленный стеллажами со старыми книгами, журналами, гранками и ознакомительными экземплярами.

— Не возражаете, если мы посмотрим? — спросил он в последней отчаянной попытке что-то найти.

— Ну, в соответствии с ордером, обыск ограничивается хранилищем, но какого черта! Смотрите. Все равно ничего не найдете.

— Значит, вы даете согласие.

— Само собой. А почему нет? Давайте потеряем еще немного времени.

Фэбээровцы рассредоточились по складу с рухлядью и с полчаса все осматривали, словно пытаясь оттянуть неизбежный провал. Признать поражение было немыслимо, однако они наконец сдались. Брюс поднялся за ними по лестнице и проводил до входной двери. Брэдшоу протянул руку и произнес:

— Приношу извинения за доставленные неудобства.

Пожав ее, Брюс осведомился:

— Значит, вопрос со мной закрыт, или я все еще подозреваемый?

Брэдшоу достал из кармана визитную карточку и протянул Брюсу.

— Я позвоню завтра и отвечу на этот вопрос.

— Отлично. А еще лучше, я свяжусь со своим адвокатом, и он позвонит вам.

— Как вам будет угодно.

Когда они ушли, Брюс повернулся и увидел, что на него вопросительно смотрят два продавца.

— Управление по борьбе с наркотиками, — объяснил он. — Ищут лабораторию по производству метамфетаминов. А теперь возвращайтесь к работе.

3

Старейшим баром на острове был «Пиратский салун», расположенный в трех кварталах к востоку от книжного магазина. Когда стемнело, Брюс встретился там со своим адвокатом Майком Вудом, чтобы пропустить по стаканчику. Они заняли столик в углу, и Брюс, наклонившись поближе, рассказал за порцией виски об обыске. Майк был слишком искушенным адвокатом, чтобы спрашивать Брюса, знал ли тот что-нибудь об украденных рукописях.

— А можно ли выяснить, являюсь ли я по-прежнему подозреваемым?

— Попробую. Завтра я позвоню этому парню, но полагаю, ответ будет «да».

— Я хотел бы знать, станут ли они за мной следить в предстоящие полгода. Послушай, Майк, на следующей неделе я еду на юг Франции к Ноэль. Если эти ребята не будут спускать с меня глаз, мне бы хотелось это знать. Черт, я сообщу им номера своих рейсов и позвоню, когда вернусь домой. Мне нечего скрывать.

— Я передам ему, но пока исходи из того, что они отслеживают каждое твое движение, слушают все телефонные разговоры и читают все электронные письма и эсэмэски.

Брюс сделал вид, что не может в это поверить и ужасно расстроен, но на самом деле последние два месяца его не покидало ощущение, что кто-то, может, ФБР, а может, и еще кто, за ним постоянно следит.

На следующий день, в среду, Майк Вуд четыре раза звонил Ламару Брэдшоу на сотовый, но его все время переключали на голосовую почту. Майк оставлял сообщения, но ни на одно ответа не получил. В четверг Брэдшоу перезвонил сам и подтвердил, что мистер Кэйбл по-прежнему представляет для них интерес, но уже не является объектом расследования.

Майк проинформировал Брэдшоу, что его клиент скоро покинет страну, и сообщил номер его рейса и в каком отеле в Ницце тот проведет несколько дней с женой. Брэдшоу поблагодарил за информацию и сказал, что ФБР не интересуют зарубежные вояжи Кэйбла.

4

В пятницу Дэнни Дэрбана и Брайана Байера, известного также как Джо Рукер, доставили самолетом в Филадельфию, а оттуда перевезли на машине в Трентон, где после очередного допроса развели по разным камерам. Вскоре Дэнни доставили в комнату для допросов, усадили за стол, дали чашку кофе и велели подождать. Специальный агент Макгрегор привел в соседнее помещение Марка Дрисколла и его адвоката Гила Петрочелли и через одностороннее окно показал Дэнни, скучавшего в одиночестве.

— Мы схватили вашего приятеля, — сообщил Макгрегор Марку. — Арестовали его во Флориде.

— И? — спросил Петрочелли.

— И теперь у нас есть все трое, которые были в Библиотеке Файрстоуна. Все видели?

— Да, — ответил Дрисколл.

Они прошли в другую допросную, и, когда все расселись за маленьким столиком, Макгрегор сказал:

— Мы не знаем, сколько еще у вас было сообщников, но они точно были. Кто-то снаружи отвлекал внимание, пока ваша троица орудовала внутри библиотеки. Кто-то взломал систему безопасности кампуса и электросети. Это уже как минимум пять человек, но, возможно, и больше, и рассказать об этом можете только вы. Вскоре рукописи окажутся в наших руках, и тогда мы выдвинем целый букет обвинений. Мы готовы предложить вам невероятную сделку, мистер Дрисколл. Вы все рассказываете и выходите на свободу. Все обвинения с вас будут сняты. По программе защиты свидетелей мы поселим вас в хорошем месте, снабдим чистыми документами, приличной работой, всем, чем захотите. Однако если назначат судебное разбирательство, вам, конечно, придется дать показания, хотя я, признаться, сомневаюсь, что до этого дойдет.

Восьми месяцев за решеткой Марку хватило с избытком. Дэнни внушал ему страх, но после его ареста он наконец мог вздохнуть с облегчением. Угроза возмездия уже не казалась столь реальной. Трэй не отличался жестокостью, и все равно в бегах. Если Марк про него расскажет, то на свободе Трэю гулять недолго. Ахмед был компьютерным ботаником и дохляком, боявшимся собственной тени. Казалось невероятным, что он станет мстить.

— Мне надо подумать, — сказал Марк.

— Мы обсудим это, — заверил Петрочелли.

— Хорошо, сегодня пятница. У вас есть выходные, чтобы принять решение. Я вернусь в понедельник утром. После этого предложение о сделке отзывается.

В понедельник Марк согласился на сделку.

5

Во вторник 19 июля Брюс Кэйбл вылетел из Джексонвилла в Атланту, где сел на прямой рейс в Париж компании «Эйр Франс», а оттуда через два часа вылетел в Ниццу. Он прибыл туда в восемь утра и взял такси до «Ля Перуз» — стильного бутик-отеля на берегу моря, который они с Ноэль открыли для себя во время первой совместной поездки по Франции десять лет назад. Она ждала его в вестибюле в коротком белом платье и элегантной соломенной шляпе с широкими полями и выглядела настоящей француженкой. Они поцеловались и обнялись, будто не виделись долгие годы, и, взявшись за руки, направились к террасе у бассейна, где заказали шампанское и снова поцеловались. Когда Брюс признался, что голоден, они поднялись в номер на третьем этаже и заказали туда обед. Накрыть его они попросили на балконе, где и приступили к трапезе под лучами ласкового солнца. Внизу тянулся длинный пляж, за которым проснувшийся Лазурный берег становился все оживленнее. Брюс не отдыхал уже несколько месяцев и предвкушал возможность расслабиться. После долгого сна разницы во времени он больше не чувствовал, и они пошли в бассейн.

Как всегда, он спросил о Жан-Люке, и Ноэль сказала, что с ним все в порядке. Брюс передал ему привет. Она спросила о Мерсер, и Брюс все ей рассказал. Он сомневался, что они снова увидятся.

Поздно вечером Брюс и Ноэль вышли из отеля и через пять минут оказались в треугольнике Старого города — главной местной достопримечательности с многовековой историей. Смешавшись с толпой туристов, они бродили по оживленным уличным рынкам, разглядывали витрины бутиков на тесных улочках, по которым не могли проехать автомобили, лакомились мороженым и кофе в одном из многочисленных кафе на открытом воздухе. Они плутали по переулкам, часто сбивались с пути, но всегда ненадолго. Море обязательно оказывалось сразу за поворотом. Они шли, взявшись за руки, ни на мгновение не расставаясь, и временами казалось, что их буквально притягивает друг к другу какая-то неведомая сила.

6

В четверг Брюс и Ноэль встали поздно, позавтракали на террасе и, приняв душ и одевшись, вернулись в Старый город. Они бродили по цветочным рынкам и восхищались невероятным разнообразием цветов, многие из которых даже Ноэль видела впервые. Потом устроились за столиком кафе, потягивая эспрессо и наблюдая за столпотворением возле барочного собора на площади Россетти. Когда наступил полдень, они оказались на краю Старого города, где улица была чуть шире и с трудом, но ползли машины. Разыскав на ней антикварный магазин, они зашли внутрь, и Ноэль поговорила с владельцем, после чего тот подозвал рабочего, который отвел их в небольшую мастерскую сзади, заполненную столами и шкафами на разных этапах реставрации.

Показав на большой деревянный ящик, рабочий сказал Ноэль, что он только прибыл. Проверив прикрепленную сбоку транспортную бирку, она попросила открыть ящик. Тот принес перфоратор и принялся вывинчивать двухдюймовые шурупы, державшие крышку. Их было не меньше десятка, и он работал медленно и методично — чувствовалось, что ему приходится заниматься этим довольно часто. Брюс стоял рядом и внимательно наблюдал, а Ноэль больше интересовал старый стол, стоявший неподалеку. Когда работа была закончена, Брюс с рабочим сняли крышку и отставили в сторону.

Ноэль что-то сказала рабочему, и тот исчез. Брюс вынул из ящика толстый слой упаковочного наполнителя, и перед глазами оказался письменный стол Мерсер. Под его крышкой располагались в ряд три ящика, но их лицевые стороны были муляжом, скрывавшим тайник. Вооружившись гвоздодером, Брюс осторожно отогнул панель с муляжом. За ней лежали пять одинаковых кедровых футляров, изготовленных краснодеревщиком на острове Камино по особому заказу.

«Гэтсби» и его приятели.

7

Встреча состоялась в 09:00 и производила впечатление марафонского забега. Длинный стол завален бумагами, будто за ним работали много часов. На дальнем конце был установлен большой экран, возле которого стояло блюдо с пончиками и два кофейника. Агент Макгрегор с тремя другими фэбээровцами расположились с одной стороны, а рядом с ними разместились помощник прокурора Карлтон в окружении неулыбчивых молодых людей в темных костюмах. По другую сторону стола сидел Марк Дрисколл, и слева от него — его верный адвокат Петрочелли.

Марк уже предвкушал выход на свободу и жизнь в новом мире. Он был готов выложить всё.

Макгрегор заговорил первым:

— Давайте начнем с команды. В библиотеке действовали трое, верно?

— Верно. Я, Джерри Стингарден и Дэнни Дэрбан.

— А другие?

— Снаружи находился Тим Мальданадо, которого все звали Трэй. Не знаю, откуда он родом, потому что большую часть жизни провел в бегах. Его мать зовут Айрис Грин, и она живет на Бакстер-роуд в Манси, штат Индиана. Вы можете к ней съездить, но, думаю, она не видела сына уже очень давно. Около двух лет назад Трэй сбежал из федеральной тюрьмы в Огайо.

— А зачем вам знать, где живет его мать? — спросил Макгрегор.

— Все это было частью плана. Мы выучили кучу разных вещей, чтобы ни у кого не возникло соблазна заговорить в случае поимки. Угроза возмездия, которая тогда казалась действительно эффективным средством.

— И когда вы видели Трэя в последний раз?

— Двенадцатого ноября прошлого года, в тот день, когда мы с Джерри вышли из охотничьего домика и поехали в Рочестер. Мы оставили его там с Дэнни. Я понятия не имею, где он может быть.

На экране появилось фото улыбавшегося Трэя, сделанное крупным планом.

— Это он, — подтвердил Марк.

— И какова была его роль?

— Отвлекающий маневр. Он вызвал переполох дымовыми шашками и петардами. Потом позвонил 911, сказал, что какой-то парень с пистолетом открыл стрельбу по студентам. Я тоже сделал пару-тройку звонков из библиотеки.

— Хорошо, мы вернемся к этому позже. А кто еще участвовал?

— Всего нас было пятеро, а пятый — Ахмед Мансур, американец ливанского происхождения, который работал из Буффало. В ту ночь его не было. Он — хакер, спец по изготовлению фальшивых документов и компьютерам. Долго работал на спецслужбы США, пока его оттуда не выгнали, после чего он занялся криминалом. Ему около пятидесяти лет, разведен, живет с женщиной в доме 662 на Уошберн-стрит в Буффало. Насколько мне известно, судимости не имеет.

Хотя показания Марка снимали на пленку и записывали на магнитофон, все четыре фэбээровца и пятеро мрачных молодых людей из прокуратуры лихорадочно делали пометки в блокнотах, будто боялись что-то пропустить.

— Хорошо, если вас всего было пятеро, то кто этот парень? — спросил Макгрегор и показал на экран с фотографией Брайана Байера.

— Никогда его раньше не видел.

— Это тот самый, что ударил меня на стоянке несколько недель назад. Велел передать моему клиенту, чтобы тот держал рот на замке, — вмешался Петрочелли.

— Мы задержали его с Дэнни во Флориде, — пояснил Макгрегор. — Бандит-рецидивист, настоящее имя — Брайан Байер, известен как Рукер.

— Я не знаю его, — повторил Марк. — Он не был членом нашей команды. Наверное, Дэнни привлек его для поиска рукописей.

— Нам мало о нем известно, а сам он молчит, — признался Макгрегор.

— С нами его не было, — уверенно заявил Марк.

— Вернемся к команде. Расскажите нам о плане. Как он возник?

Марк улыбнулся, расслабился, отпил большой глоток кофе и начал рассказывать.

8

Аккуратный книжный магазинчик на улице Сен-Сюльпис в самом сердце 6-го округа на левом берегу Парижа, которым месье Гастон Шапель владел уже двадцать восемь лет, мало изменился за это время. Такие магазинчики разбросаны по всему центру города, и каждый из них специализируется на чем-то своем. Месье Шапель торговал редкими французскими, испанскими и американскими романами девятнадцатого и двадцатого веков. Его друг, державший книжную лавку в двух шагах от него, имел дело только со старинными картами и атласами. Магазинчик за углом торговал старинными гравюрами и письмами, написанными историческими фигурами. Обычные прохожие заглядывали в них редко и ограничивались, как правило, разглядыванием витрин, а редкими клиентами были не туристы, искавшие что почитать, а серьезные коллекционеры со всего мира.

В понедельник 25 июля месье Шапель запер магазин в одиннадцать утра и сел в ожидавшее такси. Через двадцать минут он подъехал к административному зданию на авеню Монтень в 8-м округе и отпустил машину. При входе в здание он с опаской оглянулся, хотя причин тревожиться у него не было. Он не делал ничего противозаконного, по крайней мере по французскому законодательству.

После разговора с ним очаровательная секретарша принялась кому-то звонить, а сам он прогуливался по фойе и остановился перед огромным художественным панно с картой мира — горделивым свидетельством размаха деятельности юридической фирмы «Скалли и Першинг», чье название в бронзе венчало панно. Месье Шапель насчитал сорок четыре города в самых разных странах мира, где имелись отделения фирмы. Накануне он зашел на страницу сайта «Скалли», где говорилось, что в фирме работают три тысячи юристов и она является одной из крупнейших юридических контор в мире.

Получив разрешение его пропустить, секретарша направила месье Шапеля на третий этаж. Он поднялся по лестнице и вскоре нашел кабинет некоего Томаса Кендрика, одного из старших партнеров, обязанного своим статусом исключительно диплому бакалавра, полученному в Принстоне. Кроме того, у него имелись дипломы Колумбийского университета и Сорбонны. Мистеру Кендрику было сорок восемь лет, он родился в Вермонте, но сейчас имел двойное гражданство. Женившись на француженке, он после Сорбонны так и остался в Париже. Специализируясь на сложных судебных разбирательствах международного масштаба, он, во всяком случае по телефону, не был расположен тратить время на скромного владельца книжного магазина. Однако месье Шапель проявил редкую настойчивость, и тому пришлось уступить.

Они разговаривали на французском, и после сухого обмена приветствиями мистер Кендрик сразу перешел к делу:

— Чем я могу быть вам полезен?

— У вас имеются тесные связи с Принстонским университетом, вы даже были членом его Попечительского совета, — начал месье Шапель. — Я полагаю, вы знакомы с президентом Принстона доктором Карлайлом.

— Да. Я поддерживаю тесные связи со своей альма-матер. А могу я узнать, какое это имеет значение?

— Это имеет очень большое значение. У меня есть друг, у которого есть знакомый, который знает человека, владеющего рукописями Фицджеральда. Тот человек хотел бы вернуть их в Принстон, разумеется, за плату.

С Кендрика разом слетел весь лоск, присущий важным господам, чье время стоит тысячу долларов в час. У него отвисла челюсть, а глаза округлились, будто он получил удар под дых.

— Я всего лишь посредник, такой же, как и вы, — продолжил Шапель. — Нам нужна ваша помощь.

Мистеру Кендрику совсем не улыбалось продолжать тратить время на нечто, что никак не оплачивалось, однако отклонить предложение об участии в такой потрясающей сделке было просто невозможно. Если этот парень говорит правду, то он, Кендрик, может сыграть жизненно важную роль в получении приза, который его любимый университет ценил выше всего остального. Откашлявшись, он поинтересовался:

— Насколько я понимаю, с рукописями все в порядке, и все они находятся в одних руках?

— Именно так.

Кендрик улыбнулся, но мысли в голове бешено крутились.

— И где должен осуществиться обмен?

— Здесь. В Париже. Обмен будет тщательно спланирован, и все указания должны строго выполняться. Не вызывает сомнения, мистер Кендрик, что мы имеем дело с преступником, который обладает бесценными активами и не хочет попасться. Он очень умен и расчетлив, и при малейшей ошибке, оплошности или намеке на неприятности рукописи исчезнут навсегда. У Принстона есть только один-единственный шанс вернуть рукописи. Уведомление полиции стало бы серьезной ошибкой.

— Я не уверен, что Принстон будет действовать без ФБР. Знать этого я, конечно, не могу.

— Тогда не будет никакой сделки. Точка! Принстон больше не увидит их никогда.

Кендрик поднялся и заправил рубашку из тонкой ткани поглубже в сшитые на заказ брюки. Затем подошел к окну и спросил:

— И какова цена?

— Очень высокая.

— Это понятно. Но мне нужно их как-то сориентировать.

— Четыре миллиона долларов за рукопись. И эта цифра не подлежит обсуждению.

Для профессионала, имевшего дело с судебными исками на миллиарды, сумма выкупа не поразила Кендрика. И Принстон она тоже не испугает. Он сомневался, что университет располагал такими средствами на непредвиденные расходы, однако в его активе имелись двадцать пять миллиардов долларов целевого фонда для некоммерческого использования и тысячи богатых выпускников.

Кендрик отошел от окна и произнес:

— Понятно, что мне нужно сделать несколько звонков. Когда мы снова встретимся?

Шапель поднялся и ответил:

— Завтра. И хочу еще раз напомнить, мистер Кендрик, что любое участие полиции здесь или в США будет иметь самые пагубные последствия.

— Я вас понял. Спасибо, что обратились ко мне, мистер Шапель.

Они пожали друг другу руки и попрощались.

В десять утра перед Люксембургским дворцом на улице Вожирар остановился черный «Мерседес». Из него вылез Томас Кендрик и направился по тротуару к знаменитому парку. Он вошел в него через кованые железные ворота и, смешавшись с толпой посетителей, добрался до озера, вокруг которого сидели, читали и просто загорали на утреннем солнце сотни парижан и туристов. Дети гоняли по водной глади игрушечные катера. На низком каменном барьерчике вокруг озера сидели влюбленные парочки. Кругом сновали бегуны, которым совершение пробежки ничуть не мешало смеяться и разговаривать. У памятника Делакруа к Кендрику подошел, не здороваясь, Гастон Шапель с портфелем в руке. Они направились по широкой дорожке в сторону от озера.

— За мной следят? — спросил Кендрик.

— Да, здесь есть люди. У человека с рукописями имеются сообщники. А за мной следят?

— Нет. Уверяю вас.

— Отлично. Полагаю, ваши переговоры прошли успешно.

— Я вылетаю в США через два часа. Завтра я встречусь с людьми в Принстоне. Они понимают правила. Вас не должно удивлять, мистер Шапель, что им хотелось бы удостовериться в серьезности предложения и получить некое подтверждение.

Продолжая шагать, Шапель вытащил из портфеля папку.

— Этого должно быть достаточно, — сказал он.

Кендрик взял папку.

— А могу я узнать, что в ней?

Шапель, улыбнувшись, ответил:

— Там первая страница третьей главы «Великого Гэтсби». Насколько я могу судить, это подлинник.

— Боже мой! — пробормотал пораженный Кендрик.

9

Д-р Джеффри Браун практически бегом промчался по кампусу Принстона и торопливо поднялся по ступенькам Нассау-Холла, в котором располагалась администрация. Занимая должность директора Отдела рукописей Библиотеки Файрстоуна, он даже не помнил, когда в последний раз был в кабинете президента. Но еще ни разу его не вызывали на встречу, названную «срочной». Его работа никогда не была связана со «срочностью».

Его встретила секретарша, которая тут же проводила в кабинет президента Карлайла, который тоже ждал, нервно расхаживая. Д-р Браун быстро познакомился с юристом университета Ричардом Фарли и Томасом Кендриком. Атмосфера в кабинете была пронизана напряжением.

Карлайл предложил всем занять места за небольшим столом для переговоров и обратился к Брауну:

— Извините за срочность, но у нас есть нечто, требующее проверки. Вчера в Париже мистеру Кендрику передали один лист бумаги, который якобы является первой страницей третьей главы оригинальной рукописи Ф. Скотта Фицджеральда «Великий Гэтсби». Взгляните.

Он открыл папку. Браун, задыхаясь, посмотрел на страницу, осторожно коснулся верхнего правого угла и закрыл лицо руками.

10

Два часа спустя президент Карлайл созвал второе совещание за тем же столом. Д-ра Брауна отпустили, и в его кресле сидела Элейн Шелби. Рядом с ней — Джек Лэнс, ее клиент и генеральный директор страховой компании, которой грозила выплата двадцати пяти миллионов. Она еще не оправилась от провала своей блестящей операции по выведению Брюса Кэйбла на чистую воду, но быстро оживилась, узнав, что рукописи снова всплыли. Элейн знала, что Кэйбла не было на острове Камино, но не знала, что он во Франции. ФБР было в курсе, что он прилетел в Ниццу, однако слежку с него сняли. Информацией с Элейн фэбээровцы не делились.

Томас Кендрик и Ричард Фарли заняли места напротив Элейн и Лэнса. Президент Карлайл протянул папку и сказал:

— Это передали нам вчера в Париже. Этот лист — из рукописи «Гэтсби», и мы удостоверились в его подлинности.

Элейн открыла папку и посмотрела. Лэнс последовал ее примеру, и оба промолчали. Кендрик рассказал о встрече с Гастоном Шапелем и изложил условия сделки.

Когда он закончил, снова взял слово Карлайл:

— Понятно, что нашим приоритетом является получение рукописей. Конечно, поймать жулика было бы неплохо, но сейчас это не имеет большого значения.

— Значит, ФБР мы не подключаем? — уточнила Элейн.

— Юридически мы не обязаны, — ответил Фарли. — Частные сделки не возбраняются, но нам бы хотелось узнать ваше мнение. Вы в курсе всего гораздо больше нас.

Чуть отодвинув папку, Элейн задумалась над ответом. Потом медленно заговорила, тщательно подбирая каждое слово:

— Я разговаривала с Ламаром Брэдшоу два дня назад. Три человека, похитившие рукописи, находятся под стражей, и один из них заключил сделку. Два других сообщника так и не были найдены, но у ФБР есть их имена, и поиск продолжается. Что касается ФБР, то преступление было раскрыто. От «частной сделки» они не придут в восторг, но поймут. Если честно, им станет легче, если рукописи вернутся в Принстон.

— Вам приходилось делать подобное раньше? — спросил Карлайл.

— О да, и не раз. Выкуп платится тайно. Товар возвращается владельцу. Все счастливы, особенно владелец. Да и злоумышленник, полагаю, тоже.

— Ну, не знаю. У нас отличные отношения с ФБР. И с самого начала были превосходными. Мне кажется неправильным обойтись без него на данном этапе.

— Но юрисдикция ФБР не распространяется на Францию, — возразила Элейн. — Бюро придется привлечь местные власти, и мы потеряем контроль. Будет вовлечено много людей, и риски многократно возрастут. Один маленький промах, предвидеть который заранее не может никто, и рукописи исчезнут навсегда.

— А если рукописи снова окажутся у нас, то как отреагирует ФБР, когда все закончится? — поинтересовался Фарли.

Она улыбнулась и ответила:

— Я хорошо знаю Ламара Брэдшоу. Если рукописи будут надежно спрятаны в вашей библиотеке, а воры сидеть в тюрьме, он только обрадуется. Он не станет закрывать дело еще несколько месяцев, и, возможно, преступник все-таки совершит ошибку, но мы с Брэдшоу наверняка уже скоро встретимся в Вашингтоне и вместе выпьем, вспоминая это дело с улыбкой.

Карлайл посмотрел на Фарли и Кендрика и наконец произнес:

— Хорошо. Давайте продолжим без ФБР. А теперь деликатный вопрос о деньгах. Мистер Лэнс?

Генеральный директор откашлялся и сказал:

— Ну, мы на крючке на двадцать пять миллионов, но это в случае полной утраты рукописей. Сейчас ситуация несколько иная.

— Действительно, — согласился Карлайл с улыбкой. — Если у вымогателя все пять рукописей, то арифметика тут простая. Всего двадцать миллионов. Сколько вы готовы дать от общей суммы?

— Половину, и ни цента больше, — решительно заявил Лэнс.

Половина была больше, чем надеялся Карлайл, но, являясь представителем академических кругов, он не знал, как торговаться с многоопытным руководителем страховой компании. Посмотрев на Фарли, он распорядился:

— Устройте вторую половину.

11

По другую сторону улицы Сен-Сюльпис и менее чем в сорока футах от входной двери книжного магазина Гастона Шапеля располагался отель «Пруст», занимавший старое четырехэтажное здание с тесными номерами и единственным лифтом, едва вмещавшим одного взрослого с багажом. Пользуясь поддельным канадским паспортом, Брюс снял номер на третьем этаже и заплатил за него наличными. В окне он установил маленькую камеру, направленную на вход в магазин Гастона. Сигнал с изображением передавался в режиме реального времени на его смартфон, с экрана которого он не сводил глаз в номере отеля «Делакруа» на улице Сен за углом. Ноэль следила из номера в отеле «Бонапарт». На кровати рядом лежали пять рукописей, разложенных по разным сумкам и пакетам.

В одиннадцать утра она вышла из номера с хозяйственной сумкой и попросила на стойке регистрации, чтобы горничные не заходили в номер и не беспокоили ее спавшего мужа. Затем она покинула отель, перешла через дорогу и остановилась у витрины бутика. Брюс прошел мимо и, не останавливаясь, взял у нее сумку. Ноэль вернулась в свой гостиничный номер, чтобы сторожить оставшиеся рукописи и следить за происходящим в магазине Гастона.

Брюс направился к фонтану перед церковью Сен-Сюльпис и, смешавшись с толпой туристов, погулял по площади, стараясь внутренне подготовиться к тому, что его ждало впереди. Предстоящие часы резко изменят его жизнь. Если он попадет в западню, то его отправят домой в цепях и засадят на несколько лет. Но если всё пройдет гладко, он станет богатым человеком, и знать об этом будет только Ноэль. Он побродил по улицам, постоянно петляя, дабы лишний раз убедиться, что за ним нет слежки. Наконец настало время совершить обмен.

Брюс вошел в книжный магазин и увидел, что Гастон разглядывает старый атлас, делая вид, будто занят, но на самом деле следил за улицей. Клиентов не было. Помощнику он дал выходной. Они прошли в его заваленный бумагами кабинет в задней части магазина, где Брюс достал кедровый ящик, из которого извлек архивный футляр.

— Первая рукопись. «По эту сторону рая».

Гастон осторожно коснулся верхнего листа и сказал по-английски:

— На мой взгляд, все в порядке.

Брюс вышел из кабинета, закрыл за собой входную дверь в магазин и, окинув взглядом узкую улочку, с беспечным видом зашагал прочь. Ноэль, следившая в отеле «Пруст» по экрану смартфона за изображением с камеры, не заметила ничего подозрительного.

Используя предоплаченный мобильный телефон, Гастон набрал номер нужного банка «Креди Сюис» в Женеве и сообщил, что первая поставка благополучно завершилась. По указанию Брюса, деньги должны были поступать на специально открытый в цюрихском банке «АГЛ» счет на предъявителя, а оттуда сразу переводиться на другой анонимный счет уже в люксембургском банке.

Брюс вернулся в свой гостиничный номер, открыл ноутбук и получил по электронной почте подтверждение двух денежных переводов.

Перед магазином Гастона остановился черный «Мерседес», и из него вышел Томас Кендрик. Он зашел внутрь и почти тут же вернулся с рукописью в руках. После чего сразу направился в свой офис, где его с нетерпением ждали д-р Джеффри Браун и еще один библиотекарь из Принстона. Они открыли футляр, и при виде рукописи не могли сдержать слез радости.

Требовалось проявить терпение, однако ожидание было настоящей пыткой. Переодевшись, Брюс отправился на долгую прогулку. В кафе на открытом воздухе на Рю-дез-Эколь в Латинском квартале ему с трудом удалось впихнуть в себя салат. За два столика от него села Ноэль и заказала кофе. Они не подавали вида, что знакомы, и вскоре он ушел, прихватив по дороге рюкзак, который Ноэль положила на свободный стул рядом. Через несколько минут Брюс снова оказался в магазине Гастона и с удивлением увидел, как тот разговаривает с клиентом. Брюс направился в кабинет, где положил рюкзак на письменный стол. Когда Гастон освободился, они вместе открыли второй кедровый ящик, и перед их глазами оказалась вторая рукопись с неразборчивым почерком Фицджеральда.

— «Прекрасные и проклятые». Опубликовано в 1922 году и, возможно, его самое слабое произведение.

— На мой взгляд, все в порядке, — произнес Гастон.

— Звоните, — бросил Брюс и вышел.

Через пятнадцать минут денежные переводы были отправлены на соответствующие счета. Вскоре у магазина остановился все тот же черный «Мерседес», и Томас Кендрик забрал у Гастона вторую рукопись.

Третьим был опубликован «Гэтсби», но Брюс решил приберечь его напоследок. Его состояние благополучно росло, но он по-прежнему не чувствовал уверенности, что все пройдет гладко до самого конца. Следующая встреча с Ноэль состоялась в Люксембургском саду, где она ждала на скамейке в тени вяза. Рядом лежал коричневый бумажный пакет с названием пекарни. Для убедительности из него торчал конец багета. Брюс отломил его и, выбросив, направился к Гастону. В половину третьего он вошел в книжный магазин, передал своему другу пакет с остатками багета и рукописью «Ночь нежна», после чего ушел.

Брюс предусмотрительно решил подстраховаться и усложнить поиски получателя, если движение денег попытаются отследить, поэтому третий перевод отправился в филиал «Дойче банка» в Цюрихе, а оттуда на анонимный счет в лондонском банке. Когда переводы были подтверждены, цифра, в которую оценивалось его состояние, оказалась уже не семизначной, а восьмизначной.

Снова появился Кендрик и забрал третью рукопись. Доктор Джеффри Браун, ждавший в его кабинете, был вне себя от радости при виде растущей коллекции.

Четвертую рукопись — «Последний магнат», — спрятанную в спортивной сумке «Найк», Ноэль привезла в польский книжный магазин на бульваре Сен-Жермен. Брюс забрал там у нее сумку и за четыре минуты добрался пешком до магазина Шапеля.

Швейцарские банки закрывались в пять. За несколько минут до четырех Гастон позвонил Томасу Кендрику и передал, что возникли некоторые осложнения. За «Гэтсби» его знакомый хотел получить деньги авансом. Кендрик сохранил самообладание, но заявил, что это неприемлемо. Они заключили соглашение, и до сих пор обе стороны неукоснительно выполняли все взятые на себя обязательства.

— Это действительно так, — вежливо согласился месье Шапель. — Но мой контакт опасается, что, получив последнюю рукопись, ваша сторона может отказаться совершить за нее платеж.

— А если мы сделаем платеж, а он решит оставить рукопись у себя? — спросил Кендрик.

— Полагаю, что это риск, на который вам придется пойти, — ответил Гастон. — На другое он не согласен.

Кендрик глубоко вздохнул и взглянул на перекошенное от ужаса лицо д-ра Брауна.

— Я вам перезвоню через пятнадцать минут, — сказал он Гастону.

Доктор Браун уже звонил в Принстон, где президент Карлайл не выходил из кабинета все последние пять часов. Тут и обсуждать было нечего. Принстону «Гэтсби» нужен намного больше, чем преступнику еще четыре миллиона. Они рискнут.

Кендрик позвонил Шапелю и передал новости. Когда без четверти пять последний банковский перевод был подтвержден, Шапель позвонил Кендрику и сообщил, что сидит в такси возле офисного здания на авеню Монтень с рукописью «Гэтсби» в руках.

Кендрик пулей выскочил из кабинета, а за ним во весь опор бросились доктор Браун с коллегой. Они пронеслись по широкой лестнице, проскочили мимо секретаря приемной, напугав ее до смерти, и выбежали на улицу, где увидели, как Гастон вылезает из такси. Он передал толстый портфель и сказал, что вся рукопись «Гэтсби» была там, за исключением первой страницы третьей главы.

В пятидесяти ярдах от того места Брюс Кэйбл наблюдал за этой сценой, стоя под деревом и от души веселясь.

Эпилог

За ночь в кампусе выпало восемь дюймов снега, и с утра команды уборщиков расчищали лопатами дорожки и лестницы, чтобы занятия могли продолжаться. Студенты в тяжелых ботинках и теплых куртках спешили как можно быстрее оказаться в аудиториях. Температура опустилась до минус десяти градусов по Цельсию, и дул колючий ветер.

Согласно расписанию, которое он нашел в Интернете, она должна быть в аудитории Куигли-Холла, где проводила занятие по писательскому мастерству. Он нашел здание, нашел аудиторию и подождал в тепле вестибюля второго этажа до 10:45. Потом вышел на улицу и стал расхаживать по дорожке возле здания, делая вид, что разговаривает по мобильному, чтобы не привлекать внимания. Но на улице стоял слишком сильный мороз, чтобы кому-то было до него дело. Закутанный в теплую одежду, он ничем не отличался от обычных студентов. Она вышла из парадной двери и направилась в сторону от него вместе с группой студентов, которая все разрасталась по мере того, как пустели другие здания после окончания занятий. Он пошел за ней и увидел, что ее сопровождает молодой человек с рюкзаком на плече. Несколько раз свернув, они, судя по всему, направлялись к Стрипу — кварталу магазинов, кафе и баров возле кампуса Университета Южного Иллинойса. Потом перешли улицу, и ее спутник, как бы желая помочь, поддержал ее за локоть, который потом отпустил, когда они пошли быстрее.

Увидев, что они нырнули в кофейню, Брюс зашел в бар по соседству. Сунув перчатки в карманы куртки, он заказал черный кофе. Через пятнадцать минут, уже окончательно согревшись, Брюс направился в кофейню. Мерсер и ее спутник сидели за маленьким столиком, повесив на спинки кресел свои куртки и шарфы, потягивали причудливо оформленный кофе и о чем-то увлеченно беседовали. Брюс подошел к их столику незамеченным.

— Привет, Мерсер, — поздоровался он, полностью игнорируя ее спутника.

Она была поражена, даже ошеломлена и, казалось, не могла ни вдохнуть, ни выдохнуть. Брюс повернулся к молодому человеку и сказал:

— Извините, но мне нужно поговорить с ней несколько минут. Я проделал долгий путь.

— Какого черта? — возмутился парень, готовый к драке.

Мерсер коснулась его руки и произнесла:

— Все в порядке. Просто дай нам несколько минут.

Молодой человек медленно поднялся, взял свой кофе и, проходя мимо Брюса, задел его плечом, на что тот никак не отреагировал.

— Клевый парень. Твой студент? — поинтересовался Брюс, усаживаясь на его стул.

Овладев собой, Мерсер отозвалась:

— Ты серьезно? А какое тебе до этого дело?

— Никакого. Ты отлично выглядишь, Мерсер, минус загар.

— Это февраль на Среднем Западе, и далеко от пляжа. Что тебе надо?

— У меня все хорошо, спасибо, что спросила. А как ты?

— Отлично. Как ты меня нашел?

— Вообще-то ты и не скрываешься. Морт Гаспер обедал с твоим агентом, которая рассказала печальную историю о смерти Уолли Старка на следующий день после Рождества. Весной им понадобилась замена и потребовался писатель для преподавания литературы. И вот ты здесь. Тебе тут нравится?

— Нормально. Только холодно, и часто дует сильный ветер.

Мерсер сделала глоток кофе. Оба не опускали глаза.

— А как продвигается роман? — поинтересовался Брюс с улыбкой.

— Хорошо. Половина уже есть, и пишу каждый день.

— Про Зельду и Эрнеста?

Она даже повеселела:

— Нет, это была глупая идея.

— Весьма глупая, но тебе, как я помню, сначала понравилась. Так о чем новый роман?

Мерсер глубоко вздохнула и окинула взглядом кофейню. Потом улыбнулась и ответила:

— О Тессе, ее жизни на пляже и внучке, ее романе с молодым человеком, все красиво и вымышленно.

— С Портером?

— С кем-то очень на него похожим.

— Мне нравится. А в Нью-Йорке видели?

— Мой агент прочитала первую половину и настроена более чем оптимистично. Думаю, это сработает. Сама не могу поверить, Брюс, но я рада тебя видеть. Теперь, когда первый шок прошел.

— И я рад тебя видеть, Мерсер. Не думал, что это когда-нибудь произойдет.

— А почему происходит сейчас?

— Чтобы расставить точки над «i».

Мерсер сделала глоток и вытерла губы салфеткой.

— Скажи, Брюс, а когда ты начал меня подозревать?»

Брюс взглянул на ее кофе — разновидность латте со слишком большим количеством пены, которую венчало нечто, похожее на жженый сахар.

— Можно? — спросил и потянулся к чашке. Мерсер промолчала, и он сделал глоток. — Как только ты появилась, — признался он. — Тогда я был начеку, следил за каждым новым лицом, и не зря. У тебя имелась отличная легенда, просто идеальная, и я даже допускал, что это может оказаться правдой. Но я и не исключал, что это может быть блестящим планом, который кто-то разработал. Чья это была идея, Мерсер?

— Не скажу.

— Понятно. Чем больше мы сближались, тем подозрительнее я становился. И в душе крепло чувство, что плохие парни смыкают кольцо. Слишком много странных лиц в магазине, слишком много фальшивых туристов, околачивающихся вокруг. Ты подтвердила мои страхи, и я сделал ход.

— Улизнул из-под носа, да?

— Да. Мне повезло.

— Поздравляю.

— Ты чудесная любовница, Мерсер, но плохая шпионка.

— Думаю, что и то и другое — мне комплимент.

Мерсер сделала еще один глоток и передала ему чашку. Когда Брюс ее вернул, она спросила:

— И что означает расставить точки над «i»?

— Узнать, почему ты это сделала. Ты пыталась надолго отправить меня за решетку.

— А разве мошенники не идут на этот риск сами, когда решают заняться сбытом краденого?

— Ты называешь меня мошенником?

— Конечно.

— Ну а я считаю тебя маленькой подлой сучкой.

Мерсер засмеялась:

— Значит, мы в расчете. Есть еще варианты, как меня обозвать?

Брюс тоже засмеялся и ответил:

— Пока нет.

— О, а у меня есть много слов про тебя, Брюс, но хорошие перевешивают плохие.

— Наверное, мне следует сказать спасибо. Однако вернемся к вопросу. Почему ты на это пошла?

Мерсер глубоко вздохнула и снова оглянулась. Ее друг сидел в углу, уткнувшись в смартфон.

— Из-за денег. Я сидела на мели, по уши в долгах, не знала, как выпутаться. Оправданий на самом деле много. Но я всегда буду об этом жалеть, Брюс. Прости меня.

Он улыбнулся и произнес:

— Вот почему я здесь. Это то, что я хотел услышать.

— Извинение?

— Да. Я принимаю его и не держу зла.

— Ты очень великодушен.

— Я могу себе это позволить, — сказал Брюс, и оба засмеялись.

— Почему ты на это пошел, Брюс? В смысле, сейчас мы оба знаем, что все закончилось хорошо и того стоило, но тогда это же был невероятный риск!

— Это не было запланировано, поверь. Я время от времени приторговывал редкими книгами на черном рынке. Думаю, сейчас это все в прошлом, но и тогда я сам никуда не лез, и мне просто позвонили. Одно цеплялось за другое, и всё раскручивалось само по себе. Я увидел возможность, решил ею воспользоваться, и в скором времени рукописи оказались у меня. Но я понятия не имел, как близко ко мне подобрались плохие парни, пока не появилась ты. Как только я понял, что у меня в доме завелся крот, я был вынужден сделать ход. Это ты подтолкнула меня его сделать, Мерсер.

— Ты хочешь меня поблагодарить?

— Да. Прими мою искреннюю благодарность.

— Не стоит. Мы оба знаем, что шпионка из меня скверная.

Они сделали еще по глотку, явно получая удовольствие от общения.

— Должна тебе признаться, Брюс, что, прочитав о возвращении рукописей в Принстон, я от души повеселилась. Мне, понятно, вовсе не понравилось, что ты мною воспользовался, но я все равно сказала: «Браво, Брюс!»

— Да, это была настоящая авантюра, но больше я в такие игры не играю.

— Я в этом сомневаюсь.

— Клянусь. Послушай, Мерсер, я хочу, чтобы ты вернулась на остров. Это место для тебя так много значит. Коттедж, пляж, друзья, книжный магазин, мы с Ноэль. Дверь всегда открыта.

— Там видно будет. Как Энди? Я часто о нем думаю.

— Трезв как стеклышко. Два раза в неделю ходит на собрания анонимных алкоголиков и пишет, как сумасшедший.

— Это чудесные новости!

— На прошлой неделе мы с Майрой разговаривали о тебе. Все удивились твоему внезапному отъезду и теперь теряются в догадках — почему. Ты там своя, и знай, что мы всегда будем рады тебя снова увидеть. Заканчивай свой роман, и мы устроим пир на весь мир!

— Это очень приятно, Брюс, но с тобой я всегда буду держать ухо востро. Может, я и приеду, но на этот раз никаких интрижек.

Брюс сжал ее руку и поднялся.

— Там видно будет, — сказал он и, поцеловав ее в макушку, добавил: — А пока — до свидания.

Мерсер, провожая его взглядом, смотрела, как он пробирается между столиками и выходит из кофейни.

От автора

Я хотел бы принести извинения Принстонскому университету. Если верить его веб-сайту, а у меня нет оснований сомневаться в достоверности приведенных на нем сведений, то оригиналы рукописей Ф. Скотта Фицджеральда действительно хранятся в Библиотеке Файрстоуна. Я не знаю этого сам. Я никогда не бывал в библиотеке и, конечно, держался от нее подальше, пока работал над этим романом. На самом деле эти рукописи могут находиться в подвале, на чердаке или в тайной усыпальнице с вооруженными охранниками. Я не стремился к достоверности в этом вопросе прежде всего потому, что не хочу заронить преступные мысли в головы заблудших душ.

Уже после первого романа я выяснил, что писать книги гораздо проще, чем их продавать. Поскольку я ничего не знаю о розничной стороне бизнеса, я положился на опыт старого друга Ричарда Хоуорта, владельца «Сквер-Букс» в Оксфорде, штат Миссисипи. Он прочитал рукопись и нашел невероятное количество мест, которые следовало поправить. Спасибо, Рич.

Мир редких книг поразительно увлекателен, и мои знания о нем весьма поверхностны. Когда мне требовалась помощь, я обращался к Чарли Ловетту, Майклу Суаресу, а также к Тому и Хейди Конгальтонам, владельцам электронного ресурса «Битвин зе Каверз Рэа Букс». Огромное вам спасибо.

Отдельная благодарность Дэвиду Рауту из Университета Северной Каролины и Тодду Даути из Университета Южного Иллинойса.

Оглавление

Литературно-художественное издание

Гришэм Джон

ОСТРОВ КАМИНО

Роман

Ответственный редактор *Е. Дебова*
Художественный редактор *Е. Фрей*
Технический редактор *О. Серкина*
Компьютерная верстка *Г. Клочкова*
Корректор *Е. Савинова*

Общероссийский классификатор продукции
ОК-005-93, том 2; 953000 — книги, брошюры

ООО «Издательство АСТ»
129085, г. Москва, Звездный бульвар, д. 21, строение 1, комната 39
Наш электронный адрес: **www.ast.ru**
E-mail: neoclassic@ast.ru
ВКонтакте: vk.com/ast_neoclassic

«Баспа Аста» деген ООО
129085, г. Мәскеу, жұлдызды гүлзар, д. 21, 1 құрылым, 39 бөлме
Біздің электрондық мекенжайымыз: www.ast.ru
E-mail: neoclassic@ast.ru

Қазақстан Республикасында дистрибьютор
және өнім бойынша арыз-талаптарды қабылдаушының
өкілі «РДЦ-Алматы» ЖШС, Алматы қ., Домбровский көш., 3«а», литер Б, офис 1.
Тел.: 8(727) 2 51 59 89,90,91,92, факс: 8 (727) 251 58 12 вн. 107;
E-mail: RDC-Almaty@eksmo.kz
Өнімнің жарамдылық мерзімі шектелмеген.

Өндірген мемлекет: Ресей
Сертификация қарастырылмаған

Подписано в печать 14.11.2017. Формат 84x108 $^{1}/_{32}$.
Гарнитура «Newton». Печать офсетная. Усл. печ. л. 20,16.
Тираж 12 000 экз. Заказ 3798.

Отпечатано в ООО «Тульская типография».
300026, г. Тула, пр. Ленина, 109.

ISBN 978-5-17-982582-1